Narratori Feltrinelli

Rosella Postorino

Mi limitavo ad amare te

Prima edizione nei "Narratori" gennaio 2023

Stampa Grafica Veneta S.p.A. di Trebaseleghe - PD

ISBN 978-88-07-03526-5

I fatti narrati in questo libro, nonché le vicende personali dei loro protagonisti, sono opera della fantasia dell'autrice, sebbene liberamente ispirati ad accadimenti reali. I fatti storici e di cronaca citati hanno quindi il solo scopo di conferire verosimiglianza e concretezza all'espressione artistica, e ciò senza alcun intento denigratorio.

"Come è possibile uccidere, è anche possibile scrivere."

Slavenka Drakulić, "Leggere Karahasan"

"Ma dalla madre, chi ti salva?"

Elsa Morante, *L'isola di Arturo*

Parte prima
1992-1993

1.

Il bambino camminava appiccicato alla madre, tanto che lei si fermò e disse: “Perché mi stai addosso, non vedi che inciampiamo?”.

Era più forte di lui. Aveva dieci anni, e da cinque viveva nel tormento della sua mancanza, passava la settimana alla finestra, in ginocchio su una sedia ad aspettare. Poi la madre arrivava e il bambino era peggio dei cani che non sanno stare al guinzaglio, sbuffava lei. E lui pensava che proprio per l’euforia di trovarsi finalmente accanto al padrone gli tagliavano la strada; non lo diceva.

“Scusa.” Bevve un sorso di Coca-Cola: gliel’aveva portata la madre, gli portava sempre qualcosa, chissà dove l’aveva scovata. Lei guardava altrove con gli occhi un po’ strizzati, anche se non c’era il sole, ma un cielo di lamiera nel pomeriggio inoltrato. Faceva così ogni volta, quando passava a prenderlo e camminavano senza allontanarsi troppo. Si guardava attorno, si soffermava su un punto che lui non riusciva mai a capire e le comparivano minuscole rughe ai lati del naso. Al bambino parevano i baffi di un gatto, quelle rughe, e dalla pancia gli saliva una voglia matta di accarezzarle, ma si tratteneva. Tanto, sapeva che lei non avrebbe fatto le fusa.

Compresse la lattina di Coca-Cola e la calciò, il trapestio metallico increspò la fronte della madre. Allora il bambino andò a recuperarla per buttarla in un cassonetto, ma lei disse: “Tira!”.

Lui obbedì, le obbediva sempre.

Appena la lattina le colpì per sbaglio un seno, la madre si bloccò, curvò la testa. Il bambino le corse incontro e rimase in attesa, non osava parlare. Dato che neppure lei fiatava, le sfiorò un fianco, piano, quasi la madre potesse rompersi, o precipitare. "Ti ho fatto male?" Lei sollevò la testa con tale impeto che il bambino trasalì. Mentre i capelli le ricadevano scarmigliati sulle spalle, gli afferrò i polsi, li strinse.

"L'ho parata," disse, "hai visto?" Poi scoppiò a ridere.

Quando lei rideva, era come le cascate. Il bambino le aveva viste solo in tv, le cascate, ma sognava di farsi diluviare addosso il getto prepotente d'acqua fresca, sognava di berla con la bocca aperta e la faccia all'insù. Se sua madre rideva, scrosciava tutta intera la terra.

Giocarono una partita a due lungo la salita di Bjelave: i calci di lei erano scoordinati, goffi, lo riempirono di allegria. A sorvegliarli, finestre chiuse con tavole di legno al posto dei vetri, squarci aperti nei muri dei palazzi, colombi imperterriti sui davanzali e una lunga colata d'asfalto disertata dagli esseri umani. Qualcuno aveva piantato in un vaso spoglio una girandola: non c'era vento, non girava. Chissà se, soffiando col suo fiato di bambino smilzo, lui l'avrebbe fatta dondolare almeno un po'.

"Torniamo indietro," disse a un tratto la madre, abbottonandosi la giacca di cotone. Di nuovo quelle rughe a stropicciarle il volto. "Perché?" chiese il bambino, e dentro la pancia qualcosa si accartocciò. In ginocchio davanti a lui, la madre gli alzò il bavero, ma non faceva freddo, era maggio. "Dov'è tuo fratello, come mai non è venuto?" Il bambino non rispose. Quella mattina si era svegliato, al solito, per la puzza di fumo: il fratello si accendeva una sigaretta con la guancia ancora sul cuscino, la succhiava sino al filtro, la spegneva sfregandola sulla parete cui era appoggiato il suo letto. Aveva disegnato una catena grigio scuro, ne sembrava fiero.

"Devi convincerlo a venire con noi, la prossima volta. Me lo prometti?" Il bambino annuì: le obbediva sempre. Lei lo abbracciò. Odorava di stufa a legna e capelli non lavati, anche se la stufa era spenta da oltre un mese; era lo stesso odore di quando dormivano insieme.

Il bambino si serrò alla madre per respirarlo, e fu allora che il fragore esplose. Le finestre tremarono, i colombi si scagliarono in volo, la girandola girò e cadde dal vaso, ma il bambino non se ne accorse: una raffica d'aria lo strappò all'abbraccio scaraventandolo via.

Riaprì gli occhi sulle narici larghe di un uomo, ne mise lentamente a fuoco il viso. Un fischio acuto lo assordava.

"Eccoti." Un berretto militare, il collo sigillato da un'uniforme. "Stai bene?" La voce, i suoni, arrivavano remoti, ovattati. Un brusio di grida gemiti singhiozzi passi svelti sul selciato.

"Mi vedi, mi senti?"

"Sì," rispose il bambino, le labbra spaccate. Le guance tiravano, ricoperte da uno strato di polvere. Si leccò un angolo della bocca, era ruvido, salato.

"Riesci a camminare?" l'uomo lo aiutò a rimettersi in piedi.

Il bambino era intatto, neppure un graffio. Sulla strada, un colombo inerte in una pozza di sangue.

"Dove abiti?"

Il bambino fissava l'ala spezzata, discosta appena dal cadavere.

Il soldato lo scrollò: "Dov'è casa tua?".

"L'orfanotrofio, quassù."

"Allora torna lì, non ti sei fatto niente."

"Dov'è mia madre?"

"Attaccati ai muri, fermati sotto i cornicioni, quanti anni hai?"

"Dieci."

"Ecco, a dieci anni hai di sicuro imparato come fare", lo spinse con la mano sulla schiena. "Sbrigati!"

Attivato da quella pressione, il corpo del bambino si mosse, le gambe avanzarono l'una dietro l'altra, prima lente, meccaniche, poi più spedite.

Il cuore gli batteva forte. Nella coltre di fumo, il brusio in sordina lo smarriva.

"Corri!" Il bambino girò di scatto la testa: era la voce di sua madre, ma da dove veniva? "Mamma." La cercò nella calca. Una schiera sfocata di soldati, una ressa confusa di persone, sagome annaspanti, bruciore negli occhi. Non la vide. “Corri!” Ma era la sua voce, era lei, doveva essere lei. Il bambino obbedì, le obbediva sempre. “Dove sei?” gridò correndo, la testa indietro, i soldati sempre più distanti, sempre più piccoli. “Sbrigati!” lo incitava quello che l’aveva raccolto da terra. Il bambino non si fermò neppure un attimo, continuò a correre, la testa girata, gridando: “Mamma, dove sei?” a ripetizione, come se qualcuno potesse rispondergli.

2.

Il fiato allargava macchie di vapore sul vetro, Omar le cancellava con le dita per osservare la strada. Era quasi deserta, benché mancassero ore al coprifuoco. All'angolo, un vecchio sgusciò e trascinando una carriola piena di bidoni d'acqua trovò riparo di fianco a un edificio, rallentò rasente al muro, gli occhi a terra anche se gli spari arrivavano dall'alto, fece una sosta per calmare il respiro, proseguì. Omar continuò a udire il cigolio della carriola pure dopo che era scomparsa dalla sua visuale.

Un colpo fece traballare il vetro, di soprassalto il bambino si voltò.

"Sen! Mi hai fatto spaventare."

"Ti ho detto mille volte di allontanarti da lì."

Senadin raccolse dal pavimento la maglia che aveva lanciato contro la finestra, la sbatté prima di indossarla. "Scendi con noi in cortile?"

Una peluria nata da poco gli sporcava la pelle sotto il naso, si inscuriva sui bordi della bocca. A Omar piaceva sfiorarla con il dito per saggiarne la consistenza: era morbida, niente a che vedere con la barba di papà, che invece pungeva a ogni bacio, quando ancora lui abitava con loro, quando ancora non era sparito.

Di notte, per il tuonare delle bombe, Omar tremava sul materasso attaccato a quello di Sen, che gli strofinava il muso sulla guancia e con la peluria gli faceva il solletico. Il fratello lo superava di un paio d'anni appena, ma la sua presenza riusciva a confortare Omar.

"È dalla granata che non viene, oggi sono dodici giorni."
"Omar, viene quando pare a lei, lo sai."

La madre era sempre venuta almeno una volta a settimana. Poi, da quando era cominciato l'assedio, non c'era più stato un giorno prestabilito. Potevano passare pure quindici, venti giorni. Anche prima lui aveva temuto che non tornasse, ma adesso era diverso. Come aveva potuto correre via, andarsene senza di lei?

Le aveva obbedito.

Era arrivato all'orfanotrofio ansante e aveva cercato Sen. Stava sempre fuori, suo fratello, intere giornate. Dopo aver salito e sceso e risalito le scale per controllare in tutte le camere, Omar si era accasciato nel corridoio, non sapeva più nemmeno di quale piano, e aveva iniziato a piangere. La cassa toracica si scuoteva sismica, il respiro murato.

Una bambina era uscita da una camera e gli era andata incontro. Si era seduta di fronte a lui e non aveva chiesto che hai, che succede, non aveva chiamato nessuno. Con le ginocchia raccolte, lo aveva guardato piangere.

Omar la conosceva, anche se non ricordava il suo nome: non si erano mai parlati, poche volte l'aveva incontrata nella sala comune, di solito rimaneva chiusa al secondo piano. Era famosa perché le mancava un anulare, l'aveva perso da piccola, nessuno sapeva come. La prendevano in giro per la menomazione, una la chiamava addirittura Moncherino, ma soltanto se il fratello della bambina non c'era: davanti a lui, che era uno dei più grandi, nessuno si azzardava; per questo lei era abituata a starsene da sola, oppure in sua compagnia.

Omar aveva avuto voglia di dirle vattene, che ci fai qui, ti stai godendo lo spettacolo, ma i singhiozzi gli impedivano di parlare. Aveva pianto ancora più sguaiato, per ripugnarla. Lei era rimasta a guardarlo, zitta, e anche lui l'aveva guardata, negli occhi. La credeva una sfida, invece pian piano le iridi celesti della bambina senza anulare erano divenute il nord della bussola, un gancio cui aggrapparsi. Omar si era tanto concentrato su quel punto del mondo che gradualmente i gemiti si erano smorzati, ed era stato allora che la bambina gli aveva preso la mano con la sua. Aveva usato quella sana, e Omar non si era divincolato, erano rimasti mano nella mano per un po'. La bambina non aveva sorriso, ma il suo tocco era gentile, e saldo. Omar ne aveva assorbito il calore.

Quando le lacrime si erano seccate, e lui era finalmente riuscito a sospirare, la bambina aveva sciolto le dita ed era andata via. Aveva richiuso la porta della stanza mentre Omar diceva ciao. Non sapeva se lei lo avesse sentito.

"Stavolta non è come le altre, forse la granata l'ha presa. Andiamo a cercarla in ospedale."

"Ancora? Quale ospedale?" disse Sen.

"Andiamo a casa, allora," insisté Omar, "a vedere se è lì."

"Tu sei pazzo. Te l'ho già detto: per arrivare a Čengić Vila bisogna attraversare tutta la città, vuoi farti ammazzare?"

Sen fece lo slalom tra i materassi, le bottiglie vuote, le cartacce, i pacchi di biscotti sparsi sul pavimento, e si avvicinò. Da quando la guerra era cominciata, diversi educatori non erano più riusciti a venire. Sono bloccati a Ilidža, a Grbavica, diceva Sen, ora quelle zone le controllano i serbi. Omar invece pensava che avessero finalmente preferito occuparsi dei propri bambini anziché di loro. Alcuni dei ragazzi più grandi si prendevano cura dei piccoli; l'ultimo piano era stato abbandonato perché maggiormente esposto agli spari, le camere dei due piani sottostanti si erano affollate, sempre più in disordine. Le volte in cui era in funzione, la mensa serviva zuppa, patate, pane, ma alla vista del cibo Omar aveva la nausea.

"Se è ferita?" disse, e il fiato imbrattò di bianco il vetro. Strinse il pugno, si morse una nocca. Poi sfiorò l'alone con il bordo del palmo chiuso, lasciando un'impronta che somigliava alla pianta di un piede. Con il polpastrello disegnò le dita.

Del giorno in cui era stato lasciato all'orfanotrofio Ljubica Ivezić non ricordava nulla. C'era il tempo prima e il tempo dopo, ma il giorno della cesura fra un tempo e l'altro l'aveva rimosso. Erano passati cinque anni, ora lui ne aveva dieci e suo fratello dodici, e quando gli chiedeva di descrivere come fosse accaduto, quali fossero stati i gesti, le parole di quella separazione, lui taceva.

Il piede sul vetro si dissolse, Sen appoggiò la schiena agli infissi. "Magari è proprio per proteggersi che non viene. Dovresti esserne contento."

"Io voglio vederla."

"Quanto sei cocciuto." Gli morse debolmente il naso. Omar lo picchiò sulle spalle, e per un po' risero insieme di quel contatto sgangherato. Poi Sen si staccò: "Scendi, allora? Io vado".

"Non te ne frega nulla di lei," disse Omar.

Il fratello lo abbracciò d'imperio, lui restò immobile, nemmeno oppose resistenza.

"Ha detto che la prossima volta devi venire anche tu."

"Ok. Ma tu quando lo capisci?"

"Che cosa?"

"Che dobbiamo stare qui."

I cecchini sparavano dalle montagne, Sarajevo era circondata, uno spazio da cui era impossibile uscire. Ha la forma di una culla, di una conchiglia, raccontava suo padre nelle sere di buonumore, una forma che ha sempre fatto sentire protetti i suoi abitanti, e a Omar pareva che gli brillassero gli occhi. Chissà dov'era, adesso, lui: mai avrebbe potuto immaginare che quella fosse la forma perfetta per ucciderli.

Eppure le persone continuavano a stare in strada, raccoglievano l'acqua piovana in sacchetti da freezer che poi riversavano nelle taniche – Omar le spiava dalla finestra, malgrado Sen lo sgridasse, vuoi farti ammazzare? – e compravano verdura al mercato a dispetto dei prezzi esorbitanti, facevano la fila per il pane, e tra un palazzo e l'altro correvano.

Anche lui correva per mano a Sen, gli occhi fissi alle proprie scarpe, come se ignorare qualunque cosa a parte la punta di tela consumata, le stringhe annerite, potesse difenderlo dalla minaccia. Non c'era verso di far restare gli orfani chiusi dentro; gli altri bambini avevano madri da tallonare – ti prego, giusto un'oretta, è spuntato pure il sole. Loro no, erano liberi di morire. Così, prima di attraversare, Omar tratteneva il fiato, poi si lanciava assieme agli altri, a occhi chiusi: se non lo avessero centrato i cecchini, avrebbero potuto farlo le poche auto, sfrecciando per schivare gli spari. Fra le risate arrivavano dall'altra parte della strada, battevano il cinque per ostentare la spavalderia dei veterani e mascherare la raffica di battiti che rimbombava in gola – perfino Omar. Il fratello della bambina senza anulare no.

Si chiamava Ivo, e Sen lo ammirava, non solo perché aveva quasi diciotto anni, la voce adulta e il pomo d'Adamo pronunciato al punto che pareva potergli bucare da un momento all'altro la pelle del collo, ma perché non temeva niente. Nel tardo pomeriggio organizzava e dirigeva spedizioni nei supermercati e nei negozi dismessi, le vetrine frantumate dalle esplosioni. Compilava una specie di lista della spesa e assegnava a ciascuno una cosa da recuperare, anche se non era facile, perché le attività commerciali colpite dalle bombe venivano saccheggiate: spesso, diceva, erano le stesse forze armate di difesa territoriale ad approfittarne dopo il coprifuoco. Il cibo racimolato, Ivo lo ripartiva tra loro, oppure lo scambiava al mercato con le sigarette.

"Oh, finalmente ti sei schiodato da quella finestra," disse vedendo Omar arrivare in cortile con Sen.

Lui lo guardò ma non rispose, non sapeva mai che dirgli.

L'ombra asimmetrica dell'edificio si proiettava sull'asfalto. Come al solito, il cortile era colonizzato dalle femmine, che giocavano a mamma con i più piccoli: li cullavano, misuravano loro la temperatura ficcandogli un legnetto sotto l'ascella, rimboccavano immaginarie coperte e li sgridavano con tale accanimento che sembravano arrabbiate sul serio. A volte i piccoli fraintendevano e scoppiavano a piangere, altre le lasciavano fare. In cortile, la bambina senza anulare non veniva mai.

"Andiamo," disse Ivo. Lo seguirono solo i maschi. Neppure i cani randagi che bazzicavano l'orfanotrofio si mossero.

Lungo la discesa c'era una Yugo ammaccata e sventrata, senza parabrezza né finestrini o portiere, le ruote integre e la carrozzeria scarabocchiata. Un ragazzo ci era saltato sopra e agitandosi la scuoteva: dentro, due bambini oscillavano come su una giostra.

"Dài, sali," Ivo gli fece l'occhiolino e Omar sbirciò Sen, che disse: "Mettiti al volante". I bambini si strinsero per fargli posto. Certi si erano accomodati sul cofano sfondato, certi si erano aggrappati al tettuccio con le mani puntando i piedi sul telaio, certi avevano raggiunto il ragazzo sulla cappotta. Gli altri attesero intorno al veicolo: al via di Ivo spinsero, finché la macchina non si spostò. Arrancò, grattando appena l'asfalto, a poco a poco prese velocità e dopo la rincorsa partì in quarta, neanche fosse acceso il motore, neanche avesse ancora un motore, scivolando per la discesa più di uno slittino sulla neve. Da quanto Omar non andava sul monte Trebević – da quando suo padre li aveva abbandonati.

Pensò al lettone in cui avevano dormito tutti e quattro assieme, appiccicati, testa con piedi, d'estate e d'inverno, prima che lui se ne andasse. A Omar toccavano i piedi della madre: erano corti ma non sottili, duri di calli e con le dita tanto gommose che gli veniva voglia di succhiarle. La mamma non voleva: se Omar ci provava, lei li ritirava brusca. Aveva il mignolino fuori asse, leggermente sovrapposto al quarto dito, così Omar giocava a spostarlo verso il basso, ma quello scattava a molla, tornando alla posizione originaria. La ribellione del mignolino materno lo gonfiava di tenerezza. Pensò al seminterrato in cui erano vissuti, alla stufa nell'angolo: immaginò che la madre fosse lì, inginocchiata davanti allo sportellino aperto per caricare la legna – era primavera, non faceva freddo. Perché non era più venuta? Forse era in ospedale, e il seminterrato era rimasto vuoto, la legna ammucchiata sul pavimento.

"Che fai?" gridò il bambino accanto a lui e si allungò sul volante. Omar tentava di assecondare la curva, ma era in balia di una velocità incontrollabile. Non ebbe paura, lasciò che l'altro sterzasse al suo posto, la schiena si inclinò repentina da un lato come strattonata da una fune, da una forza che nessun muscolo riusciva ad arginare. Urtò una spalla, una tempia, nemmeno capì contro cosa. E rise. Gli montò fino ai molari una gioia indecente, che lo fece strillare.

Quando la spinta che aveva messo in moto la Yugo esaurì l'energia e l'auto rallentò, i ragazzi appesi saltarono giù. Sen era corso dietro alla macchina; Ivo no, aveva camminato con calma, fumando.

Al suo arrivo, li mandò a cercare qualcosa di commestibile. Omar si addossò a Sen, voleva tornare all'orfanotrofio. La gioia si era spenta. Non gli piaceva rovistare tra le macerie, e poi non aveva mai fame.

Un'oretta dopo erano seduti tutti in un'aiuola. Il bottino scarseggiava: un pacco di biscotti scaduti alla crema, caramelle alla frutta e due scatolette di sardine. Queste, le aveva dissotterrate Sen da un ammasso di rottami. A gambe incrociate di fianco al fratello, che sudando scavava, Omar aveva aspettato indolente. Davanti alla massa enorme di rovine da spostare, sollevare, davanti alla vastità del disastro, si sentiva sempre estenuato.

L'odore grossolano delle sardine lo disgustò mentre gli altri mangiavano.

"Guardate, il camion dell'Onu!" urlò Coccodè. Era stato Ivo a chiamarlo così, perché quando rideva pareva stesse facendo l'uovo.

Ivo e Sen scattarono in strada, e chissà perché Omar li rincorse con gambe agili, disperate. Non era veloce, e neppure affamato, ma dall'inizio dell'assedio aveva imparato a correre. Quando fu vicino al camion saltò, più in alto di quanto credesse, allungò la mano per appendersi a una sponda del cassone, la mancò per un pelo, cadde. Sen si fermò a soccorrerlo.

"Ti sei fatto male?" Omar non rispose, mentre il fratello lo trascinava a bordo strada. "Allora?" insisteva. Ma lui era intento a guardare Ivo: arrampicato al camion, aveva già scansato il telo aperto. Frugando alla cieca con le mani, si accaparrò alcuni sacchetti di cibo, e alla prima curva venne giù. Sen gli andò incontro, Omar si mise in piedi.

Erano cipolle. Ivo si sistemò cavalcioni su un muretto, aprì i tre sacchetti con i denti e li offrì: i bambini le morsicarono come mele. Omar si sforzò di partecipare all'entusiasmo. La cipolla crepitò croccante sotto i suoi incisivi, sprigionando sulla lingua un succo aspro. Anche Coccodè aveva gli occhi lucidi. Insistettero lo stesso, si passarono a vicenda i sacchetti finché non furono vuoti. Omar vide Ivo ficcare in tasca una cipolla, pensò volesse portarla a sua sorella. Sentì una fitta tardiva al ginocchio, ma forse era soltanto la malinconia dello stomaco pieno.

"Che hai lì sotto?" Sen indicò la strana forma che si delineava sotto la zip di Coccodè chiusa fino al mento. Un altro ragazzo si alzò per tastare quella pancia irregolare e rigida: i compagni lo seguirono, tutti tranne Omar, e lo palparono fino a scoprire il segreto. Una piccola chitarra.

"Invece del cibo sei andato a cercare giocattoli?" disse Ivo. Sen abbassò la testa e Omar pensò, se ti facevi i fatti tuoi. "Vieni qua," ordinò Ivo, e Coccodè obbedì, la chitarra tenuta per il manico come una bottiglia per il collo. Aspettarono la punizione.

Ivo lanciò via la sigaretta, si grattò il neo al centro della guancia e scese dal muretto. Era alto, molto più di Coccodè, che sembrava pronto a mollare la chitarra a terra, e a terra gettarsi subito dopo pure lui.

"La sai suonare?"

Coccodè annuì.

"E fammi sentire."

Dopo un lungo respiro pizzicò le corde, ma non venne fuori alcun suono riconoscibile.

Ivo si curvò su di lui: "Mi prendi per il culo?".

Con gesti intermittenti, Coccodè girò le meccaniche per accordare la chitarra; si leccava le labbra, neanche fosse in preda a una fatica enorme. Omar pensò che non rideva più come se chiocciasse.

"Suonami *Wish You Were Here*," disse Ivo, "questa la sanno tutti."

Il bambino si raschiò il labbro inferiore con gli incisivi. È una chitarra giocattolo, disse Omar, ma solo a sé stesso: non può fare musica davvero. La lingua fra i denti, Coccodè usò le unghie come un plettro e per l'ansia Omar dovette distogliere lo sguardo.

Gli accordi si levarono nitidi nell'aria, Omar si girò. Un ghigno soddisfatto sul volto di Ivo, che ascoltando disse: "Ma dove cazzo hai imparato?".

C'era stata una vita precedente in cui qualcuno aveva insegnato a quell'orfano a suonare una chitarra – un padre, uno zio, un nonno, chissà. C'era stata un'epoca in cui Coccodè aveva avuto una famiglia.

Ivo intonò i primi versi della canzone, ma sussurrando

appena. Gli altri non osavano cantare, o forse ignoravano le parole; neanche Omar le sapeva.

Coccodè pizzicava le corde e teneva appena il ritmo col mento, le sopracciglia corrugate.

Poi Ivo si grattò di nuovo il neo, e in un unico slancio alzò la testa e la voce. I bambini si rincuorarono: allora era sempre lui, allora era tutto a posto. Sorrisero l'uno all'altro, l'uno dopo l'altro, un contagio, si diedero impercettibili, innocue spallate, non si presero per mano, sarebbe stato troppo, ma si affondarono a vicenda i polpastrelli nelle braccia, d'istinto dondolarono le schiene.

La voce di Ivo era scabra, Omar la sentì scalfirgli la nuca, riempirgli il petto di angoscia come una richiesta d'aiuto, e cercò Sen, mentre sui vetri delle rare finestre ancora integre una nuvola sfilava lenta, immacolata nel cielo blu senza dolore, un paradiso digiuno d'inferno, una città qualunque, una città non bombardata, dove i ragazzi ascoltano a bocca aperta un amico cantare – ma hanno denti storti, seghettati, denti caduti senza alcun premio, e ogni tanto tossiscono, anche se è quasi la fine di maggio, e tirano su col naso, anche se l'aria è calda, un'aria da terremoto o da spari in agguato, tengono in tasca proiettili raccolti per strada, ne fanno la collezione, li scambiano come figurine, il freddo del metallo nel palmo, e seduti sull'erba di un'aiuola che nessuno ha rasato loro sanno di non essere ragazzi qualunque, e non sono fantasmi, neppure eroi, solo, canta Ivo, solo comparse di una guerra.

Quando la canzone si concluse, Coccodè rise tra gli applausi con quel suo verso da gallina in pena e Sen accese a Ivo un'altra sigaretta.

3.

La mamma non tornò, come la corrente elettrica.

Ivo aveva rubato da una casa vuota uno stereo per ascoltare i Pink Floyd e un videoregistratore in attesa di trovare un Bruce Lee da guardare insieme, ma la corrente saltava, la sera accendevano una fiammella e Omar leggeva "Alan Ford", oppure restava al buio a tapparsi le orecchie. All'inizio si erano rifugiati nella cantina dei vicini, quando gli educatori venivano ancora regolarmente. Dopo due settimane i vicini giocavano a scacchi alla fioca luce di un *kandilo*, e nel giro di un mese loro non erano più scesi, erano rimasti nell'orfanotrofio. La scuola era stata chiusa ufficialmente il 9 aprile, ma molti avevano smesso di andarci da prima: erano abituati a marinarla per bighellonare al parco, rubare tavolette di cioccolato nei supermercati, tubetti di colla per lo sballo dei più grandi, biciclette per strada. Omar non era particolarmente bravo in nessuna materia, ma preferiva lo stesso andare a scuola, perché a rubare era ancora meno bravo e non voleva fare brutta figura. L'assenza dalle aule non pareva disturbare troppo gli educatori, ma il furto di bici li mandava su tutte le furie. Della colla non sapevano – o fingevano di non sapere, pensava Omar: tra poco i grandi sarebbero diventati maggiorenni e a quel punto si sarebbero arrangiati.

Gli ultimi giorni di maggio le bombe precipitarono incessantemente. A fatica Sen lo strappò dalla finestra e lo costrinse a stare al pianterreno con gli altri, i materassi buttati sul pavimento. Accucciato in un angolo, ogni sera Omar ascoltava i compagni litigare per il posto: il più sicuro era quello della porta, fra gli stipiti, lo volevano tutti. Gremita di corpi, la sala odorava come la macelleria in cui un paio di volte all'anno lo portava sua madre, quand'era più piccolo, a comprare il macinato per i *ćevapi* – neanche l'acqua era tornata.

Appena si sparse la voce di una strage a via Vase Miskina, dove la gente che aspettava in fila per il pane era stata colpita, in primo mattino, da tre proiettili di obice, Omar vomitò. Mangiava pochissimo, era sempre più sottile. Le spalle strette, le ossa affilate, la breve colata del corpo come il risultato di una fuoriuscita, una perdita. Aveva i capelli neri, lo stesso colore della madre.

La bambina senza anulare disegnava in un angolo, pure nell'ombra più fitta, Omar non capiva come facesse. A volte al risveglio, mentre le prime luci filtravano dai vetri, lui frugava tra le teste degli altri per individuarla. Lei si svegliava e stava qualche istante seduta, a riabituarsi al mondo. Se erano gli unici due svegli, si accorgeva di lui, che la spiava sdraiato e formulava a mente una frase, la ripeteva per impararla a memoria e non sbagliare, se la rigirava in bocca con l'intenzione di pronunciarla, ma la frase sfiatava, un palloncino bucato. La bambina si alzava o si rimetteva a disegnare, qualcun altro si sfregava gli occhi o sbadigliava rumoroso: anche quell'occasione era stata sprecata.

Di pomeriggio, appena Ivo usciva, la parola Moncherino cominciava a rimbalzare di nuovo per la sala: la bambina senza anulare tornava zitta di sopra, e Omar fantasticava di farle visita, presentarsi, stendersi per terra a disegnare con lei anche se non ne era capace, dirle fregatene, di quella stronza, non è mica brava come te. Non aveva mai avuto un amico, non aveva mai anelato la compagnia di nessuno, a parte la madre, il fratello. Ma ora quella bambina era diventata un desiderio.

Un mattino Omar si pulì la bocca con il dorso della mano dopo aver bevuto il tè e si alzò per andare a rivolgerle la parola. Percorse il refettorio quasi vuoto, non aveva nemmeno ripassato la frase. Un clic aveva fatto tendere le ginocchia e una molla lo aveva scagliato verso di lei. Nella luce di luglio la pelle della bambina era lattiginosa. Ivo era seduto al contrario, gli avambracci sullo schienale e una sigaretta spenta tra le dita. "Ehi, Omar," disse vedendolo arrivare.

Lui si fermò davanti al tavolo senza rispondergli, guardò dritto nella direzione della bambina e, quando lei sollevò la testa incrociando il suo sguardo, il mondo andò in pezzi.

Due orfani furono portati in ospedale d'urgenza, le schegge della granata li avevano feriti, l'orecchio, una gamba, Omar non capì, non si capiva niente. Sen aveva dovuto trascinarlo dalle braccia – i vestiti non scivolavano, facevano attrito sul pavimento – perché lui non riusciva più a muoversi. Stavolta non si sarebbe messo a correre, non c'era sua madre a ordinarglielo, stavolta sarebbe rimasto inerte, dov'era la bambina senza anulare?

Fuori dal refettorio si strinse al fratello, la paura di nuovo più forte di qualunque desiderio. Anche Sen era sconvolto, non strofinava la guancia sulla sua per calmarlo, non gli mordicchiava il naso, neppure parlava. La direttrice li aveva riuniti nel salone, diffidandoli dall'uscire in strada, in cortile: come poteva credere che qualcuno avrebbe osato?

I più piccoli piangevano, strisce di muco sulla guancia; le femmine non li consolavano, si erano ammutolite, anche quella che si divertiva a punzecchiare la bambina senza anulare. Vera, continuavano a chiamarla le amiche, Vera, ma lei non reagiva. La stanza puzzava di fumo e sudore.

I cani non avevano più smesso di guaire, ansimare, rifiutavano le carezze, fissavano inebetiti un punto sulla parete, e a Omar pareva stessero decidendo se prendere la rincorsa e sbatterci il muso; oppure andavano di continuo verso il refettorio, annusavano la porta aperta e trivellata. Gli educatori, intenti a raccogliere i vetri della finestra in frantumi e i cocci di tazze e piatti fra i residui della colazione, li cacciavano via strillando. Čupko – era stata la bambina senza anulare a chiamarlo così, forse per il suo pelo arruffato – indietreggiava con la coda fra le zampe e si avvicinava a lei, rannicchiata su un fianco, la testa sulle gambe di Ivo.

Omar la scrutava da lontano: era viva, e lui non sarebbe più corso via. Se i due bambini feriti tornano sani e salvi, si ripeteva, allora anche la mamma è viva, se invece non tornano – e premeva la fronte sul torace di Sen.

L'avrebbero colto così, incollato al fratello, le foto dei cronisti nazionali e stranieri venuti a Bjelave, uno dei quartieri più esposti, più vessati, per riferire la notizia delle bombe sugli orfani. Ma lui i giornali non li leggeva, non lo avrebbe mai saputo.

4.

"Non voglio, non voglio!"

Omar attraversò il corridoio seguendo la voce cigolante e il rumore di oggetti scaraventati contro le pareti. Vide Ivo uscire dalla camera in cui dormiva la bambina senza anulare, avanzava scalzo e marziale nella sua direzione. Lui si nascose nella prima stanza aperta: quand'era torvo, Ivo lo inquietava ancora di più.

Era passato qualche giorno dalla bomba nel refettorio e Omar continuava ad aver paura di saltare in aria ogni volta che beveva tè o ingeriva cibo, ogni volta che si stendeva sul materasso, e a ogni singolo risveglio.

Non appena fu certo che il fratello della bambina senza anulare fosse giù per le scale, la raggiunse. La porta era aperta, non entrò. Immobile sulla soglia, in mutande, attese che lei si accorgesse di lui. Era seduta sul primo letto, aveva strappato i disegni, i pezzi di carta tappezzavano il pavimento, sul quale erano sparpagliati anche abiti, matite, quaderni, un astuccio. Si sporse a testa in giù per raccoglierli e fu allora che la sua ombra la sfiorò. Non sembrava stupita che lui fosse là, ma non gli sorrise né disse di entrare.

"Tutto a posto?"

La bambina non rispose. Scese dal letto, le mani giunte a conca, e si mosse verso la porta. Omar si spostò per farla passare, la vide andare nei bagni, la seguì. La bambina gettò i resti dei suoi disegni nel water. Non tirò lo sciacquone, non c'era acqua, solo un tanfo insopportabile.

"Che volevi, l'altra mattina?" domandò uscendo.

Omar si irrigidì.
"I due feriti stanno meglio, lo sapevi? Saranno dimessi," continuò lei.
Lui scosse la testa, non lo sapeva. Se loro erano sani e salvi, allora sua madre – "Menomale che qualche volta sorridi, Omar."
Non credeva conoscesse il suo nome. "Come ti chiami tu?" le chiese.
"Nada. Perché piangevi, quel giorno?"
"Per una granata."
"Un'altra?"
"Sì, è esplosa per strada, e da allora non ho più visto mia madre, l'ho persa, e non è più venuta."
"La mia non è venuta mai."
Omar non seppe replicare.
"È un bel nome, Nada."
"In spagnolo vuol dire *niente.*"
"Sai lo spagnolo?"
"No, me l'ha detto mio fratello."
"Vabbè, noi non siamo in Spagna, siamo in Bosnia. Ed è bello chiamarsi Speranza."
"Tanto, dalla Bosnia fra poco ce ne andiamo."
"Dove vai?" Un graffio nella pancia.
"Guarda che ce ne andiamo quasi tutti, noi dell'orfanotrofio. Ci portano in Italia."
L'Italia era il luogo in cui due anni prima si erano svolti i mondiali di calcio. Sen aveva guardato ogni partita, la Jugoslavia si era classificata ai quarti di finale. Omar aveva visto suo fratello crederci fino all'ultimo. Poi a Firenze Faruk Hadžibegić aveva sbagliato l'ultimo rigore e Sen aveva tirato un pugno contro la tv. L'educatore lo aveva rimproverato, ma si capiva che era deluso pure lui.
"E perché?"
"Per la guerra, no?"
"No", Omar si asciugò la fronte sudata con la mano, poi la strofinò sul cotone delle mutande. "Io non voglio andare in Italia, voglio rivedere mia madre."
"Nemmeno io ci voglio andare, se mio fratello resta qui."
"E lui come fa a restare?"

"Non lo fanno partire, deve combattere."
"Ma chi te l'ha detto?"
"Lui. Ha detto che la direttrice sta cercando da aprile una soluzione per noi dell'orfanotrofio. Dopo la bomba, con tutti quei giornalisti e quelle tv che ci hanno ripreso, l'ha trovata. Dice che se il mondo non ci aiuta rischiamo di morire di fame e di freddo, appena arriva l'inverno."
"E se uno non vuole andarci, in Italia?"
"Ivo dice che non si può fare in un'altra maniera, ormai hanno deciso."
"Io non me ne vado senza mia madre."
"Anch'io ho detto che non parto, ma Ivo si è arrabbiato." L'azzurro di una vena le risaltava al centro della fronte.
Omar si avvicinò, e non fu capace di prenderle la mano, come aveva fatto lei.
"La direttrice ha detto che la gente sta già tagliando gli alberi per accatastare la legna in vista dell'inverno. Sarà l'unico modo per scaldarsi, se non tornano luce e gas."
"Posso fare anch'io la legna, se restiamo qua."
Nada tese le labbra in una smorfia – o era, finalmente, un sorriso.

Quando Omar disse a Sen che sarebbero andati in Italia per qualche mese, finché la guerra non fosse finita, lui issò un braccio, l'indice puntato in aria, e cantò: "Roberto Baggio olé!".
Spingendolo sull'altalena arrugginita del cortile, gli spiegò che l'Italia era un Paese ben più ricco del loro, che laggiù avrebbero avuto molte più cose, non solo da mangiare, che di notte lui non avrebbe più dovuto tremare per le bombe, perché in Italia non c'erano cecchini né mortai.
"E la mamma?" chiese Omar.
"Torneremo presto."
"Io devo essere sicuro che lei sta bene."
Sen afferrò la catena per arrestarne il dondolio. Omar piegò il collo indietro: vista al contrario, la bocca del fratello parlava da un volto senza occhi, il mento era un naso a patata. "Nostra madre ci ha abbandonati. Non ci vuole, altrimenti ci avrebbe tenuti con sé."

Strette agli anelli di ferro, le nocche scolorivano. Non era vero che la madre non li voleva, se no perché sarebbe andata a trovarli ogni settimana? Portava pure la Coca-Cola.

“Forse è te che non vuole, perché sei cattivo.”

Scese dal sedile con impeto, incespicando.

Sen mollò la catena. Non chiamò il fratello, lasciò che andasse. Invece Čupko lo seguì fino alla porta, poi desistette, si acciambellò sull'uscio, impigrito dal sole.

Omar doveva parlare con Nada. La scorse da sola nella sala comune, intenta a disegnare: le disse scappiamo, dobbiamo sparire da qui, voglio trovare mia madre, la tua, ci stai?

5.

Procedevano spediti, senza scambiarsi una parola, eccetto corri, fermati, vai – sincronizzati al punto che a Omar pareva avessero camminato insieme in una città assediata fin da quando avevano mosso i primi passi. Gli pareva si conoscessero da sempre.

Era accaduto così in fretta che non ci credeva, e adesso non sapeva se fosse quella, la sua volontà. Nada sembrava non aver aspettato altro che il segnale per fuggire: aveva infilato nello zaino l'astuccio e un quaderno a quadretti, forse era ancora arrabbiata con Ivo. Omar non si era portato dietro nulla. Erano sgusciati fuori, attenti a non farsi vedere dagli altri, e in meno di venti minuti erano arrivati a Baščaršija. I negozi erano per la maggior parte chiusi; nel silenzio, il frullio d'ali dei piccioni che volavano smaniosi, alla vana ricerca di cibo, era uno schiocco di frusta. I piccioni sarebbero potuti uscire da Sarajevo, pensò Omar, eppure si appollaiavano in fila sui cavi elettrici, si pigiavano l'uno contro l'altro sopra i tetti, si sparpagliavano a terra nella piazza: neanche loro volevano andarsene.

Vagava con Nada nel centro della città spopolata e calda. Si vedevano, in lontananza, volute di fumo levarsi e roghi avvampare – Sen diceva che i vigili del fuoco non intervenivano più, ormai, erano a secco.

"Dove abita tua madre?" chiese Nada.

"Čengić Vila."

"E da che parte si va?"

Omar si rese conto che non lo sapeva, aveva fatto la strada

da casa all'orfanotrofio una sola volta, cinque anni prima, e non era mai più tornato indietro. Si rabbuiò; era uno stupido, senza suo fratello non sapeva fare nulla.

Nada lo soccorse: "Vuoi vedere dove stavo io, invece?" le palpebre socchiuse.

All'idea di condividere un pezzo del suo passato, lui si emozionò.

Attraversarono veloci la Miljacka e si ritrovarono a Bistrik. In giro non c'era nessuno, a parte i soldati, dai quali non volevano farsi vedere. Tra poco sarebbe scattato il coprifuoco e Omar temeva di dover passare la notte per strada, ma Nada notò che la chiesa di Sant'Antonio era aperta e propose di rifugiarsi lì. Lui non era mai entrato in una chiesa.

La luce che filtrava dalle vetrate faceva sembrare bagnato il pavimento. Con la mano destra Nada toccò fronte, petto e spalle. Omar si chiese se imitarla, decise di no.

"Di sicuro tra poco la chiudono, che facciamo?"

"Restiamo qui. Non ci vedrà nessuno," disse Nada, con quella voce che sembrava crepitare.

"Dove vuoi nasconderti, sotto le panche?"

Gli prese la mano: era la seconda volta; Omar si chiese se le avrebbe contate una per una, sperò che in futuro ne arrivassero altre.

Lei lo condusse davanti a una specie di casetta in legno scuro, una pesante tenda bordeaux chiudeva la finestra senza vetri. Gli ricordava il teatro dei burattini cui aveva assistito una volta: suo padre aveva bevuto un bicchiere di troppo, gli si erano arrossate le guance, ma rideva come se si divertisse davvero, come se fosse felice di stare con lui. Quel giorno si era pure sbarbato. E adesso? Era al fronte, senza uno specchio per radersi? O aveva lasciato il Paese da anni? Si era imbarcato con una nave pirata? Aveva una benda, un uncino, una gamba di legno? Aveva trovato una cassa piena d'oro? E come aveva potuto, come, non pensare mai a lui, a Senadin?

Nada tirò la porticina, scostò la tenda e disse: "Benvenuto".

Omar entrò in quello spazio angusto: c'erano un sedile coperto da un cuscino – ci si sedette sopra, lo trovò comodo – e, ai lati, due grate dai buchi minuscoli e fitti. Nada chiuse la porta e sistemò la tenda di velluto facendola scorrere a fatica. Era quasi buio, là dentro.

Lei gli si mise accanto e bisbigliò: "Qui è tutto nostro".

"Bisogna inventarsi qualcosa da fare."

"Di solito tu che fai a Bjelave di notte coi bombardamenti?"

Omar si sentì stupido di nuovo. Non era mai stato da solo, senza Sen, e per giunta con un'estranea, una femmina – neppure sapeva come ci si comportasse, con le femmine.

"E poi qui c'è Gesù, nessuno bombarda Gesù."

Omar fece scivolare le natiche fino a terra, poggiò la schiena al sedile. "Domani però cerchiamo un modo per arrivare a casa mia, ok?"

"Ok", Nada scivolò giù a sua volta.

"Andiamo da mia madre. E poi con lei cerchiamo la tua."

"Be', non so proprio dove trovarla."

"Ci aiuterà mia madre."

"Non credo che la mia mi vorrà."

"Perché?"

"Nessuno vuole una bambina come me."

Gli occhi di Nada erano grandi al punto che quasi sconfinavano il bordo del suo viso tondo, dalla carnagione purissima. Chiunque vuole una bambina bella come te, pensò Omar.

Dopo aver spiato occasionali rumori – lui aveva il cuore in gola, Nada invece snocciolava ipotesi: fedeli venuti a recitare un padrenostro, o il prete che chiude il portale, o uno sbadiglio di noia scappato a Gesù – si rannicchiarono per terra, lo zaino come cuscino. Lei gli dava la schiena, Omar non l'abbracciò, ma stettero vicini finché non si addormentarono. Nel sonno, Nada si girò sull'altro fianco e lui poggiò la fronte sulla fronte di lei. Sentì in faccia il suo respiro: gli faceva il solletico più della peluria di Sen.

Nella notte lo svegliarono i bombardamenti. Non c'erano stati i cani ad annunciarli, come all'orfanotrofio, quando cominciavano ad abbaiare senza motivo apparente o si accucciavano sotto il tavolo e non c'era verso di tirarli fuori. "Nada," disse. "Oh," rispose lei, staccando la fronte dalla sua. A lui mancò subito.

In quel luogo che non era familiare, lontano dal fratello, Omar ebbe paura più del solito. Sperò che Nada gli stringesse la mano, ma lei spinse i piedi contro la porta e calpestò la superficie sterminata della chiesa.

"Dove vai?" La voce rimbombò sinistra. Le candele erano state spente, una sola era rimasta accesa, chissà perché; emanava un fioco chiarore. Una distrazione del sacrestano, disse Nada, ma che cosa fosse un sacrestano Omar non lo sapeva.

"Ho fame. Mio fratello mi porta sempre qualcosa da mettere sotto i denti."

"Lo so," rispose Omar. "L'altro giorno si è arrampicato su un camion dell'Onu in corsa. Pensa che ci ho provato anch'io, ma sono caduto."

Nada rise. "È un grande, Ivo, vero?"

Omar non rispose e lei cambiò tono.

"Chissà dov'è adesso, che cosa fa. Mi starà cercando, sarà preoccupato."

Anche Sen, di sicuro, era preoccupato.

"Che cosa ho fatto, che cosa mi hai fatto fare?"

Omar credette che avrebbe pianto, non sapeva che Nada non piangeva mai. Lanciava oggetti, li rompeva, ma non piangeva.

Se non fossero stati insieme, lui sarebbe già tornato indietro: era rimasto per non sembrarle un fifone. "Scusa," disse.

Lei non gli badò. Inghiottì un sorso d'aria e si aggirò per la chiesa – le suole dei sandali ticchettavano sul pavimento – fino a sparire. Dov'era andata?

Il fragore lontano di un'esplosione fece scattare Omar in piedi. "Dove sei?" chiamò. "Aspettami, voglio stare vicino a te."

Non un cenno.

"Nada."

Nulla.

"Per favore", non udiva più il picchiettio delle suole. "Nada, cazzo!"

"Shhh! Sei in chiesa."

Finalmente Omar respirò.
"Dov'eri?"
"Non si dicono le parolacce in chiesa."
"Vienimi incontro."
"Avevo fame, te l'ho detto. E alla fine le ho trovate."
Omar attese che lei riemergesse dallo scuro, poi si mosse. Si sedettero su una panca.
"Vuoi?" disse Nada con la bocca piena porgendo un sacchetto.
Lui allungò una mano e percepì sotto i polpastrelli una consistenza simile alla carta. Frugò con le dita come in un pacco di patatine, raccolse un paio di sottili dischetti, li assaggiò: erano insipidi e si incollavano al palato, serviva un grosso lavoro della lingua per staccarli e una quantità enorme di saliva per mandarli giù. "Ma che cos'è, polistirolo?"
"Sono ostie. Ne abbiamo una confezione intera, le ho trovate in sacrestia." Nada aveva cambiato umore. "Forse sei il primo musulmano al mondo che mangia un'ostia," rise. "Però non è consacrata, non vale." Omar non capiva quei discorsi, ma era contento si fosse rilassata.
"Mia nonna mi portava a messa qui ogni domenica, quando abitavo con lei, la sera mi leggeva la Bibbia per farmi addormentare. Sono storie incredibili! Io la Comunione non potevo farla, ero piccola, non avevo l'età, ma non vedevo l'ora. Dopo però lei mi ha lasciata all'orfanotrofio e in chiesa non ci sono andata più." Nada masticava con foga. "Alla fine, così, non l'ho fatta mai."
Lui ignorava tutto, della Comunione; era altro a interessargli. "E te lo ricordi, quel giorno?"
Nada non capì subito. "Vuoi dire il primo giorno all'orfanotrofio? Certo. Nonna non ci voleva più e io non le ho dato la soddisfazione di implorarla." Nascose la mano difettosa nell'altra. "Non bisogna implorare mai nessuno, me l'ha insegnato Ivo."
"Io invece non me lo ricordo."
"Forse eri troppo piccolo."
"Ma no, mi ricordo un sacco di cose di prima." Omar incassò la testa fra le spalle. "Se ci penso, vedo mio padre che suona il campanello tenendomi la nuca, ha paura che scappo

via, e quando ci aprono ed entro lui non c'è più, mi giro e non c'è proprio più, mi ha lasciato lì da solo, la nuca mi fa male." Nada strinse più forte le dita. "Ma non è possibile, capisci?" disse Omar. "Mio padre se n'era già andato di casa."

"Io non ho mai visto mio padre. Quando ho domandato a Ivo dov'era papà, mi ha detto: il tuo o il mio?" Una breve risata, poi Nada si tolse i sandali.

Salì sulla panca.

"Che fai?"

Pose un piede sullo schienale e con un balzo si ritrovò sopra, in equilibrio, le braccia larghe. "Vieni," disse. Un passo dopo l'altro, all'inizio barcollando appena, camminò sino al confine dello schienale. Ogni volta che l'equilibrio cedeva, cacciava un gridolino. Lentamente, concentrata, si spostò alla fila successiva ed esultando proseguì. "Forza, vieni."

In un attimo Omar era sull'orlo dello schienale e avanzava con l'agilità di un funambolo. "Sei meglio di Gesù sopra le acque," scherzò Nada.

Ma chi era questo Gesù che continuava a nominare?

Misurarono la navata centrale della chiesa così, a passi lenti, ciascuno solo con il proprio rischio di crollare, eppure solidali.

"Vediamo chi riesce a farsele tutte senza cadere," lo sfidò lei.

Se Dio fosse stato vigile, o almeno curioso, li avrebbe guardati dal suo cantuccio riparato: due corpi sospesi, muscoli saldi e cuore in allerta; li avrebbe guardati muoversi nella penombra di un'unica candela con la stessa fiducia degli atleti circensi, le braccia ampie come ali, come quelle di suo figlio in croce, li avrebbe sentiti gridare di esaltazione e spavento. Se anziché al sicuro Dio fosse stato quaggiù, di fronte a quelle sagome traballanti, all'eco delle loro urla contro il soffitto altissimo, al bagliore delle bombe che li rivelava di colpo per ciò che erano, due bambini, si sarebbe intenerito al pari di un vecchietto qualunque, e forse si sarebbe fatto carico del loro destino. Ma Dio era in esilio, lo era sempre stato – e a lui Nada neppure pensava.

"Ti prendo!" disse facendo una piroetta e voltandosi verso Omar, che era pochi passi dietro di lei. Sollevò le braccia come le zampe di un animale feroce e con voce arrochita ripeté: "Scappa o ti prendo!". Omar provò a indietreggiare, ma era difficile tenere l'equilibrio, così si girò anche lui e cominciò a saltellare svelto sullo schienale, mentre Nada lo rincorreva ridendo. Lui moriva dalla voglia di farsi acchiappare, ma correva più veloce che poteva, da una panca all'altra, perché era troppo bello sentirla ridere. Corri, aveva detto la mamma, e anche stavolta lui voleva fermarsi. Corri, gli aveva detto, e lui si era dimenticato che correre potesse avere a che fare con la felicità.

Nada tentò di aggrapparsi alla sua maglietta: "Preso!" esclamò, mentre il cotone le sfuggiva dalle dita. Un ordigno tuonò vicinissimo: il portale vibrò, le pareti oscillarono, Nada mise un piede in fallo. Urlando, rotolò sopra la panca. Omar scese, la trovò con un tallone fra le mani. "Che ti sei fatta?"

Lei si massaggiò la caviglia. Distillato dalle vetrate, il cielo arso la illuminava di sbieco.

"Nada," la pregò Omar, senza osare toccarla.

Lei sollevò lo sguardo. "Hai vinto."

La candela si era spenta.

Chissà quante ore dopo, un rumore troppo forte per essere uno sbadiglio di Gesù gli spalancò gli occhi: Omar aveva gli arti anchilosati, indolenziti; impiegò qualche secondo a orientarsi. La luce era di nuovo esuberante, faceva sfavillare il marmo.

"Cazzo," sfuggì a Nada. Era sveglia anche lei.

"Hai detto che non si dicono parolacce in chiesa."

"C'è qualcuno, Omar."

Si mossero quasi all'unisono, provarono a strisciare carponi sul pavimento per non farsi notare, ma il prete li sorprese mentre sgattaiolavano via. "Che succede qui?"

Doveva aver visto il pacchetto di ostie, ne erano avanzate quattro o cinque; le briciole maculavano il legno della panca, il pavimento.

"O Signore benedetto," proruppe, e fu allora che Nada guizzò in piedi, tirandosi dietro Omar.

Il prete tentò di seguirli, ma loro erano più veloci. Corsero fuori mentre quello li chiamava e si fermarono soltanto quando furono lontani.

"Non ti fa più male la caviglia." Omar aveva il fiatone.

Nada respirava a bocca aperta. "Sto bene."

"Non so dove possiamo nasconderci, adesso, per non farci portare in Italia."

"Dobbiamo andare a Čengić Vila."

"Sen dice che ci vuole almeno un'ora e mezza per arrivare laggiù a piedi, e che di sicuro uno sparo ci ferma prima."

Camminavano lungo la Miljacka. Un cecchino avrebbe potuto fare fuoco, bisognava accelerare, ma lei guardava l'acqua.

Era più alta di lui, con le ossa più robuste, il mattino le squagliava gli occhi.

"Vuoi tornare da Sen?"

Omar non rispose. Aveva paura di scoprire che il seminterrato era vuoto – o soltanto di morire. Nada continuò a camminare e guardare il fiume come se dovesse dipingerlo. Poi si bloccò.

"Se un giorno trovi un modo per scappare dall'Italia e tornare qui, giuri che mi porti con te?"

Da bambini facevano il bagno nella Miljacka, scrutavano il tremolio lucente delle finestre, delle nuvole, delle loro costole, prima di tuffarsi e spaccarlo, a pezzi tutte le ossa. L'acqua era fredda e raggrinziva la carne: non c'erano madri a gridare esci, si stava a mollo per ore, finché i polpastrelli non sbiancavano rugosi, le labbra illividivano, l'infanzia allagava.

Carne nera, vesciche, le madri non chiamano: morte o vive, non possono più raccoglierli, asciugarli strofinando, metterli a dormire. Se soltanto li avessero immersi per intero nel fiume quand'era il tempo, reggendoli dal tallone, adesso loro non fluttuerebbero in un'urna d'acqua, odore di foglie marce e luccichio di finestre rotte, nuvole lacere.

Chi mai riempirebbe le taniche di un'acqua in cui galleggiano cadaveri? Moriremo di sete, saranno i pesci a banchettare, neppure le mosche, e le madri non sanno. Li hanno allattati al seno, li hanno illusi. Che la vita fosse un capezzolo caldo ogni volta che la fame disperava. Si erano illuse (il capezzolo tirava il dolore pungeva) di poterli difendere. Avrebbero dovuto staccarli (ignora le bocche aperte supplichevoli ignora gli occhi attoniti), ficcarli a pancia vuota in una cesta, consegnarla alla corrente. Invece no, hanno dimenticato di salvarli.

La fanciulla con gli occhi di malachite non va più al fiume, non raccoglie alcuna cesta, non si mette in fila per il pane, dorme lontano dai vetri e fa brutti sogni, si sveglia con il collo umido, la nuca zuppa; ha capezzoli ciechi.

La Miljacka è un lavacro maleodorante. Le madri non chiamano, sono morte, o impazzite, o nascoste in cantina, i cadaveri gonfi, i pesci sazi. Le madri spremono e non hanno più latte. Non hanno più figli.

6.

Omar non si aspettava le mamme.

Il viaggio era stato annunciato molte volte e altrettante era stato rimandato. Dicono che i cetnici potrebbero bloccarci, spiegava Sen. Anche se un cetnico non lo avevano mai visto, Omar ne aveva paura, al punto che la notte il cuore gli pulsava sfrenato nella pancia.

Tranquillo, ci scommetti che ritorniamo in questo porcile?, aveva bofonchiato Sen quando il pullman era andato a prenderli in orfanotrofio e la direttrice li aveva salutati commossa.

Il cielo era sgombro ma caliginoso, c'era sempre una patina di polvere scura su tutte le cose, le mani si annerivano, le guance. Il pullman si era fermato accanto agli altri nel parcheggio dell'Unis, il punto di raccolta di tutti i bambini in partenza, non solo gli orfani. Sotto i grattacieli Momo e Uzeir danneggiati dalle bombe, le mamme tenevano i figli per mano, facevano raccomandazioni, li baciavano ingorde sul collo, le tempie, allacciavano stringhe, sistemavano zaini sulle schiene, scambiavano informazioni con gli altri genitori. Omar le osservava dal finestrino.

Quando, nonostante il divieto, Sen decise di scendere in cerca di un posto riparato per fumare, lui e Nada lo seguirono. Omar fantasticò che sua madre potesse spuntare tra la folla: così, senza avvertire, si sganciò da loro per cercarla. Chiamò: "Mamma", prima un mormorio, poi a voce sempre più alta, e si intrufolò nella calca: stavolta non le avrebbe obbedito, stavolta l'avrebbe trovata. Facendosi largo tra gomiti e fianchi ispezionò le persone intorno. Quell'abito a fiori gli ricordava il prendisole che metteva lei, ma lei era più magra, minuta; quei capelli neri che ricadevano pesanti sulle spalle erano spessi come i suoi, ma lei non li teneva mai sciolti; e gli zoccoli bianchi: uguali a quelli con cui ciabattava nel seminterrato – ma no, adesso non era lei a indossarli. Continuò a chiamarla con insistenza. I genitori lo guardavano perplessi o compassionevoli, e certi bambini, turbati forse dall'invocazione assillante alla quale nessuna madre dava risposta, scoppiarono in lacrime.

Sentì una mano afferrargli il braccio, la speranza afferrargli il cuore, si girò.

"Dove stavi andando?" disse Sen.

Omar non fece in tempo a rispondere, il fratello lo trascinava già verso il loro pullman. Pure gli altri erano scesi, non si poteva tenerli fermi a lungo. Era facile riconoscerli, i bambini dell'orfanotrofio: avevano la testa rapata come lui; in vista della partenza, li avevano tosati – anche le femmine, eccetto Nada. Ivo si era incaponito, mia sorella non ha i pidocchi, e alla fine l'aveva avuta vinta. Non è giusto, ripeteva Vera.

Omar disse: "Non c'è", e si grattò la nuca, era ispida come la barba di suo padre.

"Certo che non c'è," rispose Sen, "mica sa che partiamo."

"Ivo ha detto che ne parlano pure i giornali, l'ha sentito dalla direttrice."

"È da un po' che dobbiamo partire, il giorno esatto non si sa, magari non è neppure oggi."

"Ma se poi partiamo e lei viene e non ci trova?"

"Non viene da quasi due mesi."

Omar rivide il colombo morto, l'ala disgiunta dal dorso sporco di sangue.

"E se viene e noi siamo in Italia?"

"La direttrice glielo dirà."

"E se ci prendono i cetnici?"

Tornati sul pullman, si sistemarono vicini: Sen accanto al finestrino, così che Omar potesse chiacchierare con Nada, nella stessa fila ma separata dal corridoio. I bambini del

Ljubica Ivezić non avevano genitori a salutarli. Gli altri faticarono a staccarsi dalle madri, che continuavano a ripetere è come una vacanza, vedrai, è soltanto fino all'inizio della scuola. Nada ascoltava, poi si girava verso Omar: "Questi non la smettono più di frignare". Dall'esterno i padri fecero aderire i palmi al finestrino e in ginocchio sui sedili i bambini li toccarono al di qua del vetro. "Non sanno fare altro, sono insopportabili," disse Nada storcendo le pupille. Si accorse che Omar rideva solo per farle piacere.

Quando i posti furono quasi tutti occupati, arrivò un ragazzo pieno di capelli, piuttosto alto, le spalle sproporzionate, le ossa del viso geometriche, come se qualcuno le avesse intagliate nel legno e il lavoro non fosse ancora terminato. Incastrò il borsone nella cappelliera e con un cenno indicò il sedile di fianco al suo: lei spostò lateralmente le gambe per farlo passare. Non appena fu seduto, infilò le cuffie di un walkman, chiuse gli occhi e poggiò la tempia al finestrino.

Nada non avrebbe saputo dire quanti anni avesse: di certo si radeva già, come suo fratello. La infastidiva trovarsi un estraneo di fianco. Si era portata il quaderno di matematica, usato a metà, per disegnare sulle pagine ancora bianche, lo conservò sotto il sedile. Ivo le aveva detto: però fa' attenzione a non rimettere; l'aveva abbracciata forte e lei gli aveva tirato piccoli pugni sul petto, perché non sapeva piangere, e frasi come ti voglio bene, o mi mancherai, lei e suo fratello non le avevano mai pronunciate. Poi lui aveva aspettato che il pullman facesse manovra e la portasse via.

C'erano anche due educatrici, sul pullman, e tre donne: in seguito Nada avrebbe appreso che si trattava di una dottoressa, di un'insegnante, della moglie di un famoso comico, ma allora pensò solo che fossero delle madri incapaci di separarsi dai figli. Per questo, quei figli, li invidiò.

I pullman lasciarono il parcheggio scortati da un blindato dell'Onu, e i genitori diventarono pian piano troppo lontani perché i baci mandati con le dita arrivassero a destinazione. Forse tra la folla c'era sua madre, e Omar non era riuscito a incontrarla, perché Sen lo aveva riportato indietro, e adesso lei era rimasta da sola nel parcheggio, abbandonata da tutti;

o forse no: era altrove, e aveva bisogno di lui, mentre lui si allontanava – per colpa di chi. Lo stomaco si torse, il mento vibrò, gli occhi si inumidirono. Omar strinse il braccio del fratello.

"Shhh," fece Sen. "Siamo giganti, ricordi?"

A Omar scappò un breve sorriso.

Se avesse frignato di nuovo, come il pomeriggio della granata, forse Nada si sarebbe pentita di essergli amica. Tentò di distrarsi.

Oltre il profilo di Sen, il finestrino inquadrava palazzi crivellati, muri che snudavano lo scheletro di ferro. Non gli facevano più impressione. A sorprenderlo fu il terrazzino popolato da vasi floridi, pomodori, peperoni, fu la donna intenta ad annaffiare. Non provò pena per l'uomo che rovistava nei cassonetti, per la vecchia con gli stivali anche se era estate, che addentava cibo pescato tra i rifiuti, per la coppia che fumava a metà una sigaretta, né per il gruppo di ragazzi che giocava a calcio tra le carcasse d'auto, mentre, in bilico su un mattone, una bambina spazzolava la testa di una bambola decapitata.

Lungo il viale dei Cecchini strinse di nuovo il braccio di Sen. Temeva potessero mitragliare anche il loro pullman, sebbene l'ufficiale delle Nazioni Unite avesse concordato un momentaneo cessate il fuoco – così avevano detto le educatrici – per consentire loro di attraversare le linee del fronte.

Omar non era mai uscito da Sarajevo. Mai fatto una vacanza al mare né in montagna: da piccolo credeva che solo in televisione la gente partisse in villeggiatura o visitasse città straniere e luoghi esotici; poi a scuola aveva incontrato bambini che andavano in ferie con i genitori e raccontavano dei tuffi e del pesce che mangiavano ogni giorno, ma non aveva mai voluto essere al loro posto. La dolcezza delle coperte tirate fino al mento, d'inverno, quando le lenzuola sono ancora fredde, e pian piano si impregnano del calore del corpo, dei quattro corpi raggomitolati l'uno di fianco all'altro, la dolcezza di quei quattro corpi sudati in un unico letto, d'estate, la somiglianza rassicurante dei loro odori, un marchio di famiglia, e i piedi della madre come caramelle gommose, erano tutto ciò che avesse mai desiderato. E ciò che aveva perduto.

Per questo smise di sbirciare dal finestrino, al contrario di Sen, e si girò verso Nada.

"Ho fame," gli disse lei.

"Ma che hai, il verme solitario?" Lui non sapeva cosa fosse, il verme solitario, ma era una frase che diceva sempre la mamma: a cena Sen non era mai sazio e lei non aveva altro da mettergli nel piatto. Lo diceva nervosa, forse per questo Omar era inappetente fin da piccolo, per non darle un dispiacere.

"Dovevi portarti dietro un sacchetto di polistirolo," le sorrise.

"Sì, scherza pure... Lo sai che, quando il prete dice messa, le ostie diventano il corpo di Cristo? E poi tu lo mandi giù."

"Chi è Cristo?"

"Il figlio di Dio. Quando mangi l'ostia, ingoi il suo corpo e il suo sangue."

"Che schifo. Siete dei cannibali?"

"Oh, ma perché non capisci? Guarda che a dire così fai peccato mortale," Nada arricciò le labbra in un ghigno furbetto che a lui diede quasi allegria.

"Per fortuna ne ho assaggiata una e basta, di quelle robe secche. E comunque 'sto Cristo non sa di nulla."

"Mia nonna la domenica andava a messa digiuna per poter fare la Comunione."

Ancora con la storia della Comunione: Omar era confuso ogni volta che la nominava. Però gli piaceva ascoltare Nada. Con i suoi lunghi capelli biondi, in mezzo a tutte quelle teste spennacchiate, pareva una principessa tra i ranocchi.

"Non mangiava manco una caramella, nonna, manco beveva, perché doveva entrarle in bocca Gesù."

"Ma chi è questo Gesù?"

"È il figlio di Diii-ooo!"

"Anche lui? E quanti fratelli sono?"

"Ma no, è figlio unico."

"Ah."

"Nonna prendeva la Comunione e per tutta la settimana Gesù restava dentro di lei."

"Perché solo una settimana?"

"Fino alla messa successiva."

"E se per esempio lei aveva l'influenza e la volta dopo a messa non poteva andarci? Gesù come si regolava? Si fermava lo stesso oppure no?"

Nada sporse il labbro inferiore e roteò le pupille in alto a sinistra. "Non so. Forse è tipo l'abbonamento dell'autobus, che va rinnovato."

"E a cosa serve avere dentro Gesù?"

"Boh, la nonna diceva che ti protegge."

"Da che?"

Nada fece spallucce: "Dalle cose brutte".

"Anche dai cetnici?"

"Penso di sì."

"Allora te lo dovevi rubare, un pacchetto di ostie."

"Ma senza messa non valgono."

"Sempre meglio che niente, non si sa mai."

7.

Il pullman frenò di colpo.

Il ragazzo di fianco a Nada si tolse le cuffie e tese il collo per vedere che cosa stava succedendo in strada. Nada si sporse nella sua direzione per lo stesso motivo, ma le spalle di lui, troppo grandi, occludevano la visuale. Si inclinò a destra e notò che l'autista delle Nazioni Unite era sceso dal blindato e stava mostrando una serie di documenti ai militari. Parlava gesticolando e ogni tanto passava l'indice sui fogli. I soldati scuotevano il capo; per i fogli, alcun interesse.

Le natiche formicolarono: era il segnale con cui il corpo di Nada la avvertiva del pericolo.

L'autista del pullman tamburellava le dita sullo sterzo; per quanto attutito, il suono arrivava fino alla quinta fila, dalla quale lei spiava ogni movimento. Le educatrici e le altre donne, sedute davanti, dialogavano fitto a bassa voce. L'autista si unì alla conversazione, aumentando il brusio. Poi non resistette più, scese.

Nada si inclinò ancora e per sbaglio toccò con la fronte la spalla del ragazzo: si ritrasse all'istante; lui la guardò come se avesse dimenticato che era lì.

"Scusa," disse Nada, e si girò verso Omar.

"Che succede?" chiese lui.

Un'educatrice alzò inattesa la voce: chiamò con frenesia i nomi di alcuni bambini e li obbligò ad andare dietro, scambiandosi di posto con altri; tra questi, anche Omar e Sen.

Omar obbedì soltanto perché il fratello lo spingeva, forza, sbrigati, non hai sentito? Pareva imbambolato. Ebbe il tempo di intercettare gli occhi di Nada, che gli lesse in viso il suo stesso allarme e si sollevò in ginocchio sul sedile per seguirlo almeno con lo sguardo. Una mano le calcò la testa premendola verso il basso: "Sta' giù".

Era la prima volta che udiva la voce del ragazzo.

Lui le fece un sorriso, Nada non ricambiò. Si rimise seduta, rosicchiò un'unghia, la sputò, resse alla tentazione di girarsi. Poi prese il quaderno, lo posò sulle cosce; chiusa fra indice e pollice, la matita tremava. Ma se lei fosse riuscita a disegnare, si sarebbe assentata da quel momento, da quel posto, da quel chiasso, si sarebbe calmata. Che cosa poteva disegnare? Non ne aveva idea, la matita palpitava in mezzo al rumore di passi, al cigolio di sedili, al sibilo concitato di voci. Azzardò una copia dal vero: non aveva mai raffigurato un pullman. Tracciò qualche linea, risultò goffa, non aveva una gomma per cancellare. Provò a correggere, fu peggio. Bambini e adulti si agitavano per il corridoio, le urtavano il gomito, la facevano sbagliare. Le montò una vampata di calore, ricordò Ivo: non rimettere – chiuse il quaderno.

Lo scambio di posti era stato confusionario, ma finalmente era concluso. L'autista del pullman non era ancora tornato. Rivolte verso di loro, le educatrici erano pallide. Nada non riusciva a vedere la strada.

"Che fanno?" chiese al ragazzo, intento a guardare fuori.

"Discutono." Lui indicò il quaderno sulle sue gambe: "Non disegni più?".

"Non mi va", Nada lo conservò di nuovo sotto il sedile. "Perché i miei amici sono dovuti andare dietro?"

"Saranno musulmani."

"E quindi?"

"E quindi si spera che, se salgono, i serbi si concentrino su di noi, non vadano laggiù in fondo, da loro, perché per loro sarebbe peggio."

"E che cosa ci chiedono, a noi?" Nada respirava in affanno.

Il ragazzo le toccò di nuovo la testa: "Guardami".

Le iridi verde scuro, le sopracciglia folte, le orecchie grandi: tutto in lui aveva un che di eccessivo, la base larga del naso, l'ossatura spessa del viso, le ampie mani – Nada se ne accorgeva ora che il ragazzo si grattava la mascella, forse gli prudeva la barba – contrapposte alle gambe che non riempivano i calzoni.

Lei si morse distrattamente la base del pollice.

"Sei brava a disegnare," disse il ragazzo, "come ti chiami?" E con gentilezza tirò via quella mano.

Nada la strappò, la nascose sotto le cosce. Si vergognava sempre della propria mutilazione.

"Non ho mica la lebbra, sai?" scherzò lui. "Sono Danilo."

Lei non si presentò.

"Sei contenta di andare in Italia?"

Le parlava come a una bambina piccola, invece Nada aveva già undici anni e mezzo, e una volta aveva rubato a Ivo una lametta per radersi le gambe, anche se lui non voleva.

"No."

"È un Paese molto bello, sai? Tre anni fa i miei genitori mi hanno portato a un concerto dei Pink Floyd a Venezia. Non hai idea di che meraviglia sia, quella città."

"Anche a mio fratello piacciono i Pink Floyd."

"In realtà è mio padre che li ascolta, io un po' meno. Quanti anni ha tuo fratello?"

"Quasi diciotto."

"Quattro più di me. Cioè, io ne compio quattordici a fine ottobre. E dov'è?"

Da sotto, l'autista si affacciò urlando: "Dovete scendere".

"Perché?" si allarmarono le donne, si toccarono l'una con l'altra i gomiti.

"Scendete. Portate giù tutti."

Il formicolio aumentò.

Avanzando nella fila, Nada si girò a cercare Omar. Non lo scorse e si sentì debilitata, quasi avesse la febbre.

In strada si avvicinò a Danilo, non voleva perdere di vista pure lui. "Che cosa ci faranno?" Li avrebbero respinti indietro – oppure no: li avrebbero sequestrati, imprigionati. Dove li avrebbero portati?

"Tranquilla. Ci sono io con te."

Vedendo che i militari le venivano incontro, Nada sentì la vena pulsare sulla fronte. Danilo le prese una mano nella sua, lei non si ritrasse. Il palmo era asciutto e caldo come quello di Ivo, più morbido.

I militari indossavano tute mimetiche col primo bottone aperto; sui berretti a visiera era cucita una bandiera rossa, blu e bianca. Avanzavano in sincrono, neanche avessero concordato la lunghezza, il ritmo dei passi. Uno portava i Ray-Ban scuri, un altro fissava Nada: lei strinse la mano di Danilo, non lasciarmi, pensò. Il soldato era sempre più vicino – non permettergli di portarmi via. La vena sulla fronte sarebbe scoppiata. Quando il soldato le fu davanti, Nada rischiò di cadere, gli occhi si appannarono, Danilo le serrò le dita. Solo allora lei si accorse che i soldati li avevano superati ed erano saliti sul pullman.

Lo perquisirono aprendo le cappelliere, le borse, gli zaini, controllarono i sedili. Che cosa cercavano? Nada non chiese. Finalmente individuò Omar, ma era troppo distante, e lei aveva paura di muoversi: tacque, la mano nella mano di Danilo. Lui non la sciolse, con il pollice le carezzò il dorso.

Nada non avrebbe saputo dire quanto fosse durata la perquisizione, le parve un tempo insostenibile. Una fitta le punse la caviglia: Omar non accorreva, stavolta non vinceva come in chiesa; boccheggiava.

Era impossibile prelevarli tutti, avrebbero scelto a caso: se fosse toccato a lei, chi avrebbe avvertito Ivo? Oppure sarebbero stati catturati soltanto i musulmani, e lei non avrebbe più rivisto Omar, sarebbe andata in Italia senza di lui. Non voleva staccarsi da Danilo, gli avrebbe stretto la mano fino a spezzarsi le unghie.

Infine, i militari scesero.

Dopo una breve comunicazione all'autista dell'Onu, fecero cenno ai passeggeri di salire.

Dal brusio Nada capì che concedevano ai pullman di ripartire, ma imponendo una strada diversa rispetto al percorso programmato.

Danilo si era zittito in un modo che la faceva sentire in difetto. Quasi la vicinanza di prima fosse stata uno sforzo, un dovere eseguito controvoglia. O forse tenere una mano cui mancava un dito l'aveva disgustato, per questo adesso la rifiutava.

Omar e Sen non avevano ripreso il loro posto. Era sola.
"Mi dispiace," disse.
Danilo si riscosse. "Di che?"
"Per la mano. Mi dispiace."
"Ma che stai dicendo?"
"Se ti schifa, lo capisco."
Lui corrugò le sopracciglia.
"Che poi è proprio l'anulare. Insomma," si sforzò di ridere, "significa che non potrò mai sposarmi."
Danilo non rise. Il pullman procedeva con un'andatura fiduciosa: quasi non fosse stato appena bloccato, perquisito, deviato. Quasi fosse una vacanza davvero.
Quando una delle educatrici propose di cantare, l'autista intonò *Sarajevo ljubavi moja*. La sapevano tutti, la radio non faceva che diffonderla mentre dalle colline sparavano.
I bambini avevano voci ancora tremanti, solo Danilo cantava come fosse la sua ultima chance di sopravvivenza. Era molto intonato, perfino più di Ivo. Nada, che del brano ricordava pochi versi, si unì a lui: "Ovunque io vada, sogno te," modulò a voce troppo alta, per mostrargli che non era ferita. "Tutte le strade mi portano a te", il formicolio non cessava, ma la vena aveva smesso di pulsare.
A nessuno piacciono quelli che si offendono e Nada non voleva che Danilo la scartasse. Si sgolò: "Aspetto con un po' di nostalgia le tue luci, Sarajevo, amore mio".
Poi, mentre l'ultima strofa veniva gridata o sussurrata o storpiata o soffocata per via di un nodo in gola, Danilo disse: "Facciamo un patto". Sembrava davvero un fratello maggiore pronto a proteggerla. "Se alla fine non ti sposa nessuno, a mali estremi ti sposo io."

8.

Avevano dovuto fermarsi ripetutamente, mostrare le liste, negoziare il passaggio. Il convoglio era stato costretto a cambiare molte volte rotta, a transitare per le montagne, e andava con prudenza perché la strada era a strapiombo. Le manovre eccitavano Sen, o forse era il panorama. A Omar mancava Nada.

Un bambino piccolo si era fatto la cacca addosso, ma in bagno non scendeva acqua, non potevano lavarlo, il tanfo aveva indispettito Omar, poi si era abituato. Quelli che alla partenza avevano pianto stringevano adesso amicizia, o magari si conoscevano già: in ogni caso, giocavano insieme. Lui non voleva stringere amicizia con nessuno né giocare con Coccodè o altri compagni dell'orfanotrofio. Aveva rosicchiato i bordi del panino ricevuto per pranzo, poi l'aveva dato al fratello perché lo finisse.

L'autista parcheggiò il pullman in un ampio spiazzo. Le accompagnatrici spiegarono che avrebbero trascorso la notte sull'altopiano, all'alba sarebbero ripartiti, era troppo rischioso guidare con il buio su quella strada. I bambini erano impazienti di scendere, qualcuno aveva patito le curve, qualcuno era semplicemente stanco di star seduto, qualcun altro aveva di nuovo nostalgia della mamma e piagnucolava. Anche Omar si sentiva irrequieto al tramonto, gli succedeva da prima della guerra.

Saltò giù dall'ultimo gradino e lo pizzicò un'aria più fresca, elettrica. La radura era una distesa d'erba cresciuta a stento sulla roccia. I sassi sconnessi, aguzzi, parevano esser spuntati con prepotenza dalla terra, squarciando la coltre verde, o precipitati come bombe nella notte; digradavano verso la riva di un lago. Sulla sponda opposta, il profilo delle montagne e un cielo incandescente, filamenti di nuvole rosse.

I bambini corsero sulla battigia e si accovacciarono per toccare l'acqua.

"Facciamo il bagno?" propose Sen.

Omar non sapeva nuotare. Nessuno lo aveva insegnato neppure a suo fratello, ma lui aveva avuto la prodezza di calarsi nella Miljacka e imparare, come poteva.

"L'acqua sarà fredda."

"E che ti importa?" Sen si sfilò la maglietta e iniziò a correre.

Omar si guardò i piedi. Al mattino non aveva più trovato la sua scarpa sinistra, forse Čupko l'aveva rubata per rosicchiarla. Nada gli aveva mostrato una catasta di scarpe dismesse all'ultimo piano e lui ne aveva agguantata una da ginnastica, verde con la suola bianca, che pareva della sua misura.

"Non ero mai stata al lago."

Eccola: quanto gli era mancata.

"Il ragazzo seduto accanto a me ha detto che invece lui qui ci è già venuto."

"Ah."

"A fare escursioni con la sua famiglia."

"E perché, se ha una famiglia, sta andando in Italia?"

"Per salvarsi, come tutti."

"A cosa serve salvarsi, se nel frattempo la tua famiglia muore?"

Nada sospirò. "Anche io vado in Italia mentre Ivo rischia di morire."

Omar si pentì del suo commento.

"È simpatico," disse lei.

"Chiunque è più simpatico di un orfano."

"Ma che significa?" lo toccò.

Omar evitò di guardarla. Gli altri bambini si schizzavano a vicenda, uno si lanciava di peso su un altro per farlo cadere in acqua, gli franava addosso, colavano a picco aggrovigliati e scomposti, gridavano, bevevano, tossivano, ridevano. Erano così acuti, gli strilli di gioia. Così stonati, per lui.

"Facciamo il bagno."

"Non mi va." Gli era spuntato una specie di rancore, e non sapeva perché.

"Dài", lei gli prese un braccio.

Lui si divincolò: "Ho detto che non mi va".

Nada restò in silenzio. A un certo punto, dato che Omar non diceva nulla, si diresse a riva senza salutarlo.

Il contatto con l'acqua gelida si riverberò come una scarica di piacere lungo tutto il corpo. Fu una sensazione tanto violenta, tanto inattesa, che la investì di una strana euforia. Con l'acqua a metà polpaccio scoppiò a ridere, da sola, senza motivo. E più si immergeva più rideva. Il freddo le intirizziva gli arti, i capezzoli. In quel lago, per la prima volta, ebbe coscienza dei propri seni: per quanto acerbi, li sentì tirare con una risolutezza fino ad allora ignota. Li coprì con le mani, chiuse gli occhi e si lasciò cadere indietro, inabissando la testa.

Si asciugarono intorno al fuoco. I fari dei blindati facevano un po' di luce mentre, seduti per terra, i bambini mangiavano carne in scatola, la stessa che arrivava anche all'orfanotrofio nei pacchi dell'Unprofor: Nada la detestava. Le donne discorrevano tra loro, i bambini del Ljubica Ivezić stavano insieme, gli altri li indagavano con un certo sospetto. Vera doveva essere stanca, non l'aveva derisa come d'abitudine. O forse la tosatura coatta l'aveva sminuita, senza capelli si sentiva meno forte. Se l'avesse chiamata Moncherino davanti a Danilo, lei sarebbe sprofondata. Ma Danilo era distante, si era unito al gruppo dei figli di famiglia e chiacchierava con un amico che viaggiava su un altro pullman. L'amico l'aveva raggiunto non appena erano scesi. Lui gli aveva presentato Nada. Izet e io, le aveva detto, ci conosciamo fin dalle elementari, suo padre e mia madre lavorano entrambi alla redazione di "Oslobođenje", facciamo spesso le vacanze insieme.

Nada aveva immaginato quelle due famiglie che partivano per il mare della Croazia, o per andare a sciare sul monte Jahorina. Izet aveva salutato con un cenno rapido, poi aveva trascinato Danilo con sé, e in un attimo lui si era dimenticato di lei.

C'erano anche dei giornalisti stranieri, a quanto pare li avevano accompagnati per documentare l'evento. Quelli che conoscevano il serbocroato facevano domande ai bambini più spigliati, gli altri ai bambini che sapevano un po' di inglese, soprattutto i figli di famiglia, e li riprendevano con le telecamere; in cambio di una storia strappalacrime, elargivano lecca-lecca. I bambini avevano capito in fretta che l'interesse si modulava in base agli episodi raccontati, più erano tragici e più soddisfazione davano ai giornalisti, così l'avevano trasformata in una gara a chi raccontava quello più triste. Danilo e Izet non partecipavano.

Omar sedeva poco più in là, ruotava la forchetta nel barattolo di carne; era solo – Sen doveva essersi allontanato per accendersi una sigaretta – e assorto. L'aveva ignorata per tutta la sera, come fosse arrabbiato con lei, ma per cosa? Magari bastava chiederglielo, andargli vicino. Di sicuro quel circo con i giornalisti lo infastidiva. Nada decise che sarebbe stata lei a interromperlo, fate largo, ecco l'unica storia che conta.

Se avesse mostrato alla telecamera la mano col dito mozzato – è stata una granata a colazione – avrebbe vinto: qualunque altro racconto avrebbe perso di interesse. I giornalisti le avrebbero dedicato l'intero servizio, e gli inglesi, i francesi, gli italiani, nelle loro case integre e smaglianti, si sarebbero commossi per quella bugia. Un uomo le chiese in serbocroato se volesse dire qualcosa. L'avrebbe stupito. I figli di famiglia continuarono a parlarsi sopra l'un l'altro per accaparrarsi i lecca-lecca, quelli dell'orfanotrofio invece la squadrarono: stavolta Ivo non c'era. Sperò che Danilo si girasse, anche solo per un istante. Guardò ancora Omar in attesa che sollevasse la testa. Allora?, disse il giornalista. Omar la sollevò, d'istinto Nada gli sorrise, già pronta a rinunciare. Ma lui affondò la forchetta nella lattina e distolse lo sguardo.

Nada strinse il pugno fino a nascondere l'amputazione, disse: "Mia madre, l'ha uccisa questa guerra".

Con la coda dell'occhio notò che Omar aveva sobbalzato.

"Stavamo passeggiando, quando una granata me l'ha portata via."

Omar lasciò cadere barattolo e forchetta.
"È successo a maggio."
Le andò incontro, rapido: sembrava barcollare.
"È morta," disse Nada. "Prima veniva a trovarmi ogni settimana all'orfanotrofio, poi la granata l'ha uccisa." Non riusciva più a fermarsi, la vena le pulsava di nuovo sulla fronte.
Quando le fu davanti, Omar disse: "Non è morta", a voce troppo bassa perché lo sentisse anche il giornalista. Aveva un'espressione incredula.
Nada lo spinse a terra. Una volta sopra di lui, gli serrò le cosce con le ginocchia. "Sì che è morta."
Aspettò che si difendesse, che la rovesciasse sulla schiena, invece lui non ebbe alcuna reazione. "È morta, capito?" disse tirandogli la maglietta – perché, perché lo faceva? Omar chiuse gli occhi, semplicemente.
Fu l'autista a separarli. Sen tornò trafelato, le donne gli chiesero di occuparsi del fratello, magari portarlo a fare un giro. E i giornalisti: avevano registrato tutto?
La zuffa aveva scatenato l'ilarità dei bambini, il sonno era passato. Anche Vera si ringalluzzì, di nuovo altera nonostante la pelata: "Moncherino non si smentisce mai".
Una fitta all'anulare mancante – non era mai successo. Ma adesso Omar era sparito: era una gabbia vuota, il corpo di Nada, che fino a poco prima l'aveva trattenuto.
Bivaccavano ancora quando una mitragliata di bagliori improvvisi tuonò nel buio. Nada si lanciò a terra, come tutti, sebbene i bombardamenti fossero lontani. Il frastuono riecheggiava nel cranio.
I bambini furono ricondotti a bordo, alcuni in braccio, alcuni per mano. Lei tornò su per conto proprio.
Trovò Danilo già seduto.
"E quindi fai a botte coi maschi."
Non gli rispose.
"Credevo foste amici."
"E io e te?" Che c'entrava.
"Be', non mi hai nemmeno detto come ti chiami."
"Mi chiamo Nada, e quindi?"
In quel momento salì Omar con il fratello.

Lei ne fissò il profilo, lui la evitò di proposito. La passività con cui aveva subìto la sua aggressione l'aveva sconcertata. Aveva chiuso gli occhi – ma forse era per non guardarla: in quel rifiuto, anche se allora non avrebbe saputo dirlo, Nada avvertiva una forma di aggressività. E lei, perché aveva mentito? Aveva voglia di fare del male, di essere punita, oppure – "Danilo," chiamò girandosi, ma il suo compagno di viaggio si era già messo le cuffie.

Nada infilò le dita nei capelli umidi e pensò che avrebbe avuto freddo, senza una coperta, senza nessuno contro cui accoccolarsi.

9.

Il secondo giorno di viaggio Nada si stupì di avvertire una specie di intimità. Era quella che nasce dall'aver condiviso la vulnerabilità del sonno, l'odore organico di corpi ammassati in uno spazio chiuso. Come nella sala comune dell'orfanotrofio.

Il pullman procedeva flemmatico. Dal finestrino intravide una donna seduta a gambe larghe in un cortile, all'ombra di una casa scoperchiata, neppure una tegola. Quando furono più vicini, notò che reggeva un cesto di vimini dal quale sorteggiava una ciliegia dopo l'altra, la infilava in bocca e con uno slancio della testa la strappava dal peduncolo, masticava meccanica e sputava a terra il nocciolo; era sola. Nada sentì sulla lingua il sapore dolce e squillante delle ciliegie, pensò a Ivo.

Nessuno le aveva più raccolte dagli alberi, per non offrirsi alla mira dei cecchini, ma Ivo era spavaldo fino all'arroganza. Così era salito su un ciliegio per staccarle e tirarle ai compagni, che prima le avevano parate con le mani e mangiate, poi, dato che lui era determinato a ripulire l'intero albero, avevano sollevato le magliette creando una conca di stoffa che contenesse i frutti rossi, o se le erano addirittura tolte e le avevano usate come un cavagno. Per una volta, Nada era uscita dall'orfanotrofio con il fratello e i suoi amici, e attendeva immobile l'esito del duello a distanza che Ivo aveva ingaggiato con uno sconosciuto appostato sulle montagne.

Pian piano, prima che lei se ne rendesse conto, la gente si era fermata, aveva circondato l'albero, imitando i ragazzi.

Uomini e donne, anziani e bambini avevano porto a Ivo le magliette e le camicie perché ci lanciasse dentro le ciliegie. Per un attimo la guerra sembrava sospesa. Per un attimo, a torso nudo e in reggiseno, le costole sporgenti e le scapole alate, la pelle traslucida, quelle persone erano state libere.

Nada si era dimenticata del cecchino che teneva d'occhio suo fratello, indeciso se castigarlo o risparmiarlo in virtù del suo coraggio – forse pure lui, chissà, lassù sul monte Trebević, solo per troppi giorni e troppe notti, aveva fiutato l'aria di festa e poggiato a terra il fucile per stendersi sulla schiena e sentire il sole in faccia. In un guizzo di imprevedibile speranza, Nada si era levata la t-shirt, come gli altri, e il respiro si era dilatato. Si era mossa per intercettare la parabola delle ciliegie in arrivo dal fratello e lui era saltato giù dall'albero per correrle incontro.

Se l'era stretta addosso, le aveva tolto la t-shirt dalle mani, in fretta gliel'aveva infilata, le aveva afferrato un braccio e l'aveva trascinata via. Di colpo le persone si erano ricordate dell'assedio – un risveglio crudele, ma cosa credevano di fare – e adesso scappavano, perdendo ciliegie a ogni passo, o le gettavano sulla strada, che spreco, quasi per discolparsi della distrazione cui avevano ceduto, adesso si rivestivano con movimenti impacciati.

Che stavi facendo?, aveva gridato Ivo.

Nada non riusciva a rispondere. Non la capiva, tanta collera.

Il neo sulla guancia, un insetto velenoso.

Vuoi essere uguale a lei? Vuoi essere come lei?

Aveva abbassato la testa. Adagio, con circospezione, si era staccata dalla sua presa.

Si era guardata la mano, aveva chiuso a pugno le quattro dita, ne mancava uno, ed era inaccettabile.

Io non c'entro nulla con lei. Aveva spinto Ivo per andarsene.

Lui l'aveva fermata e stretta di nuovo a sé. Lo so, aveva detto. Scusami, lo so.

La bambina aveva affondato il naso nel petto del fratello; odorava di primavera, quasi estate.

Era appena scesa la sera quando dal posto di guida l'autista ordinò: "Fate finta di dormire", tamburellando le dita sul volante.

Rapida, Nada nascose il quaderno, diede una gomitata a Danilo per avvertirlo – teneva la musica così alta – e si guardò intorno. I bambini obbedirono, chiusero gli occhi. Qualcuno li riapriva ogni tanto per controllare, qualcun altro ridacchiava, doveva sembrargli un gioco buffo. Quando Omar cominciò a tremare, lei abbassò le palpebre.

Il pullman si fermò.

Entrarono gridando e tirando pugni alle cappelliere: Nada spalancò gli occhi. Scrollarono con furia i sedili – le schiene rimbalzavano, i bambini già piangevano – strattonando braccia per incutere terrore. Si paralizzò: persino cercare la mano di Danilo le parve un rischio.

Uno di loro – una cartucciera a tracolla e una coccarda con un teschio cucita alla mimetica – le passò di fianco infervorato, ma non la considerò. Chiese invece a Omar come si chiamasse. Lui rispose e quello gli intimò di alzarsi. Gli ghermì un polso e lo trascinò con sé nel corridoio per andare a prendere altri bambini. Sen intervenne: "È mio fratello, siamo insieme". L'uomo gli diede un manrovescio che domò ogni insurrezione.

Omar scoppiò a piangere non per sé stesso, ma per Senadin, che era stato percosso, e per la madre, che non avrebbe mai potuto immaginare cosa stesse accadendo ai suoi figli. Dov'era adesso? Forse era riuscita a salire a Bjelave, forse era entrata nell'orfanotrofio e non aveva trovato la direttrice, soltanto i più grandi, strafatti di colla, o nessuno, il deserto. Forse avrebbe notato distrattamente la sagoma di una scarpa smangiucchiata dai cani, un secondo dopo l'avrebbe messa a fuoco e riconosciuta, l'avrebbe raccolta. Non sapeva che un uomo – era un cetnico? erano quelli, i cetnici? – aveva appena picchiato il suo figlio maggiore e ora torceva il braccio del più piccolo, rischiando di slogarglielo.

Quando il gruppo dei bambini in piedi aumentò – guance paonazze, muco dal naso, facce crepate dal panico – nello schiamazzo si udì la voce delle donne, per favore, liberateli, abbiate pietà.

Un cetnico si avvicinò a una di loro: "E in cambio, prendiamo voi?". Le accarezzò i capelli, due, tre volte, ne catturò un ciuffo e lo tirò sino a farle inclinare indietro la testa. "Vuoi davvero che prenda voi, eh?" La spinse sul cruscotto, la girò di schiena e le sollevò la gonna, scoprendo gli slip. Nada strillò: non fu l'unica, ma in fondo al corridoio Omar riconobbe la sua voce. "Allora?" insisté il cetnico, schiacciando con una mano la nuca della donna per infliggerle un colpo di bacino che la fece sussultare. Era un avvertimento, o una prova generale?

Danilo avrebbe voluto impedire a Nada di vedere. Pensò alla sorellina, rimasta a Sarajevo perché l'idea di partire le aveva fatto tornare le crisi d'asma che la perseguitavano all'asilo.

Afferrando con violenza le braccia di due bambini del gruppo, uno degli uomini impose: "Forza, tutti quanti! Andiamo!".

I bambini supplicarono, piansero, gridarono di paura, lo seguirono.

"Sen!" chiamò Omar.

Lui si alzò per raggiungerlo, ottenne un altro schiaffo. "Vuoi proprio venire a divertirti anche tu?" inveì il cetnico. "E allora sbrigati!" Lo spinse verso la coda del pullman.

Omar singhiozzò ancora più forte quando vide che al fratello sanguinava il naso, ma lo abbracciò.

Nada si sollevò di nuovo sul sedile per guardare i suoi amici, e questa volta si divincolò da Danilo, che cercava di convincerla a stare giù. "Omar!" chiamò, ma lui non la sentì, era già sceso assieme a Sen, in mezzo a quella disperata ciurma che a lei ricordava gli schiavi africani, legati l'uno all'altro da una catena di ferro, come li aveva visti su un libro di scuola, o in un film in televisione, chissà.

L'uomo continuava a immobilizzare la donna sul cruscotto, in attesa di decidere che farne. Abbassando lo sguardo in segno di remissione, l'autista tentò con lui la via della preghiera, usò parole calme, ragionevoli, per ammansirlo.

"Li lasciamo tutti," propose quello, "se ci date la moglie di Biber e suo figlio."

Danilo sapeva di chi parlava, li aveva riconosciuti all'inizio del viaggio. Biber era il nome d'arte di un comico i cui sketch spopolavano in tv. Lo aveva notato nel parcheggio dell'Unis, poi però l'aveva perso di vista.

Nessuno avrebbe indicato moglie e figlio, e loro erano troppo inorriditi per mostrarsi.

Il cetnico mollò la nuca della donna urlando: "Venite fuori", mentre lei, scivolata giù, rimaneva lì, invece di riguadagnare il proprio posto.

Calò un silenzio attonito, dai finestrini entravano i gemiti dei bambini sulla strada. Il cetnico che li aveva trascinati fuori indicò un furgone a pochi metri, le luci anteriori del loro pullman, il primo della fila, ne svelavano i portelloni aperti nel buio. "Salite!" strillò.

Dove li avrebbero portati? Che fine avrebbero fatto Omar e Sen? Le natiche formicolavano al punto che Nada non resistette più seduta, ma questa volta Danilo la tirò con la forza e appena lei provò a protestare le tappò la bocca.

Quando anche l'ultimo bambino sequestrato salì sul furgone, si levò una donna in terza fila. "Sono io, la moglie di Biber," disse. "Vengo con voi, ma senza mio figlio."

"Le regole non le detti tu," sbraitò il cetnico. Andò a prenderla, la tirò per un braccio: "Mostrami i documenti," le disse, "intanto scendete", e spinse fuori anche il figlio.

Arrivarono in strada, ma dal furgone nessun bambino uscì. La donna teneva stretto il suo, che piangeva. Scese pure l'autista.

Dove accidenti erano finiti gli ufficiali dell'Onu?

Danilo avrebbe compreso in seguito, a spizzichi e bocconi, che i cetnici intendevano prendere in ostaggio moglie e figlio per snidare Biber: a lui puntavano. Era un serbo; forse volevano arruolarlo e lui si era rifiutato. Come suo padre.

10.

A Grbavica le bombe non cadevano. Però una mattina di maggio qualcuno aveva picchiato alla porta di casa Simić con il calcio del fucile. Il padre aveva aperto, mentre la madre era rimasta in piedi all'ingresso per mano a Jagoda, che quel giorno aveva voluto le trecce, le stesse di quando andava a scuola, anche se la scuola era chiusa. Danilo stava ritto di fianco a sua madre, era molto più alto di lei.

Avanzando nell'appartamento, uno dei militari serbi aveva detto: Tua moglie è una *balinkura* e i tuoi figli sono dei bastardi. La madre aveva fatto un passo avanti, come per difenderli, e Jagoda si era toccata una treccia, aveva percorso con i polpastrelli i promontori e gli avvallamenti dei suoi capelli rossi, sotto lo sguardo di Danilo: forse, aveva pensato lui, la aiutava a calmarsi. Poi si erano spostati per far largo agli uomini in divisa, lui da un lato, la madre e la sorellina dall'altro.

Lo vuoi, un altro bastardo?, disse il militare, spingendo il fucile tra le reni del padre, che trasalì. Te la metto incinta io: bisogna piantare il seme dei serbi in tutta la Bosnia. Danilo accarezzò il braccio della madre in modo furtivo, temeva che il gesto irritasse i soldati. Oppure vuoi farlo tu, proprio adesso?, continuò quello. Il padre mantenne lo sguardo basso, grinze gli solcavano il cranio glabro. Meno lui opponeva resistenza, più la rabbia di Danilo aumentava. Come si sentiva sua madre di fronte a un marito che non la proteggeva? Come si sente una donna quando non c'è sulla faccia della terra un uomo che possa salvarla?

Ma no, rise il serbo, non sta bene fare queste cose davanti ai figli: non siamo mica animali, noi. Non siamo mica come lei.

Danilo sapeva che in un villaggio non lontano era stato ordinato a un imam di farsi il segno della croce e, poiché lui non aveva obbedito, gli avevano versato un misto di segatura e birra in gola, poi gliel'avevano tagliata. La notizia era uscita sul quotidiano per il quale scriveva sua madre. Lei, mai andata in moschea, era convinta che nella loro città non potesse succedere nulla di simile: i sarajevesi, aveva scritto, erano abituati ai matrimoni misti come il suo e ai rapporti di buon vicinato tra gente di religione, anzi di cultura, diversa. Quei militari l'avevano appena smentita invadendole casa.

"Che cosa dovrebbero fare i serbi per vendicarsi dei delitti subiti in questo secolo? Seppellire gente viva, arrostirla sul fuoco, sgozzarla, smembrare i figli davanti agli occhi dei genitori. Ma i serbi non hanno mai fatto nulla di simile nemmeno alle bestie feroci," aveva detto il Patriarca Pavle – Danilo lo aveva sentito al telegiornale. D'ora in poi non l'avrebbe più seguito, il telegiornale: l'altro militare aveva staccato il televisore dalla presa elettrica e lo stava portando via. Jagoda scavava con le dita nella treccia.

Domani alle otto fatti trovare nell'atrio del condominio, torneremo per arruolarvi, annunciò il soldato che parlava – l'altro sembrava muto – senza mai staccare il fucile dalla schiena del padre; lui annuì. Sei un serbo, gli disse, devi combattere per il tuo popolo. Lui non rispose sono un bosniaco, non sparerò contro i miei concittadini, non sparerò sulla popolazione civile di Sarajevo, non potete distruggere la mia città. Seguitò ad annuire. Jagoda scavò fino a strappare l'elastico, e la treccia si sciolse. Mentre i soldati si sbattevano la porta dietro le spalle, le ciocche le scesero come una tenda sulla guancia e fu a quel punto che scoppiò a piangere.

Non c'era tempo per consolarla, bisognava organizzare la fuga. Se fossero partiti tutti e quattro assieme, li avrebbero scoperti. Così, nel pomeriggio, Danilo uscì di casa solo con il padre.

Non si presero per mano come due che vanno incontro al pericolo, cercarono di risultare tranquilli, naturali.

Chiacchieravano di musica, il padre era fissato con gli anni Settanta.

Non appena furono nel piazzale, un ringhio li fece voltare: Dove cazzo pensate di andare?

Due uomini erano stravaccati a terra proprio sotto il palazzo, la schiena contro la facciata. Avevano i capelli lunghi e la barba, puzzavano di alcol pure a distanza.

Il padre spiegò che il nonno stava male, doveva fargli un'iniezione, e tirò fuori dalle tasche una siringa e due fiale. Danilo si chiese se i cetnici si fossero accorti che quella voce non era sua: aveva rallentato il ritmo delle frasi per sembrare uno che non ha nulla da nascondere, ma l'aveva dilatato troppo, e suonava artificiale. Dall'altra parte del fiume, diceva, il tempo di una puntura e torniamo.

Uno si alzò e gli prese il colletto. Com'è la storiella? Ripetila ancora.

Il padre si rattrappì – ma mostrò la siringa.

Il cetnico lo scrollò, sputandogli ingiurie in faccia: era tanto ubriaco che perse l'equilibrio. Il padre si scostò e quello cadde. Il commilitone ancora seduto rise, provocando l'ilarità dell'altro. Si sganasciarono assieme, mentre il padre di Danilo sudava: un rivolo sottile che dalla tempia era colato fino alla mandibola. Danilo ebbe l'istinto di asciugarlo, non lo fece. I cetnici risero battendosi le cosce, inciampando, franando a terra, e storditi da quella goliardia lasciarono andare il signore calvo di mezz'età che aveva inventato una balla così stupida, non prima di sganciargli un calcio nel sedere. Danilo non avrebbe mai voluto vedere quella scena. Come avrebbe fatto suo padre a sopportare l'umiliazione, sapendo che il figlio ne era stato spettatore?

Camminarono tra i palazzi, zittiti da ciò che era appena successo, lo avrebbero saputo per sempre e mai più l'avrebbero rivangato. Danilo si impose di mantenere il segreto persino con la madre, oltre che con Jagoda.

Nel vuoto delle strade, lo scalpiccio delle suole sull'asfalto si amplificava, minaccioso come se i passi appartenessero a qualcun altro. Eppure senza quel rumore Danilo avrebbe persino dubitato di esistere; a lungo andare, quella cadenza costante divenne una compagnia: finché non si alterava, erano al sicuro.

Un fracasso metallico lo arrestò. Rimani qui, disse il padre e fece per muoversi, ma lui lo trattenne per un braccio. Il padre lo guardò negli occhi: Non possiamo tornare indietro. Allora vengo con te. I loro passi furono sovrastati da quel rumore ancora ignoto, per questo Danilo non riusciva a quietarsi. Dietro un angolo, un soldato dell'esercito jugoslavo. Armeggiava con una saracinesca, stava cercando di aprire un garage con la forza. Vedendoli, spaurì: li fissò smarrito, quasi potessero fargli del male. Non aveva più di vent'anni. Picchiò un palmo sulla saracinesca e sbatté l'una sull'altra le mani come per liberarsi dalla polvere. Qui tutto in regola, disse.

Padre e figlio avanzarono, poche centinaia di metri e sarebbero stati dall'altra parte – da quanto camminavano? Dieci minuti, venti, un secolo. Mancava ancora l'ostacolo più difficile da superare, prima di poter attraversare il ponte.

Da lontano le avvistarono: pile di sacchi di sabbia. Eccolo, il posto di blocco.

Un grido: Dove andate a quest'ora?

Danilo si fermò.

Il padre no. Sono Predrag Simić, rispose, e somigliava a un condannato che va incontro all'esecuzione. Devo fare un'inie – Simić, lo interruppe il militare. Predrag Simić, hai detto?

Le suole di Danilo erano inchiodate alla strada. Il padre continuò ad avvicinarsi: disse sì, e non era un consenso alla propria sorte.

Quindi sei dei nostri, commentò il serbo.

Danilo tentò di schiodare le suole: aveva perso ogni forza.

Il padre era ormai davanti ai soldati. Certo che sono dei vostri.

Che ci fai qui?

Devo andare un attimo dall'altra parte. E raccontò la storia del nonno malato.

I soldati lo squadrarono, non parevano convinti. Danilo sperava che prendessero a calci lui, stavolta. Poi ricordò che si trattava del rischio non di essere offesi, ma di essere uccisi.

Mia moglie è a casa, tra poco torniamo, promise il padre.

Sollevò lo sguardo al cielo, roteò la testa. E quelli?, disse. Si sono placati, stasera, quelli lì?

I turchi non si placano mai, rispose il serbo stringendo il fucile.

Danilo fremette. Se fossero morti, chi avrebbe avvertito la madre? E Jagoda, come avrebbe fatto a riprendersi?

Impareranno la lezione, azzardò il padre. Di nuovo quel rivolo sottile sulla tempia.

I selvaggi non si educano, ribatté il serbo, vanno eliminati.

Il padre esibì una risata che Danilo non riconobbe, pensò che anche i soldati si sarebbero accorti che era finta.

Invece risero con lui. La goccia di sudore corse fino al mento, si infilò nel bavero.

Fa' attenzione, disse il soldato.

Sì, rispose il padre, senza toccarsi il collo nemmeno per un secondo.

E il giorno dopo, come avrebbero fatto mamma e Jagoda, una donna, una bambina, ad attraversare illese tutto questo? Perché le avevano lasciate da sole? Perché non era rimasto lui, con sua madre?, si angustiava Danilo.

Il soldato stese un braccio e dispose di lasciarli passare.

Danilo si affiancò al padre e si rese conto che tremava pure lui.

Marciarono al rallentatore. Non riusciva a credere che ce l'avessero fatta. Temeva fosse un inganno, e senza dubbio lo credeva anche il padre, che camminava meccanico, gli arti ossidati. Arrivarono a ridosso del ponte pedonale che attraversava la Miljacka e sbucava davanti all'Hotel Bristol.

Danilo sentì le schioppettate e la tachicardia.

Non potevano fermarsi né tornare indietro. Sull'altra sponda cominciava finalmente la zona sotto il controllo della difesa territoriale.

Corri, gridò il padre, ma lui si era inchiodato di nuovo. Il sibilo dei proiettili sferzava i timpani, gli spari rintronavano l'aria finché l'aria non ne risucchiava il suono percussivo, stridente, un'atroce melodia.

Corri, corri!, lo spinse.

Trapanato dai battiti del suo stesso cuore, Danilo si mosse.

Corsero insieme, lui era più veloce.

Qualunque cosa succeda, tu continua a correre, capito?

L'onda acustica delle raffiche vibrava nel corpo e lo sbaragliava.

Qualunque cosa succeda, qualunque, hai capito? Devi continuare a correre.

E Danilo corse, in apnea, la mandibola serrata, non una prova muscolare, ma uno sforzo di denti, di testa, una scarica di rabbia, pensò alla treccia disfatta di Jagoda e nel tumulto dei colpi corse senza fermarsi, come aveva detto suo padre.

Davanti al Bristol rallentò. Si curvò con le mani sulle cosce, le gambe flesse, ansimando. Poi si volse. Lo cercò nel buio. Lo chiamò. Papà, ripeté. Si masticò una guancia col molare, ne strappò un frammento. Papà. Sapeva di sangue. Corri, aveva detto, qualunque cosa succeda. Intendeva: anche se io cado.

Papà, chiamò ancora Danilo, e la voce si ruppe.

Eccomi – poco più che un soffio. Eccomi, disse il padre in affanno, e spuntò con le sue spalle grandi e il cranio liscio davanti allo sguardo incredulo e grato del figlio.

L'autista negoziò con i cetnici per ore, anche se quelli parevano fuori controllo, pronti a ogni cosa eccetto negoziare.

Ciascuno sul pullman combatté i sovvertimenti del proprio corpo, già in rivolta, già nemico. Il patto si era rotto lì sopra, o prima, all'inizio della guerra, o forse in un tempo ancor più remoto. L'alleanza con i propri organi non si sarebbe mai ricucita, Danilo lo sapeva.

Quando la vescica era ormai gonfia e lo stomaco invocava cibo nonostante tutto, vide i bambini che erano stati trascinati giù lasciare il furgone e risalire sul pullman, anche il figlio di Biber. La madre invece rimase a terra. Il bambino gridò che voleva stare con lei mentre l'autista lo tirava: aveva profuso ogni sforzo nel tentativo di preservarlo. La madre diceva ci vediamo presto, e subito dopo risucchiava in dentro le labbra, contraeva il viso in smorfie che lo deturpavano.

Un'educatrice si sedette accanto al piccolo, cercò di calmarlo, era impossibile. Avrebbe pianto per molte ore successive. Gli altri sapevano di doversi separare dalla madre, si erano opposti all'evento per settimane, poi lo avevano accettato, e infine lo avevano fatto, ci erano già riusciti. Il figlio di Biber no, a lui era accaduto all'improvviso, senza che avesse il tempo di metabolizzarlo. Danilo se ne dispiacque, ma non andò a dargli conforto. Non lo fece nessuno dei bambini. Forse perché erano atterriti. Forse perché sapevano che per quel dolore non c'era conforto possibile. Ne ebbero rispetto, e glielo lasciarono sfogare, senza immischiarsi come invece facevano gli adulti.

11.

Nella notte un'insurrezione dei sedili scagliò i bambini nel corridoio: si rincorrevano, si spintonavano, urlavano – può una striminzita acchiapparella scatenare quella gioia gutturale? Ubriachi di adrenalina, i bambini si erano affacciati sul precipizio e adesso l'eco delle risate li confondeva, si arrampicavano sugli schienali e si tuffavano dall'altra parte, atterravano su una spalla, rischiavano di fracassarsi, di smontarsi in mille pezzi, non era affar loro, si bollavano di lividi e non provavano dolore: per favore, liberateli – liberateci. Le zanzare volavano smaniose e i bambini avevano perso la testa, si erano ammutinati, state buoni, composti, è l'ora di dormire, stavolta per davvero, i pochi faretti accesi indurivano i volti, e le educatrici desistevano, mentre i bambini diventavano insonni, si ribaltavano sui sedili fino a gonfiare bernoccoli, scrivevano il proprio nome sullo schienale per lasciare traccia, poi strappavano il tessuto e se la prendevano, quella traccia, la mettevano in tasca, non avrebbero mai più potuto separarsene: è mio, quel nome. Sono io.

Senadin non voleva che Omar restasse da solo neppure per un attimo: l'esperienza con i cetnici aveva ammutolito suo fratello, aveva il terrore che salissero ancora, si sentiva condannato. Però lui doveva fare pipì. "Vieni con me?" In mezzo allo schiamazzo, Omar non fiatava. "Torno subito," disse Sen.

Un gruppetto era seduto davanti al bagno, sopra e sotto i gradini al centro del pullman sul lato destro: ammassati in quella fossa, l'uno addosso all'altro, alcuni con la schiena alla porta d'uscita, anche se le educatrici lo avevano espressamente vietato, si chiedevano come fosse l'Italia. C'era pure Coccodè.

"Secondo me è un posto dove si mangia sempre," disse, "pure i tavoli e le sedie sono fatti di cibo, tipo cioccolato o caramello, e te li puoi sgranocchiare."

"Sì, e poi come fanno a stare in piedi, se li sgranocchi?"

"Ma ogni giorno ne preparano di nuovi! In pasticceria."

"Così puoi cambiare di continuo arredamento," disse un ragazzino che Sen non aveva mai visto. Doveva essere un figlio di famiglia, non era rapato.

Una bambina con le orecchie a sventola – lui non le aveva mai notate, all'orfanotrofio, il caschetto gliele nascondeva – disse: "Secondo me invece ogni mattina a colazione ti dànno un enorme gelato alla fragola" e con le braccia lo disegnò.

"Sì e, da bere, la Coca-Cola," concluse sarcastica Vera.

"Però in Italia il ruttino è vietato," disse Coccodè.

Risero tutti, anche lui, con quel suo verso da gallina in pena.

"Secondo me invece in Italia comandano la signora Ceppo e l'uomo con un solo braccio."

"Mio papà gli assomigliava, all'uomo con un solo braccio," ricordò la bambina con le orecchie a sventola.

"E non ti faceva paura?"

"No, ma lui le braccia ce le aveva tutte e due."

"Io, mio papà, non l'ho mai visto," disse Vera.

"Neppure io, ma da quando hanno fatto lo sceneggiato in tv, me lo immagino come Aleksa Šantić," disse Coccodè.

"Coi baffi?"

"No, poeta."

"Perché, tu scrivi poesie?" chiese Sen, che era rimasto in piedi dietro di loro, le dita al corrimano.

Tutti sollevarono lo sguardo verso di lui.

"Ma quando mai." I bambini si sbellicarono, spingendo Coccodè contro il bagno. La serratura fece un clic e la porta si schiuse.

"E la mamma, come ve la immaginate?" disse Sen.

Dopo un istante di esitazione collettiva, Vera rispose: "Io non riesco proprio a immaginarmela".

I bambini tacquero, quasi ciascuno si stesse impegnando in uno sforzo di fantasia senza risultato. Certi si grattavano con veemenza le punture di zanzara sulle braccia. Poi uno disse: "Chiudiamo in bagno Coccodè!". Lui li lasciò fare.

Era una gara: avrebbe vinto quello che sarebbe rimasto dentro più a lungo, al buio, l'interruttore era fuori. I bambini contavano a voce alta, ma per rendere la competizione più difficile qualcuno accostava il viso alla porta e snocciolava al prigioniero la fiaba nera dell'Italia. Li avrebbero messi in gabbia con le tigri, solo i sopravvissuti si sarebbero guadagnati un letto in cui dormire. No, no, obiettava un altro, ci obbligheranno a fare le acrobazie e, se cadi e ti spacchi tutte le ossa, ti rispediscono indietro con un cannone, atterri dritto dritto a Sarajevo. Sì, certo, giusto in groppa alla direttrice – un rovescio di risate matte. Ma come fanno a mettere le ossa rotte nel cannone? Infatti, è vero, secondo me quelli a pezzi li portano dal macellaio per farci i *ćevapi*. Che dici, in Italia non si mangiano i *ćevapi* – il figlio di famiglia faceva il saputello. E allora come li usano, secondo te? Organizzano una caccia al tesoro: vince chi sa ricostruire il bambino con tutti i pezzi al posto giusto.

Nel frattempo Coccodè aveva bussato per uscire e un altro era entrato al suo posto, i bambini contavano all'unisono, non vedevano l'ora di farsi rinchiudere, oscurare, intimorire, i bambini non vedono l'ora di morire di paura; e ridevano e si spingevano nel bagno a vicenda, e si poggiavano con le spalle alla porta perché fosse sigillata, infervorati dalla crudeltà che gli era stato concesso di esercitare, dalla passività con cui a turno la subivano. Che importa se alcuni si agitano, se bussano per uscire e nessuno apre, fa parte del gioco, così la frenesia si contagia, da uno spavento all'altro.

Sen disse di aver bisogno del bagno sul serio. "Allora vediamo quanto resisti dentro," propose Vera. Lui non aveva paura né del chiuso né del buio, era semplicemente un gioco idiota, ma accettò.

Avvolto dal nero saturo, si liberò, poi si sedette sul water e sentì prudere il collo. Nonostante il chiasso fuori, il raschio delle unghie sulla pelle gli suonò nelle orecchie con una dolcezza furiosa, che gli diede immediata voglia di uscire. Si alzò, la testa toccava quasi il soffitto, era minuscolo, quel posto, e puzzava, ma non poteva essere lui a perdere la gara. Il collo gli prudeva, non riusciva a resistere, le unghie raschiavano, il suono nelle orecchie, grattarsi era un sollievo, era doloroso. Sen cercò a tentoni il lavello, aprì il rubinetto, neppure una goccia.

Capitava quando Omar non c'era, chissà dov'era, forse era solo molto piccolo, e lui se ne dimenticava. Capitava d'estate: Sen si avvicinava alla mamma che faceva un pediluvio rinfrescante – un bicchiere di limonata sul tavolo della cucina – e le ispezionava le cosce scoperte dal prendisole, per individuare i piccoli ponfi rosei. A tradimento ne grattava uno. Malgrado sembrasse sfiammato, il ponfo ricominciava a prudere e la mamma doveva grattarsi. Che hai fatto, carogna?, inveiva. Lui scappava tra le risate e lei si alzava a rincorrerlo, le impronte umide sull'impiantito di cemento. Lo rincorreva in quei pochi metri quadri, le finestre alte con i vetri a ribalta inquadravano le scarpe frettolose dei passanti: certi ci parcheggiavano davanti i motorini, i cani ci pisciavano. Nessuno pensa mai che laggiù abitino delle famiglie, dei bambini, una madre con i capelli lunghi e neri, un prendisole leggero e scollato, i piedi bagnati sul pavimento. Dov'è la mia carogna?

Quando lo catturava iniziava la battaglia: lo buttava sul letto, cercava le sue punture – lui ne aveva ben di più – e grattava con furia, finché non si sollevavano sulla pelle ponfi irregolari come isolette nel mare, finché Sen non era tutto un prurito, si grattavano l'uno con l'altra respirando in affanno, per le risate, il supplizio, gridavano non ce la faccio più, ti prego mollami, vediamo quanto resisti, le cosce intrecciate, Sen aveva in bocca i suoi capelli, contro la pancia la morbidezza dei suoi seni.

Il ricordo gli esplose in petto, lo mandò in pezzi. Forse era morta, sua madre, come temeva Omar. Non ci sarebbe più stata la battaglia con lei sopra il letto. Da quanto non c'era. Mai più l'aveva vista: lui era sempre fuori, quando lei passava a trovarli. Accettare di incontrarla come una zia che viene in visita, impossibile. O sei mia madre, o niente.

Carogna.

Sen si sedette di nuovo sul water, concentrato per non grattarsi, malgrado il collo pungesse. Sapeva resistere. Ricongiunse i pezzi, nessuno lo avrebbe rispedito indietro con un cannone.

Dopo chissà quanto tempo si accorse che fuori blateravano: "Ma quello è caduto nel cesso?" tra gli sghignazzi. "Oh, controlliamo!"

La luce improvvisa lo infastidì. Uscì lentamente, ostentando disinvoltura, mentre gli altri si spostavano per fargli spazio e lo stuzzicavano: "Ti sentivi a casa?".

Vide Omar nel corridoio, era venuto a cercarlo.

"Che hai? Sei strano."

"Ho resistito," rispose Sen.

Salendo gli scalini udì Coccodè rilanciare: "Ma se ci chiudiamo loro due insieme, dentro il bagno? Chissà che combinano, i piccioncini". Non sapeva a chi si riferisse, né si girò per scoprirlo.

I bambini ridevano – non smettevano più.

Spalato era ormai vicina.

Mentre impastava gli ultimi etti di farina rinvenuti in dispensa, con poco lievito per risparmiare (basta lasciar lievitare per un giorno intero, ha detto la Vicina, è stata lei a darle la ricetta; di pane, in giro, non se ne trova più), mentre impastava, la Moglie ha ripensato a quel che aveva detto Bush durante il G7 a Monaco di Baviera. La tragedia bosniaca è un singhiozzo, aveva detto. Come no, pensa, ora che l'impasto è gonfio abbastanza e deve sistemarlo nella pentola a pressione; gliel'ha insegnato la Vicina, perché la corrente non c'è. Il pane viene un po' pallido, l'ha avvertita, ma è sempre meglio che nulla. Un singhiozzo, pensa la Moglie, un conato, un'ulcera gastrica. Un tumore al pancreas, ripete al Marito. Le tornano in mente quei versi: "Ti dico: / – Dobbiamo fare l'amore, / perché il tempo scade", ma non li pronuncia davanti a lui.

Prima dell'assedio non aveva mai preparato il pane in casa. Se le fette le intingi nel latte, ha detto la Vicina, poi le friggi e le spolveri di zucchero, hai pronta la merenda che mi faceva mia madre: puoi darla ai tuoi bambini. Ma dove lo trovo il latte, ha pensato la Moglie, e lo zucchero, che costa cento marchi? E pure a volerli spendere, quei soldi, dove li prendo, se le banche non me ne dànno più? La Vicina si è già rimbambita.

La Moglie lo dice al Marito, e lui la ascolta e la guarda cucinare: forse gli pare strana, questa premura domestica. Mi raccomando lo spargifiamma, ha insistito la Vicina, altrimenti il calore eccessivo brucerà il pane, deve cuocere a fuoco lento, almeno per tre quarti d'ora. E la valvola: ricorda di lasciarla aperta.

La Vicina ha i suoi trucchi, vedrai che lei la sfanga.

La Moglie invece non sapeva niente di come si fa il pane, fino a qualche mese fa. La Bosnia-Erzegovina è l'unico Stato dell'Onu al quale è negato il diritto all'autodifesa, dice al Marito, ha ragione Izetbegović. In che senso, chiede lui. La risoluzione 713 è del '91, no? Di quando la Bosnia-Erzegovina non era ancora uno Stato autonomo. Eh, dice il Marito. Sì, ma la risoluzione richiedeva l'embargo delle armi per la Jugoslavia, e noi non siamo più Jugoslavia: questo embargo è illegale. Il Marito non replica. L'odore di pane si diffonde così presto, è un'illusione di normalità indecorosa, la Vicina non le ha parlato delle lacrime agli occhi, perché mai gliel'ha taciuto? Se la Bosnia-Erzegovina è uno Stato sovrano dall'aprile del '92 – la voce della Moglie è alterata, ha gli occhi lucidi – allora a partire da maggio ha diritto all'autodifesa, è la Carta dell'Onu a dichiararlo. O no?

Il Marito annuisce in silenzio. Pensa: "Ci lasciano / cercare in noi stessi il nemico interiore". Sono i versi di una poesia, li rumina dalla notte scorsa. Smette di guardare la Moglie, pensa alle truppe di pace, che non hanno alcun mandato per agire, e la gente non lo capisce. D'altronde, come si fa a capire un tale paradosso? Già li chiamano Serbofor anziché Unprofor, e quando per strada li incontrano alzano tutti il dito medio. Possono anche tornarsene da dove sono venute, queste inutili truppe di pace. Non abbiamo bisogno di una balia, ma di essere liberati.

La Moglie prepara il pane nella pentola a pressione e ha gli occhi lucidi, mentre gli racconta ancora del Vecchio con il sacchetto di plastica in testa, che pareva un suicidio e invece era per non vedere, io ho già fatto la seconda guerra mondiale, diceva il Vecchio, parlava da solo per strada, il sacchetto in testa come volesse farsi mancare l'aria, e l'aria manca davvero, anche alla Moglie, che lo racconta per l'ennesima volta, aspettando che il pane si cuocia secondo la ricetta della Vicina. Il profumo ha già riempito la casa.

La Moglie pensa: "E tu mi dici: / – Dobbiamo fare l'amore, / perché già domani sul tavolo anatomico / sotto i ferri del chirurgo possiamo l'uno all'altro / sorridere". Tutto il giorno le tornano in mente quei versi, tutto il giorno. Guarda suo marito, e li tiene per sé.

12.

Danilo aveva viaggiato spesso in aereo e non aveva mai avuto paura, anzi: quella transitoria sospensione gli era parsa una sospensione della realtà, l'accesso a una dimensione parallela in cui nulla e nessuno avrebbero potuto raggiungerlo. Lontano da ogni contatto, da ogni pretesa o dovere, si era sentito interamente libero. Essere sigillato tra le nuvole, in balia di un pilota o del destino, lo aveva esonerato di colpo da ogni responsabilità – a quattordici anni non ancora compiuti, era già quello il suo cappio.

Ma gli aerei che li aspettavano a Spalato erano diversi, non c'erano file di poltrone l'una dietro l'altra, solo due file continue di sedili in stoffa rossa montate lungo la fusoliera, per schienale una rete che copriva gli oblò. La bambina bionda si era sistemata vicino a lui per un automatismo: gli era simpatica, ma non c'era modo di chiacchierare, il rumore dell'apparecchio stordiva, per questo l'esercito italiano indossava le cuffie insonorizzanti.

Mentre decollavano Danilo pensò che non avrebbe potuto guardare fuori, niente azzurro, niente nuvole. Ebbe l'istinto di alzarsi, scendere: la cintura lo trattenne. Voltò la testa per intercettare la luce dietro la rete, ma era scomodo, gli dolevano i muscoli cervicali. Una volta che l'aereo ebbe preso quota, due militari cominciarono a giocare a calcio per far ridere i bambini: si tiravano il pallone a vicenda, lo facevano rimbalzare sulle ginocchia, colpivano di testa. Danilo non riuscì a distrarsi.

Sebbene assicurata alla cintura, Nada traballava, una vena a ipsilon incisa sulla fronte sudata. Aveva caldo o era in ansia anche lei? Probabilmente era la prima volta che volava. "Tutto ok?" le urlò Danilo. La bambina non sentì. "Tutto ok?" ripeté lui più forte. Nada si girò solo un instante, disse qualcosa: dal labiale, Danilo interpretò "non ti sento", ma vedere i suoi occhi celesti, anche se di sfuggita, gli espanse la gabbia toracica. La bambina stringeva la cintura, quasi per reggersi. Danilo la imitò, forse l'avrebbe aiutato. Calcolò il tempo che mancava all'arrivo, aveva al polso l'orologio di suo padre, glielo aveva regalato come un riconoscimento: sei grande, fatti valere, sei l'unico della famiglia a partire – il cinturino di metallo un po' largo.

Tentò di dimenticare che erano tappati in una capsula d'acciaio, o d'alluminio, o titanio, cosa ne sapeva lui, e non sarebbero usciti finché l'aereo non fosse atterrato. Mai aveva avuto paura, solo eccitazione, però adesso – Nada, guardami. La bambina stringeva la cintura neanche fosse una corda che penzola nel vuoto di un burrone. Guardami, Nada. Imitarla non l'aiutava. Fatti valere, Danilo, hai quasi quattordici anni, sii paziente, e coraggioso, ci rivedremo presto. Ma che cosa sono quattordici anni, papà? Non sono nulla, di sicuro non sono abbastanza. Se soltanto ci fosse stata Jagoda, con lui. Preoccuparsi per la sorella lo avrebbe distolto da sé.

"Nada, tutto ok?" gridò di nuovo, toccandola. Nada lo guardò, finalmente per davvero.

La mattina dopo la fuga verso la zona controllata dalla difesa territoriale avevano atteso a casa dei nonni che la mamma e Jagoda arrivassero. Il padre di Danilo beveva un caffè dopo l'altro. Si passava e ripassava le unghie sulla testa calva, dalle tempie verso la cima, tanto che aveva la cute striata di rosso. Si affacciava di continuo alla finestra, anche se non era il caso, diceva la nonna.

Perché le ho lasciate da sole?, ripeteva. Forse dovevano andarsene prima loro.

Cosa sarebbe cambiato?, domandava il nonno.

La sera precedente, a un certo punto la madre aveva telefonato. Il nonno sta meglio, le aveva detto il padre. Gli mancate.

Pure Danilo rimuginava. E se i cetnici che avevano minacciato di ingravidarla l'avessero fatto sul serio? Magari stava accadendo proprio in quel momento. La rabbia raschiava il diaframma. O era terrore.

Dalla memoria era riemerso il giorno in cui, nella stessa casa, aveva atteso che la madre rientrasse dall'ospedale con il padre e Jagoda appena nata. I nonni insistevano: sei contento che tra poco conosci la sorellina? Lui non era contento né scontento, non sapeva cosa aspettarsi.

La mamma era arrivata con le occhiaie e senza il pancione che l'aveva fatta sedere per mesi a gambe larghe reggendosi la schiena. Ti è uscita?, le aveva detto Danilo sulla porta. Lei aveva riso. Danilo aveva visto la faccia di Jagoda sbucare tra le pecorelle gialle della coperta, e quegli occhi chiusi, gonfi, un po' cinesi, sotto una fronte rugosa e senza sopracciglia, l'avevano fatto pensare a un'aliena caduta dallo Spazio. Tranquilla, le aveva bisbigliato, starai bene sulla Terra.

Si era rivelata una menzogna – allora lui non poteva immaginarlo.

Dobbiamo avere pazienza, disse la nonna. E servì altro caffè turco su un vassoietto rettangolare. Era di acciaio, ma l'arcobaleno non c'era.

Da piccolo Danilo apriva gli stipi della cucina solo per controllare l'arcobaleno nelle pentole. Perché è spuntato se non ha piovuto?, chiedeva alla mamma. Lei non capiva. Lui indicava le sfumature azzurrine e violette che si mescolavano rilucendo con intensità diversa ogni volta che agitava il tegame. La madre non aveva una risposta sull'arcobaleno delle pentole, e nemmeno il papà. Danilo ci era rimasto male: quella loro ignoranza, che mai aveva messo in conto, gli era parsa un gesto contro di lui.

Il vizio di aprire gli stipi nel mezzo del pomeriggio e ispezionare le pentole, scoprire se l'arcobaleno si era formato, indovinare o perdere, e pagare pegno a sé stesso, un gioco solitario, una forma di ribellione contro l'ignoranza dei suoi – non tentavano di colmarla per lui: dunque non era totalizzante, il loro amore –, quel vizio era durato anni, finché il professore di scienze, cui una mattina aveva sottoposto la questione, non aveva citato il cromo, un minerale durissimo usato per evitare che l'acciaio si arrugginisse o si corrodesse, e che cambiava colore a contatto con l'ossigeno, cioè con l'aria. La risposta finalmente ottenuta, anziché soddisfarlo, aveva interrotto la magia.

Ormai era troppo grande per controllare le pentole nel pomeriggio, sua sorella lo avrebbe imitato e la madre si sarebbe innervosita. Che il suo amore per lui e Jagoda fosse screziato di insofferenza, e rabbia, e stanchezza, Danilo lo aveva ormai capito. È il senso di precarietà che sbilancia ogni figlio, un fatto di natura, anche se allora lui non lo sapeva.

È pronto, disse la nonna. Nessuno prese posto a tavola. Seduto sul divano con il nonno, il padre aveva la testa cosparsa di graffi. Il caffè che ancora reggeva in mano non fumava più da un bel po'. Danilo sbirciò nella tazzina: a volte pure nei rimasugli di caffè si intravedevano bolle iridescenti, scaglie di un arcobaleno esploso.

Bussarono alla porta, tanto piano che la credette una suggestione. Poi però vide il padre mollare in fretta la tazzina, che si inclinò sull'acciaio scampanellando, mentre il caffè imbrattava il vassoio.

Quando trovò sulla porta moglie e figlia, Predrag emise un singulto, uno solo, lancinante al punto da sembrare l'eco di qualcosa che si era infranto tra gli organi e le ossa. Tirò a sé Azra con tale impeto che anche a lei scappò un lamento, e la abbracciò quasi volesse stritolarla.

Mai Danilo aveva visto i suoi genitori così intimi. Lui schiacciava il viso di lei tra le mani e la baciava a lungo in bocca, sulle ciglia, le tempie, poi di nuovo l'abbracciava. Tutti restarono impalati, Jagoda non osava entrare. Più che imbarazzo, era meraviglia. Questo, pensava Danilo.

La luce irradiò ubertosa, come le finestre si fossero allargate, e i muri sbriciolati, e tutti loro fossero su un palcoscenico al secondo piano, dove si recitava l'atto finale di uno spettacolo davanti al pubblico di Sarajevo intera – o era solo il prologo? Qualunque cosa fosse, aveva a che fare con l'amore. No, non era totalizzante, Danilo sapeva già che non lo è mai, eppure l'acciaio si macchiò di colori cangianti, dal malva al lilla al pervinca al cobalto, e un vortice cromatico mulinò nel fondo del caffè, sulle pareti le ombre si prosciugarono e la pittura brillò, scintillarono anche gli occhiali della nonna, e la dentiera del nonno, e la fede di sua madre, un riverbero incrociato di bagliori pulsanti che accecò Danilo: dovette abbassare lo sguardo, coprirlo con i palmi, rinunciare all'arcobaleno, all'infanzia, a ogni risposta.

Un dito gli sfiorò le nocche. Danilo riaprì le palpebre: Jagoda era in piedi accanto a lui. Da tempo non aveva più gli occhi cinesi e la fronte rugosa, eppure quel giorno a lui parve di nuovo atterrata dallo Spazio, forse perché aveva temuto di perderla.

Finché ci sarò io, pensò, ti giuro che starai bene sulla Terra.

La prese per mano e si avvicinò alla madre, in attesa che il padre la cedesse anche a lui. Moriva dalla voglia di abbracciarla.

Atterrarono a Milano due ore dopo. L'aereo aprì la coda e uscirono uno alla volta. Poggiando un piede a terra, a Danilo parve di barcollare. Nada aveva afferrato il bordo della maglietta come prima la cintura, non riusciva a camminare senza reggersi a qualcosa.

Li accolsero un fragoroso applauso e una lunga teoria di telecamere pronte a riprenderli. Nada rinculò, Danilo si chiese per quale motivo meritassero l'ovazione: che cosa avevano fatto di straordinario? Non serviva alcun talento per essere un rifugiato, alcun impegno. Bastava la sfortuna di abitare un Paese in guerra, e la sfortuna non era uno spettacolo da acclamare.

Dietro le telecamere, una saletta dove avevano preparato un enorme buffet: panini al prosciutto, pizzette, olive, bignè e altre leccornie che Danilo aveva assaggiato a Venezia e di cui ignorava il nome. I bambini si diressero ai tavoli con una fretta che lo imbarazzò. Nessun interprete era stato incaricato di facilitare lo scambio tra loro e quelli che li avevano attesi.

Stapparono una bottiglia di spumante, gli adulti brindarono, sebbene i bosniaci sollevassero con impaccio i bicchieri di carta: magari erano solo storditi dal viaggio.

Mentre mangiavano, una donna in uniforme rossa, con una croce sulla schiena, indicò entusiasta le scarpe spaiate di

Omar e gli disse grazie, una delle poche parole straniere che Danilo capiva. Altri italiani, in divisa gialla e grigia, o semplicemente in jeans o in tailleur, ringraziarono il bambino. Lui volgeva la testa altrove per non guardarli; o forse cercava il fratello, ma Sen era troppo incantato per soccorrerlo: qualche metro più in là, ingurgitava un pezzo di pizza dopo l'altro. Quasi tutti, davanti al buffet, avevano fatto scorta di cibo. Omar invece cercò di infilarsi le mani in tasca, ma ai suoi calzoncini mancavano. Non aveva assaggiato nulla. Danilo provò tenerezza per lui.

"Che succede?" gli chiese Nada. Nel suo piatto di carta, tre paninetti imbottiti. "Che cosa vogliono?"

Gli italiani spiegavano in inglese, Omar non capiva: Danilo si avvicinò per tradurre e finalmente l'entusiasmo fu chiarito. Il bambino indossava una scarpa rossa e una verde, entrambe avevano la suola bianca, così la donna aveva creduto fosse un omaggio alla loro bandiera, una forma di gratitudine anticipata.

Danilo sapeva che mai Omar avrebbe potuto escogitare un simile proposito. Rise di fronte a tanta ingenuità, a tanta arroganza. Chi vi credete di essere?

Risero anche gli italiani, forse per cortesia.

Prima che il party allestito in aeroporto finisse, l'ambasciatore bosniaco in Italia prese parola e confermò che la permanenza dei bambini sarebbe durata due mesi al massimo. Un giornalista chiese se gli orfani sarebbero stati adottati da famiglie italiane, lui rispose che non era previsto nemmeno un affido, anzi: il loro ritorno a Sarajevo sarebbe stato il primo segnale di pace.

Fu il turno dei controlli. Nell'edificio della Protezione civile li esaminarono per verificare che non avessero i pidocchi, non solo gli orfani con le teste rapate, anche i bambini con una famiglia alle spalle che avevano trovato posto sui pullman grazie ad amicizie e conoscenze, come Danilo. Prelievo del sangue e questionari sanitari, che un medico compilò con l'aiuto delle educatrici: prima di sera, ciascuno aveva la sua cartella clinica e una foto per il permesso di soggiorno. Non c'è niente di male, si ripeteva lui, eppure non poteva fare a meno di notare che erano stati catalogati come bestie da allevamento. Nella serialità della procedura – una specie di catena di montaggio in cui erano loro il prodotto da esaminare – c'era una lesione della dignità che Danilo intuiva, ma non avrebbe saputo verbalizzare. Avrebbe impiegato molto tempo per trovare i vocaboli, e sarebbe stato comunque tardi. Quell'emozione avrebbe avuto il tempo di dilagare – ignota, impronunciabile, e per questo difficile da comprendere – e di inquinare tutte le altre.

13.

La prima notte alla Protezione civile, nella camerata con i letti a castello, Omar si svegliò per colpa di un sogno – i cani di Bjelave sanguinavano fuori dalla porta, lui apriva uno spiraglio, vedeva Čupko agonizzare, non aveva il coraggio di uscire, le bombe imperversavano – e scorse ombre che vagavano come fantasmi. Urlò.

Un'ombra fu sempre più vicina, sempre più grande, spaventosa. Omar trattenne il fiato per fingersi morto, non si mosse neppure quando avvertì il peso di una mano sulla testa.

"It's ok," disse l'ombra. "Don't worry, I'm here with you."

Il tonfo sordo dei talloni di Sen atterrati sul pavimento, e Omar respirò di nuovo.

"Lasci stare, ci penso io," disse nella sua lingua.

"Have you had a bad dream?"

"Non c'è bisogno, ci sono io", Sen entrò nel letto di Omar. "Dormi," gli disse, "se no questi non si levano."

"Ma chi è?"

"Un italiano."

"Good night," augurò il volontario; nessuno gli rispose.

Il quinto giorno salirono di nuovo su un pullman. I più grandi erano diretti in provincia di Rimini, mentre Omar e Nada sarebbero andati a Monza; anche se aveva dodici anni, Sen rimase con loro, perché si era deciso di non dividere i fratelli e le sorelle. Danilo invece faceva parte di un altro gruppo: Nada non lo aveva capito e rimpianse di non averlo salutato.

Il pullman si fermò davanti a un grande cancello in ferro battuto: l'insegna sul muro diceva "Centro San Lorenzo", ma loro non sapevano pronunciarlo. Era un comprensorio di palazzi che si affacciavano su un ampio giardino; palloncini colorati erano stati appesi alle finestre e ai balconi per festeggiare il loro arrivo.

Dopo il rituale dell'accoglienza, gli ospiti furono distribuiti nei diversi appartamenti, ciascuno presidiato da una suora; in camera, tre letti e un lavabo. Omar pensava che avrebbe dormito con Sen, ma fu presto deluso. Erano divisi per età e l'ala maschile era separata da quella femminile. Si ritrovò con due coetanei che non aveva mai visto, dovevano appartenere al gruppo di quelli con famiglia.

A cena rovistò con la forchetta nel purè di patate finché le suore non gli tolsero il piatto e, quando andò a letto, colse il mormorio dei compagni di camera: come potevano credere che non li sentisse, oppure volevano che lui sapesse? Uno diceva di aver fatto l'elenco dei propri vestiti, così si sarebbe accorto di un eventuale furto. L'altro ripeteva che con un teppista non ci voleva dormire.

Omar finse di ignorarli, si tirò il lenzuolo sopra la testa anche se faceva caldo. I compagni si addormentarono presto, a volte nel sonno sbuffavano. Lui cercava di rilassarsi ma sudava, il fiato era opprimente, gli parve di soffocare. Si alzò. Doveva trovare Sen. Chi erano questi italiani che decidevano per loro, perché lo torturavano? Lo avevano allontanato dalla mamma e adesso anche dal fratello.

Aprì piano la porta per non svegliare nessuno e a piedi nudi uscì. Una luce fissa gli consentì, seppur pallida, di camminare senza urtare contro le pareti. Non sapeva dove andare, a che piano si trovasse Sen, quale fosse il numero del suo appartamento. Raggiunse le scale, indeciso se scendere o salire. Recitò una conta per far scegliere alla sorte, *eci peci pec*, e col dito indicava su poi giù, *ti si mali zec*, giù e poi su, *a ja mala vjeverica eci peci pec*. Lo scoiattolo e il coniglio della filastrocca stabilirono di salire: si inerpicò.

Il silenzio era un ronzio insopportabile, dilatava l'angoscia. Sotto le lampade al neon i contorni erano sfocati, l'ambiente meno concreto, il contatto con la realtà allentato. Omar si sentì slacciato dal resto del mondo. Ogni forza si esaurì, aveva paura di proseguire così come di tornare indietro. "Sen," chiamò con un filo di voce. "Sen," appena più forte. Finché non udì un rintocco di passi per le scale.

La suora emerse dal buio con le mani giunte dicendo qualcosa che lui non poteva capire. Lo prese per le spalle e continuando a parlare lo ricondusse nell'appartamento. Omar non si ribellò, ma quando fu di fronte al letto pronunciò il nome del fratello: la suora avrebbe capito, lo avrebbe portato da lui. Invece con un cenno del mento lo invitò a sdraiarsi. Omar rimase impalato, ripeté che voleva suo fratello. Lo disse nella propria lingua, l'unica che conosceva, ma la suora la ignorava, batteva il palmo sul materasso, lui non si mosse. Appena lei provò a spingerlo giù, per sfuggirle Omar si gettò a terra rintanandosi sotto la rete. La suora si accasciò per afferrargli un braccio, ma lui sgusciava via. Per acchiapparlo avrebbe dovuto inginocchiarsi, anzi stendersi, strisciare anche lei sotto il letto, invece, reggendosi alla rete, senza neppure abbassare la testa, continuava ad allungare la mano per acciuffarlo e stringeva fra le dita solo aria. Parlava in italiano, a volume sempre più alto.

I compagni di stanza si erano svegliati, Omar se ne accorse dai rumori, dalla luce d'un tratto accesa, dal fatto che lei li aveva apostrofati con un tono diverso da quello con cui ordinava a lui di uscire – o almeno era questo che Omar immaginava gli stesse dicendo –, un tono più dolce, conciliante. Pensò che i compagni si sarebbero intrufolati sotto il letto e lui non avrebbe avuto scampo: in due l'avrebbero per forza catturato. Guardò la mano della suora scavare nel vuoto, le si era ingolfato il respiro, non parlava quasi più.

Barcollando, la donna si rimise in piedi. La luce fu spenta e la porta chiusa. Forse era un tranello. Forse i compagni stavano arrivando. Omar attese supino, le braccia aderenti ai fianchi.

La luce non si riaccese, la porta non si riaprì, la suora non tornò. Ai compagni importava troppo poco di lui per rovinarsi il sonno. Nascosto sotto il letto, come i randagi di Bjelave poco prima dei bombardamenti, protetto da quel rifugio, Omar si assopì.

14.

Sen stava facendo colazione quando la suora entrò in cucina e, concitata, si rivolse alla sorella che sorvegliava l'alloggio cui lui era stato assegnato. Non capiva cosa si dicessero, ma si giravano di continuo verso di lui, le dita intrecciate davanti al petto. Quando entrambe si avvicinarono con le sopracciglia sbieche e le labbra scolorite, intuì che era successo qualcosa a Omar. Domandò nel suo inglese elementare e a fatica capì che non lo trovavano più, dopo averlo cercato per tutto l'istituto. Si alzò dal tavolo e si precipitò per le scale mentre quelle lo chiamavano.

"Lo avete perso," gridava in bosniaco: era così amara la frustrazione di non essere capito.

Scese nell'atrio e d'istinto aprì la porta d'ingresso, nemmeno era stata chiusa a chiave.

Il sole era già piuttosto caldo, gli intiepidì le spalle scoperte dalla canottiera. Arrivava un forte odore d'erba dalle aiuole, i palloncini si erano sgonfiati. Se Omar era riuscito a fuggire, come avrebbe fatto lui a ritrovarlo? Non conosceva la città, non conosceva la lingua, non aveva appigli. Il senso di trappola lo strozzò. Calmati, Sen, quello è troppo cacasotto per scavalcare. E se qualcuno avesse lasciato il cancello aperto? Non se ne andrebbe mai senza di te, dove potrebbe andare senza di te?

Marciava lungo il viale e sotto i piedi nudi le mattonelle diventavano sempre più calde, girava l'angolo e continuava a marciare, il comprensorio era molto ampio, voleva raggiungere il cancello ma non si orientava più, le finestre tutt'intorno parevano spiarlo, assediarlo, cominciò a correre per sfuggire al loro mirino, corse finché non esplosero gli strepiti delle suore, una raffica di suoni incomprensibili che rimbombò tra i palazzi, e Sen si inginocchiò a terra su un'aiuola, aggrappandosi al primo albero che incontrò.

A quel contatto il fusto si mosse, le foglie stormirono come squassate da una ventata e i rami stridettero quasi stessero per spezzarsi.

"Sen," lo chiamò l'albero, e aveva la voce di suo fratello. "Mi senti?"

Lui sollevò la testa e vide Omar che, a cavalcioni su un ramo, si sporgeva in basso, verso di lui. "Ciao."

Scagliò un pugno sulla corteccia, un altro, prese il fusto a botte facendolo traballare di nuovo. Poi scoppiò a ridere.

"Che ci fai lassù?"

Le suore arrivarono pochi istanti dopo, mentre loro due ridevano, uno sopra e l'altro sotto l'albero.

A cenni intimarono a Omar di scendere: rimase dov'era. Anche Sen lo pregò di venir giù, ma lui non gli obbedì.

"Quella mi dà il tormento," disse indicando la suora alla cui sorveglianza era sfuggito.

"Che ti ha fatto?"

"Ieri sera volevo venire a dormire con te e mi ha fermato."

"Scendi, ora, non fare lo scemo."

"No, non scendo mai più."

"E come farai a mangiare?"

"Non ho fame."

"E a lavarti?"

"Che me ne frega di lavarmi?"

"E a dormire?"

"Dormo qua."

"Perché?"

Le suore si zittirono per origliare, neanche potessero comprenderli.

"Non voglio stare lì dentro, non mi piace. Da qui vedo il cielo."

"A Sarajevo non guardavi mai il cielo."

"A Sarajevo c'era la mamma."

Sen si girò verso le suore allargando le braccia.

Quella che aveva perso Omar tentò di afferrargli un piede: saltò invano, atterrò pesante sui mocassini, le caviglie ciondolarono.

"Lo vedi?" disse lui. "Mi dà il tormento."

Sen rise, le monache assunsero un'espressione ottusa.

Guardando quella che si intestardiva, le guance rosse, il seno che ballava, lui la incitò: "Forza, suor Tormento, un altro sprint e ce la fai!".

Omar sgusciava tra i rami, rideva.

Le sorelle si avvicinarono caute a suor Tormento, le poggiarono una mano sulla spalla, sul braccio, bisbigliarono qualcosa, la portarono via lasciando loro due da soli in giardino. Dovevano aver capito che non se la sarebbero svignata, che anzi il fratello maggiore avrebbe badato al minore, che così erano abituati.

Sen pensò di arrampicarsi a sua volta, ma faceva troppo caldo. Restò un po' seduto all'ombra del fogliame a respirare quella piccola libertà, l'aria non puzzava di fumo né di cadaveri insepolti. Nelle narici, soltanto l'aroma dell'erba.

Suor Tormento tornò mezz'ora dopo, si era pettinata. Sen credeva che tutte le suore del mondo portassero il velo: a quanto pareva, quelle italiane no. Sul vassoio, una tazza di latte e un pacchetto di biscotti. La monaca si piazzò sotto l'albero e porse la colazione, senza dire nulla.

Sen scrutò la sua sagoma slanciata verso l'alto, era fiduciosa eppure pronta a fallire: aspettava con occhi vigili. Passò un tempo troppo lungo perché non gli facesse pena. Poi, quando suor Tormento sembrava in procinto di desistere, la testa di suo fratello spuntò tra le foglie: Omar afferrò la tazza, bevve d'un fiato. Lei lo guardò senza tradire la minima soddisfazione. Lui posò la tazza vuota sul vassoio e prese i biscotti. Ne addentò uno, e lei se ne andò.

A pranzo suor Tormento portò un panino al formaggio e per merenda una fetta biscottata con la confettura di arance. Omar mangiò tutto: era come se lassù gli si fosse aperto lo stomaco.

Nel pomeriggio Sen venne a trovarlo, salì sull'albero accanto a lui. Quando fu di nuovo solo, Omar si issò in piedi sul ramo, arcuò la schiena e con il petto in fuori abbassò le mutande e fece pipì. Disegnò una parabola dorata che pioveva festosa fino a terra e scrosciando schizzava sull'erba, irrigandola. Durò tantissimo, erano ore che la tratteneva. Si accorse che un uccellino lo spiava: per scherzo si girò verso di lui – il getto cambiò sinuoso traiettoria, un nastro che volteggia nell'aria – e gli spruzzò la pipì sul becco. L'uccellino non se l'aspettava, di scatto volò via, sbatteva le ali così forte che pareva sconvolto. Omar rise di stomaco, fino a perdere l'equilibrio. Si resse al fusto con entrambe le mani, vide le ultime gocce cadere senza far più nemmeno rumore, controllò orgoglioso la pozza che bagnava l'erba e tirò su le mutande. A guardare il mondo da lassù, si sentì davvero un gigante.

Per il resto della giornata immaginò di passare l'esistenza sull'albero. Avrebbe fatto amicizia con le formiche e i piccioni, avrebbe contato le stelle e inciso nella corteccia il proprio nome, come una targa sulla porta di casa, e pure il nome della madre. Quando la guerra fosse finita, avrebbe lasciato l'albero per tornare a Sarajevo da lei. Oppure, uno di questi giorni, avrebbero bussato al fusto, lui si sarebbe affacciato e l'avrebbe vista, piccola piccola, i capelli scuri raccolti in una crocchia e un sorriso timido, come a dire non te l'aspettavi questa, eh? Lui le avrebbe detto sali, e lei avrebbe avuto paura, ma lui avrebbe detto ci sono io, mamma, ti prendo, e le avrebbe teso la mano. L'avrebbe tirata su con poco sforzo, era così leggera, una bambolina con i piedi di gomma, si sarebbe retta al ramo con quelle mani minuscole dalle unghie rosicchiate, gli si sarebbe stretta addosso ma lui non l'avrebbe mica sgridata, avrebbe annusato il suo odore per tutto il tempo e avrebbe aspettato la notte per mostrarle le stelle. Come hai fatto a trovarmi? Ho letto sulla corteccia i nostri nomi.

All'ora di cena suor Tormento si presentò con una fettina di carne tagliata a pezzetti. Omar li infilò in bocca con le dita, uno dopo l'altro, e riconsegnò il piatto. Anziché portarlo via, la suora si sedette sull'aiuola, sistemò la gonna sulle gambe e la schiena contro l'albero. Lui aspettò che scrollasse il fusto per farlo cadere giù come un frutto maturo, invece suor Tormento attaccò a cantare.

Omar non poteva riconoscere la canzone né comprenderne le parole, ma seppe che era per lui, per lui la suora stava cantando. Soltanto sua madre aveva cantato per lui. Lo faceva a voce bassissima, quando Omar non riusciva a prendere sonno. Il padre non voleva essere disturbato, se qualcuno lo svegliava diventava nervoso, allora la madre accarezzava i capelli di Omar e nell'orecchio gli cantava di dormire, *sine*, ché stai volando sopra un mare di monete. E il bambino immaginava di fluttuare sopra quella distesa scintillante, poi tuffarsi e sentirla tinnire, immerso nell'oro nuotare come non aveva mai imparato a fare, poi riaffiorare e dirle è tutto tuo, mamma, esprimi un desiderio, ti compro quel che vuoi. *Treći nose, treći nose, od zlata jabuku*. Il fiato caldo gli solleticava i lobi, la pace calava sulle palpebre, rallentava il battito del cuore, e la coscienza sbiadiva proprio mentre la madre gli confessava di soffrire, con voce cantilenante, troppo dolce perché lui non si addormentasse pur di fronte a quel dolore.

La suora si rimise in piedi vacillando, si sbatté la gonna e andò via col piatto vuoto. Omar la osservò avanzare. La corporatura robusta, l'incedere ondeggiante, la curva della schiena suggerivano un'aria da nonna, ma era giovane, ed energica: quel mattino, saltando, aveva cercato di abbrancarlo con l'accanimento di una ragazzina.

Omar scese dall'albero e la seguì. Suor Tormento continuava a camminare, non si voltò. Arrivata all'ingresso, lo fece entrare, chiuse a chiave la porta che era stato così facile aprire e in silenzio salirono i gradini.

15.

Le femmine erano già arrivate. Le avevano fatte sedere su seggiole di legno collocate a destra delle panche, in file da due. In fondo alla chiesa, appena entrato, Omar sperò che anche i maschi potessero sedersi lì, o almeno quelli di suor Tormento, giacché per tutti non c'era spazio di sicuro; era ansioso di rivedere Nada.

Non si erano più rivolti la parola da quella sera al lago, quando lei aveva usato la storia di sua madre con i giornalisti, poi l'aveva aggredito. Sen aveva detto ti fai menare dalle ragazze, ma a lui era piaciuto averla addosso. Sovrapponendo la sua vita alla propria, Nada aveva fatto un gesto assurdo, che però gli solleticava lo stomaco come ogni intimità. Al Centro San Lorenzo non l'aveva più incontrata.

Frugò tra le teste delle bambine per rintracciare i suoi capelli biondi, non la vide. Suor Tormento si diresse a sinistra con la solita andatura trafelata. Omar la seguì assieme ai compagni e a distanza notò una casetta simile a quella della chiesa in cui si era rifugiato con Nada quando erano scappati dall'orfanotrofio. Una signora era inginocchiata fuori, il naso appiccicato alla grata. Chissà se dentro c'era qualcuno e lei lo stava spiando, magari Nada si era ficcata proprio lì. Immaginò di scostare la tenda e farle una sorpresa – ma quale sorpresa? Sen diceva che era una stronza.

I rintocchi di una campanella: a suonarla era un bambino con una tunica bianca sopra i jeans, in piedi di fianco a un uomo vestito di verde e oro. Tutti si alzarono e si sfiorarono fronte, spalle e petto, esattamente come Nada a Sarajevo la notte della fuga. L'uomo in verde parlava e gli altri rispondevano, si issavano e sedevano all'unisono, tranne i bambini, che sbagliavano i tempi: non solo i bosniaci, anche gli altri.

Quella lagna incomprensibile faceva venire sonno, Omar fantasticava di alzarsi mentre le suore erano distratte e sgattaiolare sino alla casetta.

Un pizzico alla gamba lo fece girare. La vide accosciata: "Nada". Lei gli impose il silenzio con l'indice sulle labbra. Poi fece cenno di seguirla, si guardò attorno, abbassò decisa la testa per dare il segnale di via e si allontanò velocissima, gattonando.

Omar la imitò senza neppure controllare cosa stessero facendo le suore, o se i compagni le avessero già avvisate. Le andò dietro senza preoccuparsi di nulla, perché di Nada si fidava, sarebbe sempre stato così.

Lei arrivò in fondo, non troppo distante dall'ingresso, e si mise in piedi. Si fermò davanti alla statua dell'uomo martoriato appeso alla sua croce di legno; il sangue scorreva a rivoli lungo i muscoli del corpo seminudo, si raggrumava scuro nelle ferite tra le costole. La schiena era tanto inarcata che prima o poi il peso l'avrebbe staccato dai chiodi e lui sarebbe caduto con un clamoroso tonfo sul marmo.

"Ci nascondiamo nella casetta?" propose Omar.

"Che casetta?"

"Quella laggiù," allungò un braccio.

"Ah, il confessionale. Non possiamo, un prete sta confessando."

"Cioè?"

"Vedi quella signora inginocchiata? Sta dicendo al prete i suoi peccati, per farsi perdonare da Gesù."

Al solito, Omar era confuso.

"Sai che facciamo?" disse Nada. "Accendiamo una candela."

Nella chiesa di Sarajevo una sola era rimasta accesa, poi Nada era caduta dalla panca e la fiamma si era spenta.

"Hai una moneta?"

"Che moneta?"

"Ok, per questa volta la accendiamo senza. Gesù non si offenderà."

Nada estrasse una lunga, sottile candela bianca dal contenitore sotto la statua e avvicinò lo stoppino a una fiamma. "Chiediamo una grazia."

"Cosa significa?"

"Esprimiamo un desiderio."

"E poi si avvera?"

"Dipende da Gesù."

"Gesù è questo qui con le spine in testa?"

"Sì."

"Non mi sembra uno che realizza desideri."

"Non capisci niente. Che ti costa esprimere un desiderio?"

Omar si concentrò.

"Fatto?"

"Sì."

"Anche io", Nada chiuse gli occhi e con le mani giunte recitò una preghiera. Poi li riaprì: "Ti ho immaginato mentre abbracci tua madre, lei è alta e ha i capelli neri come te".

Omar serrò i denti per lo stupore. Era il suo stesso desiderio, Nada aveva desiderato un desiderio per lui.

"Mia madre è piccolina," spiegò, "un po' più alta di me", e sollevò un palmo a pochi centimetri dalla fronte.

"Vabbè, Gesù non si fisserà mica su questo particolare."

"Speriamo."

Lei gli prese la mano, come aveva fatto il pomeriggio della granata, e disse: "Scusa. Mi sono comportata male".

Omar non riuscì a reggerlo, quel celeste tanto sfacciato, tanto sincero. Per questo chinò il capo.

"Sei ancora offeso?" disse Nada.

Omar ritrasse la mano. Con uno slancio la abbracciò.

Lei gli cinse la schiena e restarono a lungo così, immobili, perché nessuno dei due sapeva quanto dovesse durare un abbraccio.

Poi un colpo inatteso li costrinse a slacciarsi.

Nada si voltò, la sorprese il bagliore di una vampata.

I suoi capelli stavano andando a fuoco: una suora e una sconosciuta cercavano di spegnerlo con le mani, prendendola a schiaffi. Rimase inerte a farsi percuotere finché, dopo poche botte, le fiamme non si estinsero. Allora si tastò inebetita le punte dei capelli, erano crespe, e puzzavano. Guardò Omar: “Vedrai che adesso rapano a zero pure me”. Lui non fece in tempo a risponderle: li divisero, riportandoli ciascuno al proprio posto.

Seduta in castigo di fianco alla suora, Nada pensò che quelle fiamme fossero un messaggio divino. Non sapeva se benigno o maligno, se Gesù fosse dalla sua parte o la stesse punendo, forse perché era stata cattiva con Omar, o perché a Sarajevo si era permessa di mangiare le ostie – ma non erano consacrate, non vale. Oppure perché c'era in lei qualcosa di immondo fin dal principio, qualcosa di cui sua madre e perfino sua nonna avevano voluto sbarazzarsi. Quando, in futuro, di fronte al mutismo di Dio si sarebbe progressivamente indignata, avrebbe ripensato al fuoco nei capelli una domenica di luglio e l'avrebbe considerato il segno di una forza oscura che divampava mentre lei nemmeno si accorgeva di bruciare.

Incurante delle gomitate che gli dava il vicino di sedia, dove te n'eri andato?, Omar ritornava ossessivo sull'incidente e un po' aveva voglia di ridere, un po' era in preda allo spavento. Nel tempo, il ricordo di quell'episodio si sarebbe modificato, e quando lui lo avesse rievocato avrebbe visto le ciocche di Nada risplendere, incorniciarle il viso come un'aura. La sua amica sarebbe stata avvolta da un fulgore irresistibile, quello che mai lui avrebbe smesso di puntare. Nada aveva cominciato a bruciare nell'istante in cui Omar l'aveva stretta, si era incendiata fra le sue braccia. Nada era un rogo – ardeva, ma non si consumava. E anche se quella mattina il fuoco era stato spento, lui avrebbe sempre saputo che sotto la cenere continuava a covare.

16.

Nada mangiava a testa china quel che aveva nel piatto. Si era già abituata alle consistenze e ai sapori nuovi, non partecipava mai al gioco di lanciarsi addosso molliche di pane, o peggio fagioli conditi, che macchiavano gli indumenti e le mattonelle, facendo infuriare suor Nanetta.

Era stato Sen ad affibbiarle quel soprannome, per via della statura. Non che lui e il fratello fossero due spilungoni, ma chiamarla così era divertente: a volte, quando suor Nanetta le si rivolgeva – soprattutto a gesti – perché era il suo turno di aiutare a sparecchiare o di portare la roba sporca in lavanderia, Nada rideva da sola. La piccola monaca girava la testa intorno per capire che cosa scatenasse la sua ilarità e siccome non trovava nulla premeva i pugni sui fianchi, minacciava di perdere la pazienza.

Da qualche giorno Vera sghignazzava: Moncherino è diventata un tizzone ardente, oltre al dito voleva perdere la testa.

Di solito se la prendeva con le più piccole, le obbligava ad accompagnarla in bagno e tenere le salviette piegate sugli avambracci finché lei non era pronta ad asciugarsi, o a farle da palo quando dopo pranzo si buttava a letto, sebbene le suore avessero vietato a chiunque di stendersi nel pomeriggio; dava della pisciona a quella che si svegliava ogni mattina con il lenzuolo bagnato, e si accaniva con un'altra che dopo i pasti aveva sempre mal di pancia. Per Nada, però, aveva sempre fatto un'eccezione: la vessava anche se erano coetanee, fin da quando abitavano all'orfanotrofio di Bjelave. Adesso tosano pure te, le soffiava in faccia. Se ci fosse stato Ivo.

Il giorno delle ciliegie, di sera a un tratto era tornata la corrente. La luce li aveva investiti mentre sonnecchiavano nel salone, l'interruttore doveva essere rimasto acceso. I ragazzi si erano alzati confusi eppure vispi, stropicciandosi gli occhi; i muscoli sfrigolavano per l'emozione di poter fare tutto ciò che l'assenza di energia elettrica aveva impedito, ma era notte, e che fare loro non sapevano.

Ivo era corso ad accendere il televisore, si era sintonizzato su Mtv. Sullo schermo era comparso Michael Stipe, un paio di enormi ali bianche dietro la schiena e la faccia desolata: i ragazzi si erano avvicinati, avevano cominciato a cantare. Schioccando pollice e indice, Ivo batteva il piede a ritmo. Come se dei fili lo avessero tirato dall'alto, aveva preso a muovere le braccia in modo convulso, con la stessa disperazione che rendeva ipnotico il leader dei R.E.M. I bambini e i ragazzi lo avevano imitato, e in poco tempo il salone dell'orfanotrofio era diventato un teatro delle marionette, mosse tutte insieme da troppe mani, uno spettacolo caotico che non avrebbe divertito nessuno. Ma per Nada era stato un momento solenne: si era alzata a ballare, lei che non partecipava mai.

Il fratello l'aveva raggiunta; nonostante quel che era successo nel pomeriggio, aveva ballato davanti a lei, e lei lo aveva considerato un perdono, per questo si era sentita straziare. Ivo aveva ficcato le mani in tasca, poi, sollevandole, le aveva fatto cadere sulla testa una manciata di ciliegie come coriandoli. Nada era scoppiata a ridere, e la luce si era spenta di nuovo.

Decise di scrivergli una lettera, avrebbe chiesto alle suore di spedirgliela all'orfanotrofio, magari dal fronte Ivo faceva ogni tanto ritorno lì.

Staccò un foglio dal quaderno di matematica – era quasi finito, per quanto l'aveva riempito di disegni – e rosicchiando il cappuccio di una penna si ritrovò a parlargli di Omar, che passava le giornate su un albero con il permesso di suor Tormento e di suor Direttrice: era l'unica maniera per farlo mangiare. Nei giorni in cui non bombardano, disse a Ivo, potresti cercare sua mamma? Secondo me è in ospedale. Gli confessò che, quando si erano fermati sull'altopiano, aveva finto che quella madre fosse sua. Disegnò sé stessa accanto al fratello, ripiegò la lettera e la nascose sotto il cuscino.

All'ora di cena, mentre qualcuna mangiava la vellutata con le mani per fare la scema e qualcun'altra se la spalmava in faccia per non essere da meno, Vera salì in piedi sulla sedia e declamò: "*Non era per fare un dispetto a lui, era per me. Una mamma che salta sulla granata vicino all'orfanotrofio*" –"Dammela!" ordinò Nada.

Vera proseguì a leggere con una plateale mano sul petto: "*È una mamma che viene a trovarti. È una mamma che vuole vederti*".

Nada si alzò per raggiungerla. "Ridammela!"

Quant'erano ridicole le sue parole, ora che qualcuno le pronunciava ad alta voce.

"*A volte penso che una mamma morta è meglio di una mamma viva che non ti vuole.*"

"Basta!" Provò a strapparle la lettera, ma Vera allungava il braccio in alto per impedirglielo, incaponita a leggere piegando indietro la nuca.

"*Se è morta, almeno non devi pensarci più.*"

Vera si dimenava per sfuggire alla presa di Nada, tanto che perse l'equilibrio e cadde dalla sedia. Si storse una caviglia.

Nada fu spedita da suor Direttrice, alla quale tentò di spiegare, ma nessuno capiva la sua lingua. Meglio così, non avrebbe potuto ripetere quelle parole: come aveva osato scriverle? Rivelare la propria debolezza. Si vergognava al punto che solo l'idea di essere punita la confortava, meritava che la rasassero, come diceva Vera.

Suor Nanetta le impose di saltare la cena, dei capelli non parlò, e Nada andò subito a letto, sperando che chiunque si dimenticasse di lei.

17.

L'irruenza dell'acqua che inondava i piedi, le cosce, la pancia, sbigottiva Nada a ogni risacca. Eppure era seduta a riva da mezz'ora, ad aspettare l'aggressione e l'istantanea fuga e la nuova aggressione, a farsi sballottare dal mare. Le piaceva avere la schiena asciutta che scottava sotto il sole e il corpo irrorato di fresco dalla vita in giù. Affondò gli alluci nella rena bagnata fino a seppellirli, conficcò la punta dei piedi, sarebbe stata l'onda a liberarli dalla morsa della sabbia, a coprirli di nuovo.

Gli schiamazzi rimbalzavano sulla facciata della colonia Gli Aquiloni, un grande edificio a pochi metri dalla spiaggia riservata. Come quello ce n'erano diversi, l'uno accanto all'altro, alcuni dismessi, fatiscenti.

Il pullman era arrivato all'ora di pranzo, e nel pomeriggio i bambini erano scesi in spiaggia. A lei però suor Nanetta aveva proibito di fare il bagno, era ancora in castigo per la caviglia bendata di Vera. Da piccola, prima dell'orfanotrofio, Nada aveva fantasticato di rintanarsi sotto la gonna scura delle suore quando giocava a nascondino: l'avrebbero protetta fra le sottane per farla vincere, il suo naso contro le loro cosce, un rifugio invalicabile. Non aveva mai odiato le suore, finché non era arrivata al San Lorenzo, anzi all'inizio aveva agognato con loro una sconcertante intimità. Chissà se suor Nanetta lo aveva intuito e per questo la teneva a distanza. In chiesa l'aveva trascinata fino alla navata destra e le aveva ordinato di non muoversi; poi, finita la messa, l'aveva rimproverata a lungo, anche se Nada non poteva comprenderla, e l'aveva guardata storto tutto il giorno, quasi lei avesse appiccato fuoco ai capelli di proposito, facendole fare brutta figura con il prete – peggio, con Dio.

Il bagnino perlustrava il litorale. Un'educatrice si avvicinò alla torretta e lo chiamò per dirgli qualcosa, poi le venne incontro: a Nada pareva si chiamasse Lidia. Le educatrici si erano presentate in gruppo davanti al pullman per accoglierli, e lei non era sicura di ricordare bene i nomi di ciascuna. Ma quello di Lidia sì, l'aveva colpita la sua energia straripante, eccessiva. Aveva il viso tondo e un incisivo accavallato, teneva in mano due ghiaccioli; si sedette sulla sabbia e glieli offrì. Nada scelse il gusto arancia.

Per tutto il tempo in cui lei succhiò il suo candelotto, attenta a non gelarsi i denti, Lidia parlò senza interruzione, gesticolando e mordendo il ghiacciolo, che spesso si frantumava in pezzi: li raccoglieva nella mano a conca e li lanciava in bocca come noccioline. Dei suoi discorsi, un po' in italiano e un po' in inglese, Nada indovinava solo qualche parola, e Lidia di certo lo sapeva, ma doveva sembrarle comunque un buon metodo affinché lei imparasse.

Mentre Nada masticava il legnetto del ghiacciolo, una collega chiamò Lidia sbracciandosi. Lei si alzò e le urlò di rimando, la collega fece cenno di raggiungerla. Lidia unì le mani davanti al petto come per scusarsi, una specie di inchino, e andò via. Nada la guardò correre gettando i piedi in fuori: quanta sabbia sollevava.

La suora avrebbe dovuto impedirle di scendere in spiaggia, sarebbe stato più clemente. Concederle di bagnarsi ma non di nuotare era una cattiveria – Nada morse il legnetto fino a spezzarlo: sulla lingua, un sapore amaro.

Lo aveva ancora in bocca quando udì la voce di Omar: "Come mai non fai il bagno?".

"Oh, ciao!"

"Ciao."

"Che fai? E Sen?"

"In acqua."

"Giusto. A te fare il bagno non piace."

"Ma a te sì."

"Sono in punizione."

Omar aveva gambe gracili e ginocchia strabiche, fu così che parvero a Nada, strabiche. La fecero ridere.

"Perché ridi?"

"Boh, sono contenta di vederti."

Omar si accovacciò. La sua carnagione olivastra luccicava al sole. Si grattò distratto una tibia. I polpastrelli dell'ultima falange si gonfiavano come quelli di E.T., aveva le unghie a mandorla. Nada pensò che era buffo, il suo amico, e provò per il suo corpo una specie di solidarietà.

"Come farai senza il tuo albero, adesso che siamo venuti in vacanza in colonia?"

Da Monza a Rimini, anzi a Igea Marina, avevano impiegato quasi cinque ore di pullman: c'era traffico. Suor Tormento le aveva passate a controllare i bambini, a obbligarli a stare composti, a invitarli a cantare una breve filastrocca in italiano per esercizio, Fra Martino, campanaro, finché non le era venuta l'emicrania. Per il resto del viaggio, la testa riversa, non aveva più nemmeno aperto gli occhi.

"Ci sono alberi anche qui," disse Omar. "Non li hai visti?"

Di sera, dopo cena, Lidia li fece sedere in cerchio nel cortile e prese la chitarra. Suonò alcuni pezzi che Nada aveva sentito in tv: ogni martedì andava in onda un programma musicale, il *Festivalbar*, e le suore glielo lasciavano guardare fino alle dieci e mezzo, poi spegnevano la luce.

Nada notò che alcuni compagni dell'orfanotrofio conoscevano le parole della canzone, sebbene fossero in italiano, e provavano a canticchiarle muovendo la testa. Lei sarebbe riuscita a dire solo mare, mare, mare, l'inizio di un ritornello, ma l'incapacità di pronunciare il verso successivo la imbarazzava, quindi taceva. Omar, in mezzo tra lei e Sen, si strappava le pellicine con i denti, del tutto disinteressato all'animazione organizzata per accoglierli: era la loro prima sera agli Aquiloni.

Nada era impaziente di andare a letto per appurare se dalle finestre si sarebbe sentito lo sciabordio delle onde. Fantasticava di calarsi giù dalla finestra mentre tutti dormivano, e tornare in spiaggia, gettarsi sulla sabbia allargando le gambe e le braccia, prendere sonno sotto le stelle. Non aveva alcuna intenzione di contarle, non gliene importava nulla di quante fossero, voleva solo fissarle finché le palpebre non si chiudevano da sole, conservarne il riflesso nell'oscurità. Sovente, all'orfanotrofio, si premeva i polpastrelli contro gli occhi proprio per vedere flash colorati palpitare nel buio; a volte diceva al fratello: se mi spingo gli occhi, compare l'universo. Poi era scoppiata la guerra e, stesa con i jeans e le scarpe sopra uno dei materassi buttati sul pavimento, aveva smesso di fare quel gioco. Gli sfavillii dietro le palpebre premute non erano più pianeti, satelliti, le stelle erano tutte cadute, esaurite, soltanto le bombe accecavano il cielo, laceravano il sonno.

Nada afferrò con delicatezza il polso di Omar per impedirgli di strapparsi le pellicine. Il bambino la guardò assonnato, le disse qualcosa che lei non sentì, perché i primi accordi di una melodia la spinsero a girarsi.

Non c'era più Lidia a suonare, ma un ragazzo con i capelli un po' lunghi: se li era sistemati da un lato dietro l'orecchio, dall'altro gli scendevano sul viso fino al mento, lo velavano d'ombra. A gambe incrociate, il ragazzo strimpellava gli accordi incespicando a tratti, ma aveva una bella voce, intonata. "*Ljubio sam jednu malu sa Baščaršije*" – cantò la prima strofa concentrato sulle proprie dita, poi, quando attaccò il ritornello, sollevò la testa con tale impeto che i capelli si spostarono, scoprendogli il volto.

Nada non aveva più pensato a lui e non immaginava di rivederlo, anche se avrebbe dovuto: la colonia che li ospitava era quella in cui i più grandi erano stati trasferiti, lui abitava lì. Il ragazzo che cantava delle città bosniache incendiate era lo stesso accanto al quale lei aveva viaggiato. Era Danilo.

Non seppe se fu per la sorpresa o per la canzone, ma le natiche formicolarono – dov'era il pericolo? "Non è la tua battaglia," cantava lui, "altri fanno la guerra", e Nada si figurò Ivo in uniforme: un berretto troppo largo, gli scivolava sulla fronte, una sigaretta in mano e un fucile a tracolla, chissà se aveva imparato a usarlo, chissà se gli tremavano le braccia.

"*Sarajevska raja*," cantavano in coro i ragazzi degli Aquiloni, e pure Lidia, che aveva imparato il serbocroato, o giusto quel brano, per farli contenti, mentre il formicolio mordeva le natiche, rosicchiava i femori, Nada boccheggiava. Danilo sorrideva, neanche fosse una canzone gioiosa, tutti sorridevano cantando che niente sarebbe più stato come prima. "Non essere triste," cantavano – e come si fa a non essere triste, con un fratello che non ha mai usato un fucile, e al quale hanno ordinato di sparare? "Tu ti sei salvato la pelle," ripeteva Danilo, "io sono rimasto vivo."

I femori si spaccano, il cuore picchia forsennato. Danilo poggia la chitarra, sospira per riprendere fiato, si scosta i capelli, guarda davanti a sé, la vede ma non la riconosce, è troppo buio, o se l'è scordata.

Lidia si riappropria della chitarra. Danilo si alza, sfrega i palmi sui bermuda, si allontana dal cerchio. Nada lo pedina con lo sguardo, vorrebbe raggiungerlo.

I ragazzi battono le mani a tempo, mentre le altre educatrici e i volontari cantano con una festosità che le è insopportabile, *sentolanostalgiadunpassatodovelamammamiaholasciato*, è partita per salvarsi la pelle e non sa se suo fratello sia rimasto vivo. Ai bordi del cerchio, le suore della colonia tengono il ritmo con l'indice teso, al vibrare di quelle note non sanno trattenersi. Nada si alza, Omar chiede dove vai, lei non risponde, cammina verso il buio. Senza neppure farsi il segno della croce, una suora agguanta il braccio di un'altra, che accoglie al volo l'offerta: con eleganza si allacciano e accennano un passo di valzer. I bambini si sbellicano, si piegano in avanti per la ridarella, si buttano a gambe all'aria. Danilo è in un angolo, non torna, è avvolto dall'ombra, Nada ne distingue la sagoma, gli va incontro. Omar non la chiama più, succhia dal pollice il proprio sangue. Le suore continuano a ballare, piroettano senza pudore e senza peccato, *romagnamialontandate*, mentre Ivo è a Sarajevo, dorme in un fosso, e non conta nemmeno una stella, striscia sul terreno per non farsi avvistare, ha un fucile con sé e prima o poi sparerà, *lontandatenonsipuòstar*.

Nada invece ha lasciato Sarajevo e niente sarà più come prima. Danilo dov'è finito, le pare di vederlo poggiare la fronte al muro, forse sta piangendo – che assurdità. Nada si blocca. Danilo confessa al muro un segreto, o forse è solo l'impronta del suo corpo nella retina di lei, un'illusione. Nada non avanza né indietreggia: immobile, scruta il buio. Chissà se Omar perde ancora sangue. Che bella voce ha Danilo, e nessun fucile. L'ombra non l'ha ingoiato – eccolo, Nada lo vede. Riemerge dall'oscurità, si scosta i capelli, batte le mani. È rimasto vivo.

18.

Il circuito per le biglie era maestoso. La pista serpeggiava per almeno due metri, fino ad avvolgersi a spirale su di sé; tra dossi, rampe, buche e strettoie, raggiungeva il cratere di un vulcano. Era tutto merito di Omar: da grande sarai un ingegnere, aveva detto Nada. Perfino Sen aveva voluto giocare, e Coccodè: lo avevano ritrovato in colonia, dove sembrava essersi ambientato; si faceva chiamare con il suo vero nome, ma solo dai figli di famiglia, gli altri non gli permettevano di affrancarsi. Molti bambini si erano assiepati attorno alla costruzione di sabbia per ammirarla o proporsi per la gara. Fra loro c'era il figlio di Biber, anche lui abitava lì. Portava spesso una maglietta con la scritta Stramilano e ogni tanto esplodeva in crisi di pianto. Non sapeva se sua madre fosse tornata a casa o se i cetnici se la fossero tenuta. Vedrai, gli diceva Coccodè, che tuo padre è andato a salvarla. A volte questo bastava a calmarlo. A volte qualcuno gli ripeteva le battute più famose del padre, ma lui non le capiva. Dato che gli mancava il suo pianoforte, le suore avevano chiesto al parroco il permesso di fargli suonare l'organo sull'altare della chiesa per dieci minuti, la domenica dopo la messa, ma lui diceva che non era uguale.

Giocarono a biglie un intero pomeriggio, Nada era l'unica femmina, le capitava anche a Bjelave, le rare volte in cui usciva con Ivo e i suoi amici.

La notte prima, il rumore del mare l'aveva tenuta sveglia: non era dolce come se l'era immaginato, era un gemito, dolente, e l'aveva messa in agitazione. O forse era il ricordo di

Danilo contro la parete. Quando lui aveva attraversato l'ombra, d'istinto lei aveva fatto marcia indietro. Era incappata in suor Nanetta.

La biglia spuntò dal tunnel e colpì il traguardo. Omar tese in aria le braccia in segno di trionfo. Dall'alto un piede schiacciò il vulcano e distrusse la pista.

Nada sollevò incredula gli occhi.

Vera non scappò, rimase a rivendicare il delitto.

"Sei pazza?" disse Sen.

"Perché?" chiese Coccodè.

"Per me," rispose Nada.

Le abbrancò una caviglia, la stessa che Vera si era storta cadendo dalla sedia, e appena fu per terra le salì sulla schiena. A differenza di Omar lei provò a reagire, ma Nada le tenne le braccia, le spinse la faccia nella sabbia. Più i compagni la incitavano, più lei calcava il palmo sulla nuca di Vera, che si contorceva, muggiva, sudava.

Uno strattone la costrinse a mollare la presa e Nada scivolò giù.

"Che stai facendo?"

Riconobbe la voce, e la vergogna le occluse la gola.

Vera tossì, sputò sabbia.

Danilo la aiutò a rimettersi in piedi, disse devi bere, cerchiamo dell'acqua; nel frattempo arrivò il bagnino e la prese in consegna per portarla da Lidia. Vera lo seguì con docilità irriconoscibile.

Nada restò accasciata, non credeva di avere il diritto di alzarsi. I bambini si erano allontanati, pure Coccodè, pure il figlio di Biber. Solo Omar e Sen erano rimasti.

"Potevi ammazzarla," disse Danilo.

"Esagerato," la difese Sen.

"E tu perché non l'hai fatta smettere?"

"Non è mia sorella."

La mancanza di Ivo, sconfinata.

"L'ultima volta che ti ho vista, litigavi con lui", Danilo indicò Omar, "e adesso stavi per soffocare una tua compagna. Che problema hai?"

Omar strisciò sulla rena fino a raggiungere Nada, Danilo se ne andò.

Forse era stato troppo duro. Qualche volta gli era venuta in mente, la bambina bionda: non si dimentica una che ti chiede scusa perché le manca un dito.

Si fermò ai bordi del campetto. Izet lo vide e, invece di tirare in porta, calciò una pallonata nella sua direzione. Lui non fece in tempo a pararla, gli arrivò in pieno petto. "Sei una merda," rise. L'altro gli corse incontro, si riprese il pallone, disse: "Forza, rifacciamo le squadre, giochi con me".

L'allegria di Izet lo fece sentire in colpa. Non glielo aveva ancora detto, non ci riusciva.

La prima notte alla Protezione civile, cercando il bagno, Danilo era passato davanti a un televisore acceso. Aveva riconosciuto sullo schermo la sede della redazione di "Oslobođenje": si era sgretolata sotto le bombe, e lui era caduto in ginocchio.

Il volontario che guardava il tg aveva udito l'impatto delle rotule sul pavimento e si era girato. Vedendolo carponi, si era precipitato a soccorrerlo. What happens?, ripeteva. How are you? Ma Danilo non riusciva a parlare. Jagoda era diventata balbuziente la mattina in cui, con la madre, aveva abbandonato Grbavica. What's your name?

Il volontario lo aveva portato nei bagni, gli aveva sciacquato la faccia con l'acqua fredda, bisbigliando everything's ok, are you better? Era alto quasi quanto lui, Danilo, aveva spalle altrettanto larghe, ma si era lasciato accompagnare a letto come un bambino. Se non avesse fatto così caldo, quello gli avrebbe anche rimboccato le lenzuola. Gli aveva poggiato una mano sulla fronte, con un fazzoletto di carta aveva deterso il sudore.

Che hai, Danilo?, aveva chiesto Izet senza alzarsi. Siccome l'amico non gli aveva risposto, lui era andato a controllare di persona. Il volontario lo aveva placato, go bed, it's ok. Danilo lo guardava con l'intenzione di dirglielo, forse li hanno uccisi, tuo padre, mia madre, forse sono morti sotto le granate, ma l'impulso cerebrale non arrivava alle corde vocali. Si era voltato su un fianco per dare le spalle a Izet e custodire il segreto per tutta la notte. Appena sveglio, la mattina dopo, aveva rivisto l'immagine della redazione abbattuta e una gamba era scattata sotto le lenzuola, colpita da una scossa.

A colazione, per convincere Izet che stava bene, aveva mangiato una fetta di pane e burro, criticando l'abitudine italiana di consumare cibo dolce appena svegli: le parole erano tornate – senza balbuzie; era più forte di Jagoda, lui. Poi era corso in bagno e aveva ficcato la testa sotto il rubinetto. L'acqua gelida l'aveva anestetizzato. Il volontario gli era andato dietro, gli aveva toccato una spalla, e Danilo glielo aveva detto. Abbracciandolo, lui aveva promesso che si sarebbe informato per sapere i nomi di morti o feriti. A Izet non avrebbero raccontato nulla, per il momento. Era talmente magro, il volontario, che sembrava un ragazzino, o forse era Danilo a sembrare un adulto mentre, con ritrosia, si lasciava consolare.

Dopo qualche settimana il volontario era venuto da Milano a Igea Marina e con il permesso delle suore aveva portato alcuni ragazzi più grandi in sala giochi. Si era avvicinato a Danilo, mentre giocava a Shinobi, per bisbigliare che erano vivi. Lui aveva esultato come se avesse battuto un record. Però, con il passare dei giorni, senza notizie da parte dei suoi né dei genitori di Izet, si era domandato se non fosse una bugia. Forse il volontario aveva mentito, aveva guidato fino a lì solo per farlo stare sereno. Danilo non era in collera con lui, ma doveva sapere. Aveva scritto una lettera per i suoi, e Lidia l'aveva consegnata ai Beati Costruttori di Pace per farla arrivare a Sarajevo. Erano passate troppe settimane per sperare, ma sperare era ciò che gli aveva consentito di alzarsi, di dormire, di connettere cervello e corde vocali.

Entrò in campo, si piazzò in porta. Il calcio gli piaceva, anche se non era bravo quanto Izet, o quanto uno dell'orfanotrofio contro cui giocavano sempre: aveva l'aria da teppista ma era simpatico. Si chiamava Suljo, come il tizio delle barzellette. I ragazzi di Bjelave erano stati sistemati in un'ala diversa dalla loro, ma le suore avevano annunciato che, finita l'estate, quando la colonia si sarebbe svuotata, avrebbero usato soltanto due aree, una per le femmine e una per i maschi, così da risparmiare sulle pulizie e il riscaldamento: i ragazzi delle famiglie avrebbero diviso la camerata con gli orfani. Le accompagnatrici, che vivevano agli Aquiloni assieme ai figli, avevano protestato, e lui si era vergognato per loro.

Si lanciò a sinistra, deviando a stento la traiettoria del pallone, per poi atterrare sul fianco. Il cemento grattò l'avambraccio e quel fastidio gli ricordò Nada. Un dolore piccolissimo, trascurabile, anche se aveva scorticato la pelle.

L'estate alternò mattine di vento e pomeriggi fiacchi, nuotate fino alla boa e grida di gabbiani, canzoni italiane imparate a furia di ascoltarle alla radio, solita notte da lupi nel Bronx, e musicassette Tdk portate da casa come reliquie di un mondo perduto, Danilo ne inseriva una nel walkman per ascoltare sempre lo stesso lato, mandava indietro a ripetizione – il suono della sua lingua, un rifugio. L'estate consumò polpastrelli sulle corde della chitarra e talloni sulla sabbia, spellò schiene, disperse biglie e acuì mancanze, Omar non fece mai il bagno, col caldo sua madre emanava un odore zuccherino, certi giorni era nell'aria, persino quaggiù, lui lo annusava finché non svaniva, finché un'onda non lo ingoiava. Che affronto, che oltraggio era l'estate, se l'acqua era interdetta e la finale del *Festivalbar* troppo lontana, una sequela di punizioni da scontare, il fiato di suor Nanetta sul collo e nemmeno un'occasione per scusarsi con Danilo – di cosa, poi? Era stufa di sentirsi in difetto.

Non arrivarono lettere da Sarajevo: Lidia spiegava che serviva tempo; il volontario aveva giurato che i genitori erano vivi, e come faceva a saperlo, Danilo non glielo aveva chiesto e adesso non gli credeva più. L'estate stingeva i pensieri, li annacquava – Suljo gli dava di gomito accennando al culo di una scout, com'erano diverse le ragazze in costume, e c'era troppo sole, troppa pelle, per non infatuarsi, anche una singola sera, non dico una settimana. Le sedicenni che erano venute a fare la stagione scavavano in Danilo un tale languore, ma lui non sapeva corteggiarle. Gli mancava la spavalderia di Izet, che pronunciava le frasi giuste e indovinava il momento per afferrare una mano: aveva già baciato due ragazze della colonia, e altre aspettavano il proprio turno.

Un pomeriggio lui e Suljo si arrampicarono alla recinzione per spiarlo. Sapevano dove si nascondeva con le ragazze per non essere scoperto dalle suore: accanto al loro palazzo ce n'era uno abbandonato, bastava scavalcare e ci si poteva addossare ai vecchi muri screpolati dalla salsedine. Zlata aveva i capelli stretti in una coda, con l'abbronzatura le erano spuntate sul naso delle lentiggini che facevano impazzire Danilo.

Quando Izet le infilò una mano sotto la canottiera lei la respinse, ma continuò a baciarlo. Danilo e Suljo risero: allora quello che Izet raccontava era falso, le ragazze non gli concedevano quanto millantava. Lo videro avvinghiarsi a Zlata, accarezzarle la guancia con una dolcezza che li fece sghignazzare, lo avrebbero preso in giro fino alla morte: le sfiorava il viso, la guardava romantico negli occhi. Percorse con le dita l'orlo della canottiera, piano, delicatamente, avanti e indietro, scivolando tra il tessuto e la pelle. A un certo punto infilò di nuovo la mano sotto il cotone. Adesso si incazza, disse Danilo. Ma Zlata non si oppose, e Izet le toccò un seno.

I due lassù ammutolirono, d'improvviso ciascuno solo con la propria eccitazione. Si sporsero per osservare meglio, finché Suljo non rischiò di cadere e lanciò un urlo. La ragazza si staccò, si guardò attorno per capire chi avesse gridato, allontanò Izet. Lui fece il giro dell'edificio, lei si sedette in attesa. Al suo ritorno Izet dovette riuscire a placarla, perché ricominciarono a baciarsi. Sdraiato su di lei, lui allungò in alto un braccio con il pollice ritto sul pugno. Aveva capito che erano lì: si stava esibendo per loro.

Danilo si sentì così sciocco che decise di scendere.

L'estate finì con la neve. Non era candida, non era gelida, ma fluttuava sopra i tetti di Sarajevo e si impigliava fra i capelli delle persone che ne attraversavano le strade. Finì il 26 agosto in televisione, quando gli ospiti bosniaci degli Aquiloni, seduti nel salone comune, videro sullo schermo quaranta pollici la Viječnica ardere sotto le bombe: erano state lanciate la notte precedente e avevano continuato a infierire sui pompieri, sugli uomini e sulle donne accorsi per spegnere il fuoco e salvare il milione e mezzo di testi e manoscritti rari che della Bosnia custodivano la storia. Danilo aveva sempre amato la biblioteca nazionale, la sua facciata a righe orizzontali, le logge ad arco e le guglie in cima – pseudo moresche, gli aveva insegnato suo padre.

Se lo figurava camminare spaesato, lui, gli occhi al cielo,

sotto quella neve scura e calda d'agosto, sotto quella cenere di carta bruciata, un cerchio alla testa, se lo figurava tendere la mano per sentire il fiocco disfarsi sul palmo, l'odore dell'aria che pizzica in gola, o è la pena per quest'ennesima ingiuria, per la bibliotecaria, trentadue anni, morta nel tentativo di sottrarre i libri all'incendio. Ma forse non era per strada, suo padre, non era così coraggioso o appassionato, o stupido, stava rintanato come un topo in cantina, i gomiti sulle cosce e un pugno a reggere il peso della fronte. Forse era rimasto vedovo, e della moglie non aveva potuto recuperare il corpo. Neppure il disturbo di scavare una fossa per seppellirla di notte in un giardino vicino a casa, quella dei nonni, pensò Danilo, dove si erano trasferiti clandestinamente all'inizio della guerra. No, no, sua madre era viva, il volontario lo aveva garantito. Allora perché nessuno rispondeva alle lettere? Le mani fredde come neve in un giorno d'agosto – è finita l'estate.

Si alzò, si mosse rapido tra i corpi seduti dei compagni, si accostò al televisore e lo spense.

Dopo un primo istante di stordimento, si levarono le proteste. Lidia lo raggiunse, lo rimproverò, non era da lui comportarsi così. Davanti allo stupore dell'educatrice, Danilo guardò Izet e disse: "Anche la sede di 'Oslobođenje' è stata bombardata".

19.

“Danilo Simić in direzione, Danilo Simić in direzione”, si diffuse metallico e perentorio per tutto l’istituto.

L’altoparlante si udiva anche dalla spiaggia e a Nada pareva l’evidenza della prigione in cui erano stati rinchiusi: quanto le mancava la libertà dell’orfanotrofio, quanto le mancavano i randagi, soprattutto Čupko, e la cuccia che Ivo aveva costruito per lui smontando il cestello da una delle lavatrici. Con la solita sigaretta fra i denti, la direttrice si era infuriata; lui aveva risposto che tanto non c’erano né acqua né elettricità, e quando lei aveva ribattuto che prima o poi sarebbero tornate lui era scoppiato a ridere. Non si punivano gli adolescenti grandi e scalmanati come Ivo, chiunque aveva rinunciato. Al Ljubica Ivezić non veniva punito nessuno, mentre in Italia suor Nanetta metteva di continuo Nada in castigo, con l’approvazione di suor Direttrice, e pure della Madre superiora, che dalla sua scrivania in noce gestiva la colonia Gli Aquiloni. “Nada Drakulić in direzione” risuonava così spesso dall’altoparlante che era stata forse la prima frase in italiano che lei aveva imparato. Lidia ormai la chiamava così: Nadadrakulicindirezione, tutto attaccato, per prenderla in giro. La imitavano anche i compagni, e Nada ne era persino divertita. Soltanto da Vera non accettava lo scherzo.

Erano state obbligate da suor Nanetta a rappacificarsi, si erano abbracciate davanti alla Madre superiora, che quel giorno era fresca di messa in piega: aveva i capelli tanto voluminosi che sembravano montati con le fruste. Ne avevano riso insieme, Vera e lei, appena uscite dalla sua stanza, e subito dopo avevano smesso di rivolgersi la parola.

Ora toccava a Danilo entrare in direzione. Era stato convocato perché aveva spento la tv? A Nada non pareva un comportamento grave.

Nanetta le aveva proibito di andare in spiaggia da quando aveva rischiato di asfissiare Vera con la sabbia, nemmeno la pace sancita l'aveva persuasa, forse aveva capito che era finta. Così Nada restava dentro: non in camera, perché anche qui era vietato stendersi sul letto rifatto, come al San Lorenzo, ma in sala da pranzo, a disegnare. Si esercitava nella copia dal vero, riproducendo le sedie di formica o il volto della Madonna appeso alla parete. Gesù bambino no: le pareva avesse un viso troppo adulto, persino brutto – ma forse dirlo era una bestemmia –, e la infastidiva che stesse ritto con la schiena neanche avesse otto anni, invece di scivolare disarticolato come qualunque lattante, mentre la madre lo reggeva appena, quasi volesse perderlo, quel figlio – smettila di bestemmiare. Preferiva Gesù adulto: aveva trovato un'immaginetta in cui lui mostrava un cuore rosso, cinto da una corona di spine, che gli bruciava al centro del petto, ma la barba, la posizione in cui teneva l'indice e il medio della mano sinistra e soprattutto i raggi che si diramavano brillanti dal cuore sopra stondato e sotto appuntito rendevano difficile il compito.

Suor Nanetta stava preparando la cena in cucina, era il momento giusto per sgattaiolare via. Scese i gradini lenta e a piedi nudi, controllò che né suore né educatrici fossero nei paraggi e si nascose dietro la porta della direzione, l'orecchio incollato al legno.

La linea era caduta mentre la Madre superiora lo aspettava. Mortificata, disse: "Vedrai che richiameranno subito".

Danilo si poggiò sul bordo della sedia di fronte alla scrivania di noce e insieme attesero: la Madre superiora non trovava le parole, Danilo era sicuro le avesse cercate, ma stava sul bordo della poltrona anche lei, l'intero busto proiettato sul telefono, come per convincerlo a squillare. Passarono dieci minuti, mezz'ora. Danilo controllava sull'orologio del padre. Annusava il metallo del cinturino, un rito propiziatorio.

Il telefono squillò di nuovo: lui scattò in piedi. La Madre superiora ebbe un attimo di esitazione prima di sollevare la cornetta, poi gliela porse e Danilo la afferrò.

"Amore mio."

Le mani fredde, a fine agosto, gelate. L'estate ormai finita.

"Mamma."

Pochi minuti per dirsi mi manchi, stiamo tutti bene, sì, anche la famiglia di Izet, ma Jagoda dov'è, passami papà – pochi minuti e la voce del padre è un'eco remota, Jagoda strilla qualcosa accanto al ricevitore, qualcosa di intermittente che Danilo non capisce, le grida ti voglio bene e la telefonata si chiude.

Con la cornetta in mano, incapace di staccarla dall'orecchio, incapace di staccarsi da loro, i suoi genitori, sua sorella, si sentì così solo, d'un tratto. Reciso.

Riagganciò, salutando la Madre superiora con un cenno della testa. Era troppo solo, tanto che avrebbe voluto tornare a casa, rischiare le bombe assieme a loro, la sua famiglia. Era felice, tanto da aver perso la voce.

Quando aprì la porta, la vide seduta per terra poco distante, Nada, schiena al muro; la vena a ipsilon pulsava in rilievo.

Non chiamò la Madre superiora, anzi chiuse in fretta la porta affinché non vedesse la bambina bionda che faceva impazzire le suore, le chiese che hai, la bambina piangeva senza lacrime, come se non fosse capace di farlo, come se non avesse mai imparato, ed era così, non ci era abituata, ma Danilo non poteva saperlo, non la conosceva abbastanza.

La interrogò ancora, Nada non rispose. Lui non aveva tempo da sprecare, doveva andare da Izet, dirgli che erano vivi, tutti quanti, che gioia, che immensa solitudine. Non aveva niente a che spartire con quella selvaggia cresciuta in un orfanotrofio, e che non assomigliava affatto a Jagoda, malgrado gli occhi celesti, Jagoda era dolce, Jagoda non attaccava – soccombeva; dalla mattina della fuga balbettava.

Ma se l'avesse mollata lì, Nada, prima o poi qualcuno l'avrebbe scoperta in quello stato. La prese in braccio e col suo peso addosso la portò lontano dalla direzione. Lei gli si strinse al collo e lui salì le scale, piano per non cadere, finché non arrivò sul pianerottolo, la adagiò sopra il pavimento, le si sedette di fianco.

"Stavolta le hai prese, anziché darle?"

Forse stupita dalla domanda, Nada smise per un istante di singhiozzare.

"Chi è l'eroe, anzi l'eroina, che ha osato affrontarti?"

Inaspettatamente rise. Alternava singulti e risate.

Danilo insisté: "Dobbiamo organizzare la rappresaglia?".

Nada rise ancora.

"Che dici, stavolta la tua nemica la anneghiamo in mare?"

Gli diede un colpetto con la spalla per farlo tacere, si vedeva che giocava.

Quando i singhiozzi si diradarono, Danilo disse: "Lo sai che neppure noi, appena arrivati, potevamo fare il bagno? Ci proibivano anche di giocare in spiaggia".

"Perché? Che avevate combinato?"

"Nulla, ma il medico diceva che il sole era pericoloso per gente abituata a stare nei rifugi, bisognava evitare congiuntiviti e malattie della pelle. Già c'erano bambini con la scabbia e con certi segni sulle braccia che secondo loro erano morsi di topi."

"Che schifo. Vedi che facevamo bene, noi, a non andare più nei rifugi?"

"Dicevano anche che dovevamo mangiare poco perché rischiavamo l'indigestione."

"E quindi?"

"Ci siamo abbuffati, e appena possibile ci siamo lanciati in acqua come pazzi."

Nada ridacchiò, poi chiese: "Come hanno fatto a telefonarti?".

"Non lo so," rispose Danilo. E capì.

"Sono a Sarajevo?"

Capì perché lei aveva pianto. "Sì."

"Pensavo fossero partiti," disse Nada, "che chiamassero da un'altra zona."

"No, sono là. O almeno credo."

"Anche mio fratello è a Sarajevo."

"E ascolta i Pink Floyd."

Lei sorrise di sorpresa.

"Non c'è corrente elettrica, quindi non ascolta nulla," disse subito dopo.

"Può sempre cantare."

"Lo hanno reclutato."

Per un po' il tempo trascorse senza un gesto, una sillaba, poi Danilo disse: "Era dura pure per noi vedere gli italiani parlare ogni sera al telefono con i genitori".

"Non me ne frega nulla degli italiani, loro non hanno parenti in guerra."

"Sono stati carini con noi, però, lo sai? Quando siamo arrivati ci hanno cantato Aaa-llelù-iallelù-ia-aaa-llelù-iallelù-ia", Danilo intonò la canzone: frullava in aria le mani, le poggiava a ritmo sulle spalle, le frullava ancora in aria, poi le batteva due volte. "La nostra festa non deve finire," continuò a cantare in italiano, afferrandole i polsi: "Dài, anche tu". Lei si divincolò, ma rise, mentre lui insisteva, già padrone di quella lingua straniera: "Non deve finire e non finirà". Aveva tutta l'aria di una presa in giro.

"Ho paura che non rivedrò mai più mio fratello," disse Nada.

Danilo sospirò. "Ti prometto che ti aiuterò a trovarlo, quando la guerra sarà finita e torneremo tutti a casa." Si rese conto che era già la seconda promessa che faceva alla bambina bionda.

Guardandola, pensò che non si sentiva più tanto felice – né solo.

20.

La partita quotidiana a biglie aveva garantito a Omar un gruppo di compagni assieme ai quali trascorrere il pomeriggio in spiaggia. Era la prima settimana di settembre, faceva ancora caldo, così a un certo punto uno dei bambini correva verso il mare e gli altri lo seguivano, si lanciavano a pochi metri dalla riva, rispuntavano con i capelli appiccicati alla fronte, sempre sorridenti. Pareva istantanea, la gioia che il bagno procurava.

Omar diceva andate, vi raggiungo, e rimaneva accanto alla sua pista di sabbia, nemmeno sudava. I compagni si schizzavano a vicenda, si esibivano nella verticale, salivano a cavalcioni sulle spalle di un amico per giocare alla lotta, e si dimenticavano di lui, che li osservava dalla spiaggia. Dopo un po' si allontanava: non voleva farsi trovare quando sarebbero usciti dall'acqua. Al ritorno, spesso li vedeva usare la sua pista, e diceva sono stato con mio fratello nella zona dei più grandi, magari la prossima volta gli chiedo se potete venire pure voi. Io posso andare dove voglio, rispose una volta Coccodè, non ho bisogno del permesso di tuo fratello: qui ci vivo, e ricordati che sono più grande di te.

Da quando suor Nanetta le aveva finalmente dato il permesso, Nada nuotava con Danilo. Si tuffavano con uno scarto di pochi secondi l'uno dall'altra, era sempre lei la prima a riemergere, poi infilavano bracciate regolari e simmetriche, e procedevano fianco a fianco, sino a diventare due puntini identici, che nessuno avrebbe distinto tranne lui. Omar non capiva perché Nada dedicasse tanto tempo a Danilo nonostante il modo in cui quello l'aveva trattata. Non le interessava più giocare a biglie con lui, non era con lui che si divertiva.

Un pomeriggio il figlio di Biber gli chiese: "Perché non nuoti mai?".

"Nuoto con mio fratello, dall'altra parte."

"E perché non puoi farlo con noi?"

"È vero," disse Coccodè, "non ti piace stare con noi?"

"Facciamo il bagno assieme, per una volta", il figlio di Biber gli prese un polso.

Non c'era prepotenza, in quel gesto, Omar lo sapeva, ma lo scansò lo stesso.

Gli altri si indispettirono e, senza nemmeno concordarlo, gli acchiapparono braccia e gambe per gettarlo in acqua. Omar gridò, loro ridevano eccitati.

Arrivò Nada a fermarli. "Che combinate?"

Omar riuscì a divincolarsi, cadde a terra. Al solito, Danilo era con lei, si avvicinò e gli tese la mano. Aveva proprio deciso di fare il paladino dei più deboli, l'avvocato delle cause perse.

Omar si alzò senza il suo aiuto.

"Tutto ok?" chiese Nada. Indossava un costume intero che le schiacciava il petto.

"Stavamo solo giocando," disse Coccodè.

A testa bassa, Omar si avviò.

"Dove vai?" lo chiamò Nada. "Manco un grazie?"

Lui non rispose.

"Preferivi annegare?"

Omar si girò. Vide Danilo toccarle una spalla, come a dire basta, non c'è bisogno di rivelare a tutti che non sa nuotare. Quella premura non richiesta lo umiliò al punto che sputò a terra, sfiorando per sbaglio il piede di Danilo.

"Che fai?" Nada non se l'aspettava. Neppure sull'altopiano, quando lei si era appropriata di sua madre, lui aveva reagito. Neppure quando Vera gli aveva distrutto la pista per le biglie. Mai, né con le suore né con i compagni.

"Lascialo stare," disse Danilo, nell'ennesimo sfoggio di magnanimità – ed era insopportabile, la vergogna, tanto che Omar non seppe più dove andare.

Di notte lo svegliò il palmo di una mano premuto sulla bocca.

Aprì gli occhi nel buio e un sibilo all'orecchio impose: "Zitto".

La bocca tappata, il battito accelerato.

L'altra mano scostò il lenzuolo e lo costrinse a muoversi. "Vieni con me."

Omar si lasciò trascinare, muto, arrendevole: il fiotto di rabbia sgorgato nel pomeriggio lo aveva esaurito.

Scese le scale senza un lamento. Arrivarono all'ingresso e con pochi gesti sicuri la porta si aprì.

Fuori, la bocca di nuovo libera, Omar continuò a tacere. Camminò con la volontà di un automa, senza domande.

Una volta in spiaggia, Danilo ingiunse: "Spogliati".

Omar rimase impalato.

Danilo gli prese la maglietta. Omar fece da solo. Anche Danilo si svestì.

"Forza," ordinò e si diresse a riva.

Omar non si mosse.

Danilo tornò indietro e, con la stessa autorità con cui lo aveva fatto alzare dal letto, lo tirò fino al bagnasciuga.

L'acqua era fredda.

"Rilassati," disse Danilo, "bagnati i polsi, le tempie."

Omar obbedì: non sapeva perché.

Danilo lo condusse in acqua, e quando lui fu immerso fino alla cintola gli disse di bagnare il resto del corpo. "Vedrai che tra poco ti abitui."

Si tuffò, riemerse, gli poggiò un palmo sulla pancia e un altro sulla schiena. "Ti tengo," disse, "lasciati andare."

Omar oppose resistenza, il corpo rigido. Danilo gli premette appena sulle reni per farlo piegare in avanti: "Stendi le braccia," disse. "Ci sono io, e nessun altro. Nessuno lo saprà mai, neanche Nada. Non vuoi fare il bagno con lei?"

Omar chiuse gli occhi per l'imbarazzo, l'acqua gli lambiva il mento, aveva paura di bere, di affogare. Nel buio rivide il campanello del Ljubica Ivezić e riconobbe l'odore di *rakija* che aveva suo padre, la barba ispida che gli pungeva le guance. Udì il campanello suonare, e prima che aprissero la porta si volse: suo padre non c'era.

Era stata la madre a spingerlo dentro e ad andarsene senza salutare. Sen era rimasto muto, lui invece le era corso dietro e l'aveva raggiunta, si era aggrappato alla gonna, l'elastico aveva scoperto la pancia, la madre gli aveva staccato le dita, un dito alla volta, non starmi addosso, ti ho detto, e Omar aveva pianto, ti prego, si era aggrappato di nuovo alla gonna, e la madre gli aveva punto le nocche con le unghie, ma lui non aveva mollato, allora lei gli aveva preso la testa fra le mani, mani caldissime, finalmente un conforto, mani che sapevano di candeggina, l'odore delle mani di sua madre. Omar aveva inspirato, la madre gli aveva tenuto la testa, poi con un ceffone gliel'aveva girata. Il colpo lo aveva scosso al punto che il bambino aveva indietreggiato, e lei era corsa via.

Omar si sentì cadere e il cuore guizzò. Sbarrò gli occhi e si dimenò come se stesse annegando.

"Ci sono io," disse Danilo. "Ti tengo."

Omar bevve un sorso di mare: il sale gli pizzicò gli angoli della bocca.

"Ti tengo," ripeteva Danilo. "Puoi fidarti di me?"

Questa è la fiaba dei tre porcellini, anzi di un porcellino solo.

C'era una volta un bambino, non un burattino di legno, era già di carne e ossa bell'e pronto, non un anatroccolo bruttino che deve trasformarsi in cigno, non doveva trasformarsi proprio in nulla, infatti non era neppure un ranocchio e non vantava titoli nobiliari, era semplicemente un bambino come tanti, minuscolo minuscolo come Pollicino, ma non girava nel bosco, perché era un bambino di città, e se ne stava sempre in braccio o nella culla. D'altronde aveva appena tre mesi e, giacché non era un prodigio, non aveva ancora imparato a parlare, tutto il giorno sbavava, si fissava le mani, faceva rumori con la bocca e qualche volta sorrideva alla mamma.

Un giorno arrivò il lupo cattivo, vestito di verde militare e con il passamontagna, ma la madre lo riconobbe lo stesso. Il lupo non aveva bussato, ché mica lei gli avrebbe aperto, e non aveva neanche soffiato forte sulla casa, che non era di paglia né di legno, ma di mattoni come ogni casa di Sarajevo, e quindi avrebbe resistito, serviva almeno una granata per tirarla giù. Il lupo cattivo aveva sfondato a calci la porta ed era entrato, poi aveva fatto un giro della casa mentre la mamma sollevava il figlio dalla culla per stringerselo addosso: il bambino le sorrise perché non era un prodigio, ma aveva tre mesi e lo sapeva fare.

Il lupo impugnava il fucile come fosse il cacciatore e chiese alla madre di dargli la fede nuziale. Non era un anello magico che esaudiva desideri e lei non l'aveva rubato a nessuno, glielo aveva infilato una mattina di primavera il marito, per questo non voleva separarsene. Allora il lupo le strappò il bambino dalle braccia e, anche se la casa non era di marzapane, si confuse, lo scambiò per la strega che mangiava bambini e lo ficcò nel forno. Il bambino però non era una strega, e non aveva neppure mai seminato sassolini fino a casa, come era riuscito il lupo a trovarlo? Il bambino non era un prodigio e non sapeva cosa fare, se non piangere, piangere forte. La madre lo sentiva, bloccata in mezzo alla cucina, si era chinata per aprire il forno e il lupo cattivo l'aveva percossa con la canna del fucile. Lei si era tolta la fede nuziale e gliel'aveva offerta, ma non era un anello magico che esaudiva i desideri e adesso il lupo non la voleva più. Il bambino piangeva piangeva piangeva, il lupo premeva uno scarpone sulla testa della madre stesa sopra il pavimento, lei teneva gli occhi chiusi, non sembrava una bella addormentata. Il bambino piangeva e la madre lo sentiva e a un certo punto non lo sentì più.

Il lupo cattivo si sfregò la guancia perché il passamontagna gli pungeva la pelle e aprì il forno per tirare fuori il bambino. L'aroma di arrosto riempì la cucina e la madre si alzò. Vide il bambino tutto rosa, tutto rosa come un porcellino. Non doveva trasformarsi in niente, perché non era un prodigio. Aveva tre mesi e ogni volta che la vedeva le faceva un sorriso.

Questa è la fiaba di un solo porcellino, nessuno visse felice e contento.

21.

Oltre la soglia dell'aula, Nada fu spintonata da quelli che sarebbero stati i suoi compagni di scuola, decisi a occupare i banchi in fondo o addirittura una fila intera per garantirsi la vicinanza con gli amici. Si rincantucciò in un angolo, e solo una volta che le posizioni erano state conquistate, e vincitori e vinti si erano rassegnati all'esito, troncò quella specie di catatonia e si sedette su una seggiola vuota in prima fila.

Almeno non dovette attraversare la classe per raggiungere la cattedra, quando fu chiamata dalla maestra, ma si sentì lo stesso osservata. Mentre lei scriveva alla lavagna il suo nome e cognome, Nada non riusciva a sollevare lo sguardo. Si concentrò sull'odore del gesso. Le piaceva tantissimo il rintocco che produceva sull'ardesia, per un'inspiegabile associazione le pareva dolce quanto il cioccolato.

Dall'armadietto di indumenti con l'etichetta rossa cucita dentro, su cui le suore avevano ricamato il numero assegnato a lei, aveva scelto una felpa con le maniche lunghe abbastanza da nascondere le mani: era troppo pesante per il clima, tutti erano in maglietta, ma lei era terrorizzata all'idea che anche qui si accorgessero subito del suo difetto. E poi aveva fatto un sogno, la notte precedente, e le era rimasto una specie di freddo nelle ossa.

La maestra la presentò alla classe raccontando la sua storia di profuga che era impossibile eludere. Nada intese ogni cosa: ormai stava lì da due mesi, capiva piuttosto bene l'italiano di suore, educatrici, volontari e tv, malgrado lo parlasse poco. Le era anche chiaro che per età avrebbe dovuto accedere a un'altra classe, anzi a un'altra scuola, quella media, ma suor Nanetta aveva insistito perché frequentasse la quinta elementare: troppe materie e troppi professori avrebbero messo in crisi un'alunna come lei, non solo straniera, ma pure col diavolo in corpo.

Nada salutò i compagni su invito della maestra, buongiorno a tutti, e fu rilasciata.

Seduta di nuovo al banco, usò i capelli sciolti come scudo. L'atmosfera del sogno la imballava. Tentò di ancorarsi alla graniglia del pavimento, ai termosifoni di ghisa spenti sotto le finestre, persino alla cartina dell'Europa con i bordi arricciati, sulla quale esisteva ancora – rosa shocking – la Jugoslavia. La direttrice dell'orfanotrofio aveva detto che sarebbe stata una vacanza, il tempo di un'estate, di una guerra, poi sarebbero ritornati. Ma era metà settembre e le suore non avevano preparato i bagagli, avevano comprato zaini e cartelle, o li avevano sfilati dai sacchi della beneficenza, e avevano mandato ciascuno in una classe appropriata. Così i giovani profughi avevano scoperto che la guerra non era finita.

Nada si impose di ascoltare i compagni leggere il resoconto delle vacanze nei temi che la maestra aveva assegnato, ma il sogno continuava a balenarle in testa. C'era Omar che le diceva vieni a vedere quante uova in questo nido. Lei si arrampicava sull'albero per raggiungerlo e le uova erano lucide, viscose, erano occhi. Vuoi essere uguale a lei?, gridava Ivo. La sua voce si diffondeva da Radio Zid, buongiorno amici, siete ancora vivi? Nada ruotava la manopola del walkman di Danilo per alzare il volume, ma più lo alzava più la voce si affievoliva. Una lunga sirena suonava.

Sobbalzò: era la campanella dell'intervallo. I bambini si precipitarono in corridoio, si rincorsero, andarono in bagno, mangiarono, si tirarono i capelli, fecero pace. Troppo alta per quella classe, Nada restò in un angolo a spiarli, come prima; un detrito minerale sul letto di un fiume in secca.

Una bambina con un cerchietto bombato sui capelli castani si avvicinò. "Vedrai che farai amicizia con tutti," garantì. "Ti piace l'Italia?"

Nada sapeva di dover rispondere sì.
"Parli bene l'italiano?"
"Capisco."
"E come si dice ciao nella tua lingua?"
"*Ćao.*"
"Ma è uguale!"
Siete ancora vivi?, ripeteva Ivo nella sua testa.
"Mi stai prendendo in giro, vero?" la bambina si sistemò il cerchietto. "Ti iscrivi anche tu a pallavolo?"
Nada fece spallucce. Non dipendeva da lei, ma dalle suore. E poi non sapeva giocare a pallavolo. Non sapeva giocare a niente.
"Io e tante altre qui siamo in squadra. Dài, vieni anche tu!"
Uova in un nido – occhi celesti, identici ai suoi. Omar li aveva scovati.
"Mi stai già simpatica e sai perché?"
Nada strinse il pugno sotto il polsino, le sue mani interdette alla vista.
"Perché porti la felpa di mia sorella."
Serrò la mandibola.
"Era sua", la bambina pinzò un lembo del tessuto con indice e pollice, Nada indietreggiò, "ed era la sua preferita. La metteva sempre, sempre, mia madre le diceva cambiati una buona volta, ma lei era fissata."
La bambina lasciò la felpa.
"Poi si è scocciata, così, di botto. Allora l'ha messa nel bustone dei poveri e mia madre, quando siete arrivati voi dalla Bosnia, l'ha portato in parrocchia. Sono contenta che la felpa è capitata a te e che tu sei nella mia classe."
Nada strinse i pugni talmente forte che le unghie incisero i palmi.
"Mia sorella ha tre anni più di me e quando esce si trucca di nascosto con il fard e la matita della mamma. Certe volte lo faccio anch'io, ma in casa, eh? Non esco mica. Sono troppo piccola."
Suonò la campanella e Nada si avviò verso il banco senza salutare. La bambina la seguì.
"Non raccontarlo a nessuno del trucco, è un segreto." Prima di andare a sedersi disse: "Benvenuta".

Nada si infilò gli indici nelle orecchie per non sentire la voce di Ivo che ripeteva è lei, vuoi essere uguale a lei? Apri la bocca e tappati le orecchie, le aveva insegnato, per non rimanere assordata quando cadono le bombe. Ma adesso era la voce stessa del fratello ad assordarla. Ad atterrirla, erano le uova nascoste nel nido. Quegli occhi celesti – gli occhi di sua madre.

22.

Le suore festeggiavano i compleanni del mese tutti in un unico giorno, così risparmiavano sulla torta e sulla festa, ma distribuivano ai festeggiati regali diversi: matite colorate o pennarelli per i più piccoli, tanto i bambini dimenticavano sempre di richiuderli e li facevano seccare, squadre, goniometri e compassi per i più grandi, e neppure una calcolatrice scientifica, anche se chiunque, eccetto Omar, la sognava. Gli italiani ce l'avevano e non la prestavano mai.

All'inizio della primavera Omar compì undici anni e fu celebrato assieme ad altri tre ospiti dell'istituto. Era una domenica, e come ogni settimana era venuto il don con gli anziani della parrocchia a portare la merenda. Il don odorava di muffa sulle pareti, i signori che lo accompagnavano non si levavano mai il berretto, mentre le signore calzavano scarpe che parevano pantofole, avevano facce sfocate.

Omar ignorò la torta e rifiutò di aprire il regalo. "Non mi serve," disse. "Se nemmeno sai cos'è," obiettò suor Tormento. Il giorno del suo compleanno la madre comprava un pezzo di formaggio e gliene dava una fetta, era quel sapore a interrompere la quotidianità. Il compleanno all'orfanotrofio di Bjelave, invece, era l'attesa in ginocchio sulla sedia davanti alla finestra. "Va bene, lo scarto io per te," disse suor Tormento, "vedrai che ti piacerà." Certe volte, da dietro la curva, la madre non spuntava; diventava buio, e Omar fingeva che la data del suo compleanno dovesse ancora arrivare – il regalo era lei, lei soltanto.

Appena i vecchi se ne andarono il don bevve un bicchiere

di gazzosa e si concesse una seconda porzione di torta, quella rimasta intonsa nel piatto di Omar, che uscì in cortile per ultimo.

Senadin aveva appena segnato il primo gol e i compagni di squadra lo stavano abbracciando. Dopo aver scoperto che fumava, le suore l'avevano detto al don e lui lo subissava di domande ogni volta che lo incontrava. Così Sen aveva smesso di fumare al San Lorenzo, lasciava le sigarette direttamente a scuola, per l'intervallo. Al momento i professori non se ne erano accorti.

Da quando vivevano all'istituto, in appartamenti diversi, a Omar pareva che suo fratello lo evitasse, che preferisse giocare assieme ai coinquilini anziché con lui: erano più grandi, mangiavano la torta se gli veniva servita e non passavano la giornata su un albero.

Menomale che c'era Nada.

"Sei un testone," gli disse mentre guardavano la partita.

Omar non si difese.

"Ma non vuoi nemmeno il mio, di regalo?"

Anziché rispondere, lui iniziò a camminare.

"Dove vai?" domandò lei.

"Vieni."

"Guarda che non ci salgo, sull'albero."

Circumnavigato il palazzo, si trovarono di fronte un pezzo di giardino che lei non aveva mai visto. In fondo, in una grotta di pietra, la Vergine Maria apriva le braccia, concentrandosi sul serpente che agonizzava sotto i suoi calcagni. La nicchia era grande, ma non abbastanza perché loro due ci entrassero in piedi: si accucciarono a terra, raccogliendo le ginocchia.

"Qui non ci vede nessuno."

"Allora posso darti il mio regalo."

Omar si leccò le labbra. Una nuvola imbavagliò il cielo, poi la luce del pomeriggio risorse, e Nada estrasse un foglio dalla tasca. Lui lo dispiegò e ammirò il disegno.

C'era un bambino seduto su un ramo, i capelli neri mossi dal vento, e anche la chioma del pino. C'era scritto: "A te che vivi come le scimmie. Auguri!".

Grattandosi con una mano la testa e con l'altra il mento,

Omar emise un verso stridulo. Nada spalancò gli occhi, poi, a spettacolo finito, scoppiò a ridere. Anche Omar era sorpreso – non aveva mai fatto il buffone davanti a nessuno – e rise a sua volta. Si guardarono senza poter smettere, ridendo sempre più forte, tanto che la Madonna si distrasse e la serpe sfuggì alla trappola: per quanto acciaccata, strisciò via. Non c'era granché di buffo, Omar lo sapeva: erano solo felici. Di colpo era toccata loro questa inspiegabile felicità.

L'onda delle risate si propagò nell'aria, risvegliò il letargo della terra sotto di loro, che si sgranchì un attimo – la grotta vacillò facendo urlare Nada – prima di tornare a sonnecchiare.

Omar si fece più vicino e disse: "Grazie".

Per tutta risposta, lei poggiò le labbra sulle sue.

Parte seconda
1995-1996

23.

Per risparmiare, i lampadari non si accendevano fino al tramonto, anche se in novembre il cielo di Monza era opaco. A partire dal primo pomeriggio, l'orario in cui tornavano da scuola se non c'era il tempo prolungato, quell'atmosfera statica ingabbiava Omar in un'uggia di cui si accorgeva solo quando l'interruttore veniva premuto e subito lui diventava meno triste. Fu in quel lucore miope, inebetito, che – mentre i ragazzi mangiavano – suor Direttrice disse con la consueta solennità: "C'è una sorpresa per voi".

Sen gli diede di gomito: "Finalmente si va a Gardaland", ma Omar era certo si sbagliasse, di solito la sorpresa era l'ennesima messa che l'ennesimo prete del circondario diceva in nome della pace in Bosnia: erano passati più di tre anni e mezzo e nessun rosario aveva ottenuto alcuna grazia – se fossi un prete, diceva Nada, mi sentirei un fallito.

Era ancora magro, Omar, e sebbene avesse ormai tredici anni si era alzato di pochi centimetri: Nada lo superava. Sen si era fatto crescere il pizzetto, mentre lui non si era ancora rasato i peli che parevano sporcare di caligine la pelle sotto il naso. A passarci sopra l'indice, gli facevano il solletico, come quelli del fratello nelle notti a Sarajevo.

"Ragazzi," disse la suora, "due ore fa sono stati firmati gli accordi di Dayton", e intrecciò le dita. "Sapete che cosa significa?" Per un attimo scosse l'intreccio delle sue mani in preghiera. "La guerra è finita," quasi gridò, i palmi al cielo come recitasse il Padrenostro.

Omar si girò verso Sen: non si sorrisero, non si abbracciarono, non esultarono, rimasero a guardarsi. Poi lui disse: "Torniamo dalla mamma", e il sollievo lo sommerse al punto che rischiò di affogare.

Sen non disse nulla. Quando i serbi avevano minacciato un bombardamento contro l'Italia, nel caso avesse fornito basi aeree alla Nato, aveva avuto paura. Omar sapeva che a lui non importava della pace in generale, gli importava della propria, la pace conquistata in quella piccola città di provincia. Poi invece i Paesi dell'Alleanza atlantica avevano attaccato, e per gli italiani non c'erano state conseguenze.

Lo chiamò, Sen era ammutolito. Anche gli altri. Nessuno chiese: quando ce ne andiamo?

Nei giorni seguenti Omar non fece che figurarsi il momento in cui l'avrebbe rivista, sua madre. Sarebbero rientrati al Ljubica Ivezić e lui l'avrebbe aspettata alla finestra, prima o poi lei avrebbe saputo che erano di nuovo lì, sarebbe apparsa dalla curva. Che importava se mancavano i vetri, se nella salita dell'orfanotrofio si aprivano crateri, se sua madre aveva fili bianchi tra i capelli – a volte immaginava che la granata le avesse rubato un braccio, una gamba, ma lui l'avrebbe amata anche così, perfino di più.

Aspettò che i professori lo salutassero, oggi è il tuo ultimo giorno in questa scuola, arrivederci, aspettò che le suore tirassero fuori le valigie e indicassero l'orario in cui il pullman sarebbe partito, o il treno, l'aereo, qualunque mezzo, bastava fosse diretto a casa. Le settimane si accavallarono e nulla avvenne.

Un venerdì suor Direttrice chiamò lui e il fratello nel suo ufficio: "Domani pomeriggio per voi è un giorno importante".

L'intero organismo di Omar fu pervaso da un sentimento tanto impetuoso che sarebbe stato difficile riconoscerlo come felicità, da troppo tempo non la provava.

"Domani," continuò suor Direttrice, "uscirete con una famiglia, tutti e due insieme."

Omar non capì. Guardò Sen, ma Sen guardava la suora.

Perché dovevano uscire con una famiglia – quale famiglia, di chi? Perché, se la guerra era finita, non li riportavano a Sarajevo?

Molti ospiti dell'istituto avevano già cominciato a frequentare famiglie di Monza, alcuni erano persino stati dati in affido temporaneo, ma Omar era convinto che non sarebbe mai toccato a lui, nessuno avrebbe voluto un ragazzino introverso che preferiva gli alberi alle persone. Gli introversi di solito vengono scartati, non sai mai che cosa gli passa per la testa. Meglio gli estroversi, che ti riempiono la casa e la vita. Omar non poteva riempire nulla, coltivava un vuoto integrale con una devozione che avrebbe scoraggiato anche i più volenterosi, le sue giornate erano la liturgia ripetuta di un culto incondivisibile persino con il fratello – lui l'unico fedele, l'unico ad attendere il giorno glorioso in cui avrebbe sentito ancora l'odore di stufa a legna sul collo della madre.

Ciao Nada,

ti scrivo in classe durante l'ora di Elettrotecnica, il professore sta spiegando, come al solito con una cantilena che fa venire un sonno assurdo, e a me non frega niente di 'sta roba, lo sai. Se penso allo psicologo che ci ha fatto i colloqui attitudinali e ha deciso che dovevo fare l'Itis! Dovrebbero radiarlo dall'ordine, servirebbe a lui, uno psicologo. Poteva dirmi: Guarda, Danilo, nessuno di voi farà il classico, prima diventate forza lavoro e meglio è, ce l'hanno detto le suore. Almeno sarebbe stato onesto. Comunque, è inutile ripetere sempre le stesse cose.

Qui c'è una nebbia così spessa che dalle finestre non si vede nemmeno il mare. La mattina, quando mi sveglio, oltre i vetri vedo un muro bianco. L'autunno e l'inverno quaggiù sono terribili. Tu vieni agli Aquiloni solo d'estate e ti sembra carino perché ci sono tanti ragazzi, ma da settembre restiamo noi e basta, in mezzo alle colonie chiuse o abbandonate. Se anni fa le suore non avessero chiesto al comune una fermata dell'autobus, non so come saremmo potuti andare a scuola.

Sai che ho discusso con la mia professoressa di Storia? Peccato, finora ero stato il suo preferito. Lei ha lodato in classe l'intervento di Clinton, che ha messo fine alla guerra. Io le ho detto che agli Stati Uniti interessava soprattutto ribadire di essere ancora la più grande potenza mondiale, alla faccia dell'Europa, e poi le ho detto che gli accordi di Dayton ratificano la divisione etnica come condizione di pace, esattamente l'idea contro cui i cittadini di Sarajevo, mio padre per primo, si sono battuti. L'Europa si è fatta prendere per il culo da Milošević, ha creduto all'idea del conflitto etnico e tribale, ha voluto crederci a tutti i costi, perché in questo modo la guerra diventava ingestibile e lei se ne poteva lavare le mani. Che cos'è stato il massacro di Srebrenica se non la riprova di quanto Europa e Nazioni Unite avessero sottovalutato, anzi proprio ignorato, la nostra situazione? Ho capito che i caschi blu non potevano intervenire, che la loro era una missione umanitaria e non bellica, ma qualcuno dice che gli olandesi abbiano addirittura collaborato coi serbi, oltre ad aver permesso che l'orrore accadesse... Vabbè, lasciamo perdere.

Il punto è che Dayton non ha riconosciuto un aggressore e un aggredito, ha accettato la logica di spartizione voluta da Milošević e Tuđman (e siglata con un accordo segreto nel marzo del '91. Ho chiesto alla prof se a lei, che insegna Storia, non ricordasse qualcosa... Per esempio, l'accordo fra Hitler e Stalin nell'agosto del '39?)

Io sono cresciuto in una casa in cui si tenevano da parte pentole che non avevano mai cotto il maiale, per invitare a cena amici musulmani o ebrei, e questa logica non potrò mai accettarla, anzi penso che non farà bene alla Bosnia. Uno Stato che si fonda sull'identità etnica non è democratico.

La prof secondo me non sapeva che cosa rispondere, ma l'accusa all'Europa non le è andata giù. Su una cosa Clinton ha ragione: nessuno voleva uno Stato musulmano nel cuore dei Balcani.

Ah, come sta Omar? Di recente ho mandato una lettera anche a lui, ma non mi ha risposto. So che non gli piace scrivere, perciò salutamelo tu, e anche Sen.

Stai bene? Non vedo l'ora che arrivino le vacanze e che ci portino in montagna, così pure noi ci rivedremo. Hai poi mandato il tuo disegno a quel concorso di cui mi dicevi? Spero proprio di sì. Sei brava, lo dimostra il ritratto che mi hai regalato e che ho appeso sopra il letto. Certo, conta soprattutto il fatto che io sia un figo totale, ma un po' di merito ce l'hai pure tu!

Un bacio

Danilo

Nada piegò la lettera e la infilò di nuovo nella busta. Pensò che Danilo scriveva in italiano come se fosse la sua lingua madre e lo invidiò. Lei aveva paura del tema all'esame di terza media – che avrebbe dovuto sostenere a giugno – proprio perché non voleva deludere il suo amico. Per aiutarla, spesso sulla lettera che lei gli aveva inviato Danilo correggeva gli errori di ortografia o di sintassi, e gliela rispediva indietro con parole cerchiate di rosso e note a margine. Nada ci rimaneva male, non tanto per la conferma di essere scarsa, ma perché capiva che lui poteva separarsi facilmente da una lettera di lei, mentre lei conservava le sue in una busta nascosta tra la rete e il materasso per paura che Vera o chiunque altro la scovasse.

Chissà quando era accaduto, che smettessero di comunicare fra loro nella propria lingua. Forse a scuola, per non essere emarginati dai compagni italiani, per non fare comunella fra stranieri e così generare diffidenza. Pian piano la lingua nuova era permeata in ogni ambito del quotidiano, colpa delle suore, delle educatrici, degli ospiti italiani dell'istituto, sia le madri sia i bambini, della televisione, della musica in radio. Ma che nell'intimità di uno scambio epistolare non sentissero più il bisogno di esprimersi con parole familiari era il segno di un'estirpazione dalla famiglia stessa. Per Nada era avvenuta ben prima dell'esilio, la sua non era una lingua madre né padre, la sua terra era Ivo, il rifugio della sua schiena. Per Danilo invece no, e che lui avesse rimpiazzato il bosniaco con l'italiano era la definitiva conferma di una sottomissione, ma Nada non glielo diceva.

Si domandava come potesse avere voglia di scriverle, lui che era tanto intelligente. Nada aveva letto e riletto le righe sulla pace di Dayton e aveva pensato solo che in quegli anni non aveva ricevuto alcuna notizia da suo fratello. La guerra, per lei, era una questione privata. Era la perdita di Ivo.

Alcuni ragazzi dell'istituto, i figli di famiglia, erano riusciti a parlare con i parenti sotto assedio grazie ai radioamatori. Lasciavano la stanza di suor Direttrice paonazzi per l'emozione, malgrado lo scambio fosse stato brevissimo. Spesso il collegamento si interrompeva e gli ultimi del turno rimanevano a bocca asciutta, scoppiavano a piangere, si facevano giurare che la prossima volta sarebbero stati i primi della lista. Nada se ne vergognava, ma quel fallimento alleviava la sua solitudine.

I termini per partecipare al concorso di disegno non erano ancora scaduti; se mai lei avesse vinto, Danilo ne sarebbe stato fiero. Si sdraiò sul pavimento, aprì l'album Fabriano A4 e con una matita morbida cominciò a tracciare un occhio. Partiva sempre da lì: doveva guardare negli occhi il soggetto ritratto per riuscire a vederne il volto prima ancora che comparisse sulla carta. Non aveva una foto, solo i ricordi. Il mento a punta e la fronte larga, il solco delle occhiaie e le guance scarne, sempre lisce di rasatura, le labbra tese in un riso strafottente, il neo scuro, in rilievo.

La matita scivolava sul foglio e a Nada pareva di riconoscerlo. Pensò che, se era morto, lei non avrebbe di certo avuto una lapide davanti alla quale inginocchiarsi. Pensò che non le restava nulla di lui, tranne quel disegno.

Una fitta al bassoventre la costrinse ad alzarsi. Spinse l'album sotto il letto e andò in bagno.

Il sangue le aveva sporcato i jeans. Era ormai il terzo mese che aveva le mestruazioni, ma la novità la galvanizzava ancora, a maggior ragione perché era arrivata in ritardo. Magari era stato così anche per sua madre: avrebbe voluto poterglielo chiedere, quando temeva che qualcosa in lei si fosse inceppato, avrebbe voluto essere tranquillizzata.

La notte Nada infilava una mano tra la pancia e il lenzuolo. Il calore che quel contatto sprigionava la spossava di dolcezza. D'improvviso provava verso il proprio corpo il senso di una corrispondenza così piena, così giusta, aveva l'impressione di rannicchiarsi al sicuro dentro di sé. Le sarebbe piaciuto raccontarlo a Danilo, ma di alcune cose, con un maschio, era impossibile parlare.

Tornata in camera, si stese di nuovo per terra e tirò l'album da sotto il letto. Osservò il disegno. Il volto era armonico, addirittura bello. Ma non assomigliava abbastanza a Ivo.

Il ragazzo raffigurato non era lo stesso che, immerso nei propri pensieri, si stropicciava le sopracciglia senza accorgersene, quello che di notte russava, ma solo se dormiva supino.

Lei lo toccava per farlo girare su un fianco, lui non si infastidiva. Il ragazzo ritratto non era suo fratello.

Se non riusciva a disegnarlo, allora lo aveva dimenticato. Se non lo ricordava più, allora non lo amava a sufficienza.

Estrasse il foglio dall'album e lo strappò. Poi frugò nello zaino per trovare il bando di concorso, ne lesse l'intestazione, e subito dopo strappò anche quello.

Non abbiate paura, disse, nessuno vi farà del male, e i bambini gli credettero: aveva occhi trasparenti e uno sguardo innocuo, e portava in dono pane e dolci e bibite fresche. Erano stanchi di mangiare quel pastone di paglia e ghiande, zucche, mais e foglie di nocciolo, ci erano campati per tutto l'inverno, attorno ai falò accesi sulle strade innevate, ma adesso era estate ed erano già morte così tante persone, quaranta al giorno, non solo combattendo, morte di stenti, non abbiate paura, c'è pane per tutti e cioccolato, e fa caldo e a cielo aperto non sembra più nemmeno una prigione, il gregge è stato spinto nel recinto, aveva detto: il suo gregge senz'acqua, elettricità, assistenza medica, senz'armi, consegnate all'Unprofor in cambio del cessate il fuoco, ma i serbi controllano ogni strada e tutto ciò che la attraversa, nessuno lo dice, che è un genocidio al rallentatore, genocidio è il vocabolo che non si può pronunciare.

Quegli occhi innocui, se hai fame ci credi, se hai sete, e paura. Ci credi anche se il suo nome, Ratko, contiene la parola guerra, ma chi ha mai scelto il proprio nome? Ci credi anche se il 6 luglio sono arrivate le Tigri di Arkan, e i volontari greci pagati duemila marchi per tre giorni, e il comandante delle forze bosniache Bećirović l'ha detto, ridateci le armi, ma il tenente colonnello Karremans, alla guida del battaglione olandese, ha risposto che erano loro a doverli difendere. Non abbiate paura, di qualcuno bisogna pur fidarsi, cinquecento carrarmati e un rovescio di granate, i caschi blu riparano a Potočari e le pecorelle li seguono: venticinquemila, ma come fanno a entrare tutte nel recinto, come fanno gli olandesi a salvarle? La gente corre, spinge, implora, si aggrappa ai carri blindati ed è schiacciata dalle ruote. In fondo è così che sempre si muore, cercando di sopravvivere a ogni costo: cos'è l'ultimo rantolo, se non lo sforzo estremo di respirare ancora? Schiacciati dalle ruote dei carri di chi dovrebbe salvarli: un preludio. Aspettano fuori dal campo militare, il gregge è radunato, ora bisogna sparare sulla carne viva. Lui l'aveva detto. È arrivato l'11 luglio, con le telecamere al seguito, gli piace farsi riprendere mentre distribuisce da bere e da mangiare, e invita a non avere paura, con gli occhi azzurri da angelo consolatore, ha perso il padre quand'era solo un bambino, gliel'hanno ucciso gli ustaša, ha perso una figlia da poco, si è uccisa per amore, o per la guerra, con la pistola preferita del papà, sua figlia è morta e lui la deve vendicare. Non abbiate paura, faremo in un attimo, ottomila persone in un pugno di giorni, pulizia completa, la stagione di caccia è al culmine, ha detto un olandese, e di qualcuno bisogna pur fidarsi, dell'Onu, della Nato, di Mladić, di Dio. L'Europa non lo permetterà.

L'estate splendeva sulle miniere d'argento, e Srebrenica cessava di respirare.

24.

L'albero di Natale, l'avevano addobbato i più piccoli con l'aiuto di suor Tormento, di suor Nanetta e delle sorelle degli Aquiloni, non appena erano arrivati in montagna. Nada lo osservò sfavillare a intermittenza finché Danilo non scese. "Usciamo?"

Passeggiarono insieme sulla neve. Era soffice al punto che ogni passo affondava sino al polpaccio, e per la fatica Nada non parlava.

Le bacche di rosa canina squillarono come ciliegie quando lui si fermò e disse: "Tuo fratello era nei gruppi armati di difesa territoriale, come mio padre, a combattere per la liberazione di Sarajevo".

Il cuore di Nada ruzzolò.

"Mio padre se lo ricorda bene, perché spesso cantava durante i bombardamenti, secondo lui per cercare di calmarsi. Cantava un verso dei Pink Floyd che dice una cosa tipo: pensi che sganceranno la bomba?"

"Sì! *Mother do you think they'll drop the bomb,*" intonò Nada, "*mother do you think they'll like the song*", ridendo, in fondo senza motivo, "*mother do you think they'll try to break my balls*", poi quel trasporto improvviso si esaurì. "Dov'è adesso?"

"Non lo so, mi dispiace," rispose Danilo, e subito aggiunse, come per discolparsi: "Mio padre dice che la cantava sempre. Per questo lo chiamavano Roger".

"Perché parli al passato?" La voce di Nada vacillò, affievolendosi su alcune sillabe e gracchiando su altre, una stazione radio sintonizzata male.

"Certe volte anche mio padre cantava con lui."

"Quando ti ha detto tutte queste cose?" gli strinse un polso.

"Al telefono, siamo riusciti a chiacchierare a lungo prima che partissi per venire qui."

"Allora alla prossima chiamata fa' in modo che con lui ci sia Ivo."

"Purtroppo non si può fare."

La neve, una superficie catarifrangente. La mascella di Nada scrocchiò. "Mi stai dicendo che mio fratello è morto?"

"Ma no, no", Danilo le prese il viso, le sistemò il ciuffo che le scendeva sugli occhi.

"E allora dov'è?" Nada gli poggiò i palmi sui dorsi delle mani. Aveva freddo.

"Nessuno ha più sue notizie da tempo."

"Quanto?"

"Non lo so di preciso."

"Magari è tornato all'orfanotrofio."

Senza toglierle le mani dalle guance, Danilo si portò il suo viso al petto e le pose il mento sulla testa.

"Ti ho promesso che ti avrei aiutato a trovarlo e lo farò."

Nada si separò da lui per ricominciare a camminare. Voleva lasciarlo indietro, ma la neve era soffice, la rallentava.

"Mi credi?" le chiese Danilo afferrandole un braccio.

Lei annuì, le dita dei piedi intirizzite, il naso congelato, i lobi delle orecchie doloranti.

"Mio padre lo cercherà."

La neve annullava i confini, attutiva i rumori.

"Sono contenta che hai parlato con lui. Ti mancava?"

Danilo non rispose. Proseguirono mano nella mano.

Nada attinse al calore del suo corpo fino a calmarsi. Poi, in prossimità del rifugio, lui si staccò.

Prima di salire in montagna, a Rimini la Madre superiora aveva fatto la piega, che era vaporosa e impeccabile come d'estate, quando andava dal parrucchiere ogni settimana. L'agosto precedente Nada aveva chiesto a Lidia perché le suore di quell'ordine non portassero il velo. Lei aveva risposto che, occupandosi da sempre di ragazze madri o di orfane, quando le accompagnavano a scegliere l'abito da sposa volevano che le venditrici le scambiassero, se non per le mamme o le suocere, almeno per le zie. Volevano sembrare parenti, non suore che hanno offerto riparo a chi era stato abbandonato. A Nada pareva una buona spiegazione, ma era sicura che Lidia se la fosse inventata.

Poggiando i gomiti sulla tovaglia rossa, la Madre superiora disse: "C'è un'ultima notizia per cui dobbiamo ringraziare nostro Signore, questo Natale. Vuoi dirla tu, Danilo?" e alzò il mento quasi per incoraggiarlo. Non una ciocca sfuggì all'impalcatura che la lacca aveva fissato.

Lui si sciolse la coda rigirandosi l'elastico fra le dita. I capelli erano lisci; sciolti, si rivelavano un po' secchi. Nada si domandò perché fosse in imbarazzo.

"Danilo, forza, sembra che tu debba annunciare un lutto," disse la Madre superiora. "Quanto siete strani, ragazzi miei."

"Vabbè," sbuffò Izet, "lo dico io per te, così mangiamo. Sua madre e sua sorella stanno venendo a vivere in Italia."

Nada vide Omar impallidire, seduto al tavolo di fronte al suo.

"Staranno per un po' agli Aquiloni con noi," spiegò la Madre superiora, "finché non trovano una sistemazione."

Lidia fece partire l'applauso, i ragazzi batterono le mani con foga, quasi per tagliar corto e mettersi finalmente a mangiare.

"Dovremmo essere noi a tornare a Sarajevo, non il contrario," disse Omar, abbastanza forte da farsi udire.

"È quel che farò presto," disse Izet.

La Madre superiora non diede loro corda, augurò con decisione buon appetito.

A Nada sembrò che Danilo evitasse il suo sguardo per tutta la cena. Dal giorno dopo fece in modo di non trovarsi mai sola con lui: in compagnia degli altri si comportò in modo normale. Non voleva che scambiasse per invidia la sua delusione. Perché lui non gliel'aveva detto? Perché, se erano così amici da scriversi due lettere al mese? Perché Izet lo sapeva e lei no?

"Cedo il mio posto letto alla sorella di Danilo," le disse Omar la mattina di San Silvestro. "Se tu cedi il tuo alla madre, possiamo chiedere in cambio di spedirci a Sarajevo."

Nada si sforzò di sorridere. Stava aiutando un bambino più piccolo a riassestare il pupazzo di neve che gli inseguimenti e il nascondino avevano ammaccato.

"Non vengono mica al San Lorenzo," rispose. "Vanno agli Aquiloni."

"A parte gli scherzi", Omar si accucciò per stare all'altezza di lei, che era in ginocchio. "Questi vogliono farci adottare."

"Ma che dici?" Nada controllò il bambino: picchiettava la schiena del pupazzo di neve nell'intento di renderla piatta, uniforme.

"Hai visto che abbiamo cominciato a uscire con delle famiglie, anche Sen e io?"

"Sì, ma che c'entra? È solo per il fine settimana o le vacanze."

Si era detta questo, ogni volta che aveva visto le compagne farsi aiutare dall'educatrice a scegliere un abbigliamento carino per trascorrere la domenica con una famiglia italiana: è solo per il fine settimana, solo per le vacanze. Le compagne tornavano con un braccialetto di cuoio su cui era inciso il loro nome, o una scatola di cioccolatini che offrivano anche alle altre, come la famiglia si era raccomandata, e piroettando per la camera – la gonna a pieghe si gonfiava a campana, nemmeno pareva più di seconda mano – cantavano *hakuna matata*, senza pensieri, la tua vita sarà. Lei si chiedeva se fosse il suo dito mancante la ragione per la quale nessuna coppia la portava mai al cinema, o perché suor Nanetta lo sconsigliava, aveva paura che le facesse fare brutta figura, come con il prete, con le suore della colonia, con le insegnanti. Le altre andavano in gita sul lago di Como a Pasquetta e una settimana in villeggiatura nella campagna brianzola: persino Vera era stata scelta, aspettava con frenesia il fine settimana per mangiare il cono gelato passeggiando in centro, tale e quale a una del posto.

"Ci mandano dagli psicologi e quelli ci riempiono di domande, ci fanno dei test, vogliono vedere se siamo normali o se siamo disturbati, per assegnarci a questi genitori italiani."

"E tu sei uscito normale?" lo provocò Nada.

"Ascoltami, è una cosa seria. Questi vogliono farci restare. Vogliono dei figli."

Vera avrebbe avuto una madre e lei no.

"Hanno pure fatto una marcia di solidarietà," spiegò Omar.

"Che significa?"

"Una manifestazione di protesta: vogliono impedire il nostro rientro. La Bosnia-Erzegovina ha chiesto già a luglio di farci tornare entro la fine dell'anno, e l'orfanotrofio ha garantito di accoglierci." La sua voce era cambiata, era più porosa: solo adesso lei se ne accorgeva.

"Ma come le sai, tutte queste cose?"

"Un compagno di classe mi ha portato una copia del 'Corriere', suo padre lo stava leggendo e gli ha detto che parlavano di noi, così al mio compagno è venuto in mente di sfilare la pagina e farmela vedere."

"E cosa c'era scritto?"

"Che i genitori con i bambini in affido non vogliono restituirli, dicono che Sarajevo non è ancora sicura e che non sanno come ci trattano all'orfanotrofio laggiù, e poi ora fa troppo freddo. Dicono che la Bosnia vuole fare un rapimento di Stato."

A Nada scappò da ridere.

Il bambino spuntò da dietro la schiena del pupazzo di neve.

"Hai finito?" gli chiese lei.

Lui si ficcò l'indice in bocca e disse che gli stava facendo il culetto.

Nada aggirò il pupazzo e intravide due sfere asimmetriche e deformi appiccicate troppo in basso per assomigliare a dei glutei.

Il bambino si sganasciò: doveva aver progettato quello

scherzo proprio per lei e credeva ridesse perché lo aveva scoperto.

Nada finse pudore e riprovazione, lui si divertiva come un pazzo.

"Dicono pure che il comune di Milano non ci vuole perché costiamo troppo."

"Chi lo dice? Sempre gli aspiranti genitori?"

"Sì, costiamo un miliardo e mezzo di lire all'anno."

Non aveva mai pensato a sé stessa e ai compagni come a un costo. Che ingenuità. Sopravvivere – mangiare, vestirsi, dormire al caldo – non era scontato. A Sarajevo le era chiaro.

Rappresentavano un peso, loro, per chiunque. Per chi li aveva concepiti e per chi li aveva accolti quando erano diventati profughi.

"Non mi importa niente se l'Italia mi vuole o non mi vuole," disse Omar. "Io una madre ce l'ho."

"Io no," disse Nada, e si accorse di averlo messo a disagio.

"Hai un fratello," tentò di recuperare lui.

Nada abbassò lo sguardo, nei timpani le risuonò *Mother should I trust the government*.

"Che c'è?" chiese Omar. "Ehi", le prese il mento.

Nada oscillò la testa, come a dire niente, tutto ok. I capelli svolazzarono e una ciocca sottile le rimase impigliata sul promontorio del naso: le sporcava la vista come un alone.

"Io non vado a vivere con nessuna famiglia," la rassicurò Omar, "non ti lascio sola."

Aveva frainteso, aveva pensato di essere lui, la sua pena. Perché lei non riusciva a dirgli di Ivo, della sua scomparsa? *Mother's gonna make all your nightmares come true*. La canzone la assillava. Quante promesse. Non credeva più a nessuno.

"Ti ricordi come luccicava la Miljacka quella mattina all'alba?"

"Non vado a vivere con alcuna famiglia. Resto con te, e poi ti riporto a Sarajevo."

Mother will she break my heart. Nada poggiò la guancia sul pupazzo di neve e chiuse gli occhi.

La notte di Capodanno, mentre tutti erano fuori a disegnare nel buio cerchi e parabole con le stelle filanti incandescenti, Nada finì di lavare i piatti. Era rimasto poco, giusto le teglie in cui avevano cotto il baccalà. Lidia e suor Nanetta avevano cercato di dissuaderla, finiamo domattina, ma lei aveva insistito. Voleva stare un po' per conto suo.

"Non esci?"

Alla voce di Danilo non si girò.

"Tra un po' è mezzanotte," avvertì lui.

Lei proseguì a strofinare con la spugna, il sugo si era incrostato.

La gamba di una sedia che striscia sul pavimento, un leggero tonfo: lui si era seduto.

Per un po' lo scroscio dell'acqua con cui Nada sciacquava i tegami coprì il silenzio. Poi Danilo disse: "Ok, hai ragione".

Le vibrarono le spalle, ma forse lui non se ne accorse, perché lei si muoveva di continuo, ruotava la padella o passava il dito sui bordi sincerandosi che non ci fossero residui di unto.

"È difficile dare una notizia bella dopo una brutta, se la notizia brutta riguarda te e la bella me. Non mi pare un delitto."

Chiuse il rubinetto, e il silenzio diventò insopportabile. Agguantò uno strofinaccio.

Danilo doveva essere immobile: nemmeno uno scricchiolio della sedia, il fruscio di un gomito che scivola sul tavolo.

"Mia madre e mia sorella hanno lasciato Grbavica il giorno dopo che io e mio padre eravamo riusciti a fuggire. Avevamo deciso di dividerci per non dare nell'occhio. La mattina, loro due erano già fuori dal palazzo, quando sono arrivati dei soldati serbi. Hanno preso mia madre e l'hanno riportata di sopra, in casa, all'ultimo piano. Mia sorella è rimasta nell'atrio. Ha visto mia madre salire con tre uomini armati, uno la trascinava per un braccio, un altro le puntava la canna di un fucile contro la schiena. Adesso ci divertiamo, ha detto il terzo, che stava un po' distante. Mia sorella non l'ha mai dimenticato."

Nada teneva la teglia sospesa a mezz'aria, lo strofinaccio in mano; non asciugava.

"Per le scale – ho sentito mia madre raccontarlo a mio padre – per le scale il terzo ha detto: questa me la faccio io. Così, quando sono arrivati davanti alla porta, ha costretto mia madre ad aprire e l'ha spinta dentro. Ha chiuso a chiave per tenere gli altri fuori. Mia madre ha detto che era quasi sollevata fosse uno solo, pregava che dopo di lui non toccasse agli altri, che non facessero a turno. Pregava che fosse uno e basta. Il serbo si è avvicinato e le ha chiesto: stavi scappando, vero?"

Nada poggiò la teglia.

"Mia madre non ha avuto il coraggio di rispondere, pensava a mia sorella giù da sola, chissà com'era spaventata. Per favore, ha implorato, fa' in fretta, devo tornare da mia figlia. E lui è scoppiato a ridere. Mia madre si è fatta la pipì addosso. Lui ha visto la macchia umida sui pantaloni, e lei ha pensato che si sarebbe innervosito ancora di più. Dieci minuti, le ha detto, e torneremo di sotto."

Nada strinse lo strofinaccio.

"Noi ce ne andremo e tu potrai scappare con lei. Mia madre subito non ha capito. Potrai scappare, ha ripetuto quello. Lei lo ha guardato per capire se lo conoscesse, ma non le pareva. Non so perché l'abbia salvata. Addirittura aveva messo in scena tutta quella pantomima, per salvarla. Forse era uno che leggeva i suoi articoli. Forse era semplicemente uno di quelli che era stato obbligato dai serbi ad arruolarsi, ma non voleva farlo. Magari non aveva avuto la forza o la possibilità di fuggire, e adesso sperava che almeno mia madre ce la facesse. Non so."

Un gemito del legno sulle piastrelle di cotto e Danilo le fu di fianco. Nada era tentata di toccarlo, di schiacciargli ancora il naso sul petto, e nello stesso tempo aveva voglia di frapporre uno spazio, come se l'esistenza di quel ragazzo nel mondo la rendesse vulnerabile.

Lui le prese lo strofinaccio e asciugò la teglia, e una per una tutte le stoviglie sullo scolatoio. Ogni volta che erano asciutte, lei le sistemava negli stipi. Una perfetta, taciturna organizzazione.

Non avevano ancora finito di mettere in ordine quando, dalla finestra chiusa, sentirono urlare il conto alla rovescia. Nada non si fermò ad attendere, afferrò la scopa per spazzare il pavimento. Danilo le andò incontro, impugnò il manico per bloccarla.

"Mia sorella balbetta da allora," disse.

Fuori gridarono a squarciagola buon anno.

sfreccia scivola precipita grida ridi frena stop, riparti, sfreccia scivola precipita curva sterza tieniti frena, frena, frena, bum, cappottato, quanto è soffice la neve sulla faccia, neve fresca, fronte gelida e tu ridi, ridi alla luce di gennaio, neve immacolata, e tu hai uno slittino e cinque amici, giornate vacanti da riempire di noia e invenzione, di latte in polvere, uova in polvere, palazzi in polvere, e nascondino in cantina, compleanni senza torte, pomeriggi fra le macerie in cerca di pezze per vestire a festa le bambole, mattine di cerbottane, notti di ninnenanne, "che impazziscano le stelle, che si spostino i monti", ti canti nella testa, e le palpebre si chiudono, "che si risveglino i vulcani, basta non ci sia la guerra"

alipašino polje, edifici socialisti, tutti color cemento, spuntano dalla neve come un grafico a barre sul quaderno di geografia, calcola l'area il perimetro il volume dei parallelepipedi in cui si ammassano le persone per non farsi mirare dai cecchini, calcola l'area delle strade ricoperte di neve, misurala con lo slittino, un colpo di reni e stai precipitando, quante volte puoi scivolare e risalire, conta, quante volte scivolare e ridere e frenare e gridare fra i palazzi, era bel tempo e siamo usciti, c'è la neve, mamma, non puoi proibirci di andare

"i grandi raccontano favole, ci spaventano," canti nella testa, anche adesso che corri, "feriscono i nostri sogni"

sei ragazzi a un chilometro dalle postazioni serbe, sali, parti, scivola scivola scivola bum, cappottato, bum, bum, cappottato, caduto, la neve è soffice, la fronte è gelida, per sempre gelida, la neve è rossa, lo slittino riverso in italia hanno detto candidiamoli al nobel per la pace, i bambini uccisi dalla guerra, pare uno scherzo, l'ennesimo oltraggio, candidateli a un premio che non potranno ritirare, perché no, candidateli, lo hanno vinto perché sono morti di guerra, che bell'esempio di pace

basta poco per vincere, basta soccombere, scivolare su uno slittino in un quartiere assediato, ridere come ragazzi in un giorno di sole invernale, a gennaio

dato che per la pace non fate nulla, ne lasciate la responsabilità ai nostri figli trucidati, ai frammenti dei nostri figli sparpagliati sulla neve

siamo stati noi a raccoglierli

il nobel per una cosa che non sapete quantificare, descrivere, una cosa astratta, un fatto solo nostro, "basta non ci sia la guerra", la maledizione di essere umani, mortali

di avere figli

di essere figli

25.

Erano ormai mesi che passavano il sabato con i signori P., tanto che Sen li chiamava già Mari e Matte: Omar no, usava ancora il lei e si rivolgeva loro il minimo necessario. Di solito aspettava in silenzio che il pomeriggio si consumasse, osservava il fratello che si lasciava scompigliare i capelli dalla donna, anche se era un sedicenne con la voce baritonale, e rideva alle battute dell'uomo, anche se erano tremende, rispondeva alle sue domande sulle partite domenicali, in che ruolo giochi? magari una volta veniamo a vederti. E ci erano andati, a quanto pare. Gli avevano pure regalato degli scarpini nuovi. Sembrava un'esibizione, l'entusiasmo di Sen, sembrava uno che spera di essere adottato.

Quel sabato di primavera i signori P. li avevano portati finalmente a Gardaland. Avevano chiesto alle suore il permesso di farli assentare da scuola per soddisfare un desiderio di Sen, che a Omar pareva fuori tempo massimo: loro due erano troppo grandi per andare alle giostre in compagnia di una coppia adulta. Si domandava perché il fratello non se ne vergognasse, lui che si lamentava dei vestiti della Caritas, sembro un contadino, diceva alle educatrici, neanche venisse da una famiglia tipo quella di Danilo, anziché da un orfanotrofio, lui che aveva insistito con le suore per non farsi tagliare i capelli dal barbiere che ogni tre mesi entrava in istituto, faceva sedere i maschi in fila l'uno di fianco all'altro nel salone e a turno li tosava come pecore, le teste identiche: il "taglio profugo bosniaco", lo chiamavano in classe di Omar.

Sen conosceva i nomi delle giostre come se a Gardaland

ci fosse già stato. Dovevano avergliene parlato i compagni, che partivano in treno a gruppi per fare una gita fra amici, e a volte lo invitavano, ma con le suore sarebbe stato inutile chiedere, non gli avrebbero mai dato il permesso di raggiungere un'altra città senza la supervisione di un adulto. In fondo, pensò Omar, suo fratello li stava sfruttando, quelli: erano l'unico modo che aveva per potersi vantare all'intervallo, anch'io sono salito sul Moonraker! Faceva quasi tenerezza, costringeva a perdonarlo.

Quando Sen montò disinvolto sulle montagne russe e la signora P. si avvicinò a Omar per domandare: "Te la senti?", lui si offese: "Non mi tratti come un ritardato". Lei sorrise, ma lo sforzo di stirare le labbra fu tale che parve una smorfia. Omar la riconobbe, gli ricordò sua madre.

Dopo che il padre li aveva abbandonati, lui le chiedeva di continuo, tornerà? Lei sorrideva con le sopracciglia spioventi, un reticolo di rughe ai lati del naso, e annuiva senza riuscire a parlare, le cascate in secca, la terra spaccata. Non era mai tornato, chissà dov'era adesso, se se l'era preso la guerra. Seduto accanto al fratello, Omar allacciò la cinghia con l'espressione afflitta della signora P. stampata nella retina; gli bucava il cuore, la pena di sua madre.

Il jet decollò in sordina – dall'alto le chiome degli alberi erano un'unica chiazza verde scuro – ma senza preavviso accelerò, e i passeggeri strillarono, mentre la locomotiva si capovolgeva e il sangue pressava la testa. Poi l'aria sgusciò fischiando, e il paesaggio ritornò al suo posto, i tetti arancione sotto il cielo, non il contrario. Omar cercò Sen, ma lui urlava infervorato, le dita aggrappate alla barra, i capelli fluttuanti: sedici anni di bambino che finalmente realizza un sogno.

Le gambe penzoloni sbatacchiate dalla velocità, l'immensità del vuoto sotto i piedi, la tortura degli avvitamenti e delle virate obbligarono Omar a strizzare gli occhi, ma c'era quella smorfia, impressa sotto le palpebre, il dispiacere di una sconosciuta che sbranava come il dolore di sua madre, ed era ingiusto – un tradimento.

Il jet si arrestò rinculando, Omar sbatté la schiena contro il sedile.

Fece appena in tempo a sganciare la cintura e scendere,

prima di vomitarsi sulle scarpe. Gliele avevano regalate le suore al compleanno. Le suore regalavano solo ciò di cui i ragazzi avevano bisogno, a volte lo tiravano fuori dai sacchi della beneficenza. Il primo Natale era stato così, niente era della misura giusta. Ma i bambini non ci avevano fatto caso, troppo stupiti di ricevere i doni la notte del 24 dicembre anziché a Capodanno, come succedeva a Sarajevo. In seguito, le suore avevano preteso che i sacchi della beneficenza non arrivassero a scuola, ma in istituto: per i ragazzi era mortificante riscuotere quella specie di elemosina davanti ai compagni italiani. Le scarpe spaiate che Omar aveva indossato il giorno della partenza, non era stato possibile riciclarle.

Mentre i conati lo sconquassavano, la signora P. accorse, gli poggiò una mano sulla fronte tirando indietro i capelli – ed era troppo materno, quel gesto, perché Omar lo accettasse.

In automobile verso l'istituto, tentò di attirare l'attenzione di Sen, che era seduto in mezzo, i gomiti poggiati sui sedili anteriori, per chiacchierare meglio con i coniugi P. Un calcetto sulla caviglia, un pizzicotto sul braccio, troppo lievi perché il fratello gli desse retta. Allora gli torse la pelle con forza maggiore e d'istinto lui sollevò il pugno per colpirlo, ma si trattenne – che ragazzo educato. Un figlio perfetto.

Lungo il viale, dopo aver salutato Mari con un bacio sulla guancia e Matte con una stretta di mano, disse: "Hai quattordici anni e ti comporti come un bambino dell'asilo".

"E tu pari un cane che scodinzola, pari Čupko."

"Ancora pensi a Čupko?"

"Che te ne frega di piacere a quelli? Vuoi restare qui? Non vuoi tornare al tuo Paese?"

"No che non voglio."

Omar lo spintonò.

"Non possono trattenerci, è sequestro di persona."

Sen rise: "Ma che scemenze dici?".

"Io voglio tornare a casa mia, questa non è casa mia."

"Io invece non voglio più mangiare merda, non voglio più stare in un orfanotrofio. Non voglio più essere considerato feccia. Voglio una vita normale. Voglio giocare in una squadra di calcio, andare al cinema con gli amici, offrire da bere a una ragazza, comprarmi i 501 e dormire in una stanza tutta mia."

"Secondo te qui qualcuno ti considererà mai normale?"

"Dipende da come ti comporti: se mi comporto come te, ovvio che no."

"Sei ridicolo," urlò Omar. "Tu sei uno straniero, un poveraccio."

Sen aumentò il passo.

"Nessuno ti considererà mai normale, in Italia."

Il fratello aveva smesso di ascoltarlo, camminava imperterrito.

"Dove vai?" Omar si lanciò su di lui, si aggrappò alla sua schiena, ma Sen si scosse fino a farlo cadere.

Non si fermò neppure per aiutarlo a rialzarsi. Proseguì per la sua strada, probabilmente contento di essersi scrollato la propria storia di dosso.

26.

Nada non si sedeva mai in fondo, sull'autobus. Era la zona occupata dagli studenti e dalle studentesse delle superiori o dalle ragazze delle medie che venivano invitate: i più grandi, quelli del quarto o quinto anno, che si erano accaparrati fin da settembre l'ultima fila sotto il lunotto posteriore, le chiamavano scuotendo un braccio, e loro accorrevano. Sopportavano scherzi di ogni tipo: che una scarpa venisse loro sfilata e scagliata in direzione dell'autista – per recuperarla attraversavano il corridoio saltellando su un piede, davanti agli occhi dei passeggeri adulti, infastiditi dal putiferio quotidiano – o che un ragazzo si accomodasse sulle loro cosce e rifiutasse di alzarsi anche se dovevano scendere, bloccandole a bordo fino alla fermata successiva.

Lei non capiva quel bisogno di cercare l'attenzione dei maschi a tutti i costi, neanche le autorizzasse a esistere, neanche garantisse un certificato di adeguatezza capace di scongiurare lo stigma dell'esclusione. Ma forse era solo perché nessuno dei ragazzi più grandi le aveva mai detto vieni, ti ho tenuto il posto: se lo avesse fatto, chissà, magari avrebbe sobillato in lei la stessa dipendenza.

Si vergognava all'idea di avere quindici anni e, per colpa di suor Nanetta, dover prendere ancora la licenza media – già era difficile essere la più alta della classe, più alta anche di alcuni maschi: spesso li sorprendeva a fissarle il petto con incredulità, i lobi arrossati da un licenzioso pudore che scatenava risolini. Una volta una professoressa le aveva chiesto se fosse stata una bomba a tranciarle il dito. A Nada era parsa invadente; le aveva risposto di sì. Colpa di una granata caduta sull'orfanotrofio, aveva mentito. La voce si era diffusa in tutta la scuola. Lei era una superstite, e il semplice fatto di non essere morta l'aveva trasformata in un'eroina. Ma solo per qualche giorno.

Sull'autobus Omar non c'era quasi mai: era stato iscritto alla sezione con il rientro pomeridiano, così tre volte a settimana mangiava a mensa e restava a scuola fino alle cinque; Nada tornava in istituto da sola. Poggiava la tempia contro il finestrino e questo gesto le ricordava Danilo, pure se le cuffie alle orecchie lei non le aveva. Chissà se lui teneva il posto a qualcuna, sulla corriera verso Rimini.

Il bus passò sotto l'ultimo cavalcavia e Nada si preparò per scendere: già si intravedevano i rami fioriti del giardino e la facciata color ocra del San Lorenzo. L'autista rallentò; traballando sui piedi per mantenere l'equilibrio, Nada percorse con lo sguardo il muro di recinzione che anche oggi le avrebbe interdetto il mondo esterno.

La pensilina sorgeva davanti alla quarta delle grate in ferro battuto che consentivano a chi camminava sul marciapiede di spiare i ragazzi senza famiglia allevati dalle suore, intenti a giocare a pallone o a chiacchierare nel perimetro loro accordato. I primi mesi Nada temeva che qualcuno infilasse la mano per allungare del cibo, come si fa con certi animali esotici – o forse lo desiderava, ed era questo a provocarle rabbia. Essere osservata in quello spazio da cui non poteva uscire ogni volta che le pareva la relegava in una posizione di inferiorità.

Sotto la pensilina un uomo sedeva a testa bassa sulla panca, una coppola di lana nonostante la temperatura; di solito non c'era mai nessuno a quell'ora, la gente stava ancora mangiando oppure si concedeva un fugace pisolino.

Per la frenata i viaggiatori in piedi retrocedettero di un passo, poi Nada si aggrappò al corrimano e, in fila dietro gli altri ragazzi dell'istituto, scese. L'uomo rimase a testa bassa sulla panchina, non si mosse: forse dormiva, forse era un clochard che si stava riposando da una marcia senza meta. Nada sollevò una bretella dello zaino perché la spalla destra le pizzicava un po', e seguì gli altri con la consueta indolenza che la faceva restare in coda, a metri da loro, l'ultima a superare il cancello. Il sole a picco era un atto d'accusa, la primavera la metteva in disparte.

Da dietro, un braccio la ghermì, le cinse la vita spezzandole il respiro.

Nada sbatté la schiena contro un corpo massiccio e caldo – il battito si incagliò, le natiche formicolarono. Neppure ebbe il tempo di gridare: una mano le toccò la guancia.

L'odore di quella pelle inattesa le inumidì gli occhi.

"*Sestro moja*," le sussurrò l'uomo all'orecchio, allentando la stretta.

Il sangue straripò dalle arterie e Nada si volse. Tastò il viso dell'uomo con la determinazione di un cieco.

"*Brate moj*," esalò, gettandosi al collo di suo fratello.

27.

Suor direttrice si era fidata più della commozione di Nada che del permesso di soggiorno con cui Ivo aveva attestato la propria identità, espressa in un italiano pericolante. Aveva lasciato loro il proprio ufficio perché stessero da soli; non si parlavano da quattro anni, avevano bisogno di un luogo appartato e silenzioso.

"Non ti ho riconosciuta subito, eri una bambina e adesso..."

Ivo era diventato un uomo, ma i suoi lineamenti familiari avevano subito restituito a Nada la confidenza di quando abitavano insieme all'orfanotrofio. Lui, invece, sembrava si aspettasse che fosse cresciuta, ma in un modo teorico, astratto. E ora che scorgeva nel suo corpo l'intaglio dell'adolescenza, era a disagio. L'audacia con cui l'aveva maneggiato poco prima, con cui se n'era appropriato per instaurare un'immediata vicinanza, si era dissolta; seduto su una delle due poltrone davanti alla scrivania, il gomito poggiato sul legno chiaro, pareva già ricordarla come un errore.

"Dov'eri?" gli chiese Nada. Per l'agitazione stava in piedi, il suono della propria lingua nella voce del fratello la spaesava. Incorniciata dalla libreria, si sentì solida, radicata nelle gambe muscolose. Solo quella vena pulsante al centro della fronte la tradiva.

"Sono in Italia da un po'."

"E perché non sei venuto a prendermi?"

I suoi indumenti erano così dimessi, la lana della coppola così rovinata, che davvero Ivo sembrava un clochard: il pensiero le trafisse lo sterno. Nada si avvicinò, si inginocchiò davanti a lui, con le mani lo invitò a sollevare la testa, a guardarla.

"Da quanto hai lasciato Sarajevo?"

"Due anni."

Staccò le mani dal suo viso – due anni e non l'aveva mai cercata?

"Ascolta," disse Ivo. "Non ho fatto che pensare a te. Non sapevo dove fossi, come trovarti, come potevo saperlo? Non avevo soldi, e non sapevo muovermi, in questo Paese. E poi non volevo scombinare la tua vita, magari stavi meglio, adesso, lontana dal passato, lontana anche da me. Ho rimandato, ho lavorato, ho lavorato sempre, e senza che me ne accorgessi è trascorso troppo tempo."

"È assurdo."

"Ti ho pensata tutti i giorni."

"Come hai fatto a uscire?"

Si curvò su di lei, parve cadere in avanti.

"Ti racconto tutto," le afferrò le spalle. "Ti racconto tutto, ma tu non avercela con me."

Nada tirò indietro la schiena.

Ti ricordi, sorella, il cimitero ebraico? Ci andavamo a fumare: i randagi di Bjelave attraversavano i ponti sul fiume e venivano con noi, anche Čupko, il tuo preferito. Non te l'ho mai detto, non sono cose che si dicono a una sorella minore, ma da ragazzino sognavo di portarci una fidanzata, un giorno, di passeggiare mano nella mano con lei. Se avessi potuto scegliere il luogo del mio primo bacio, avrei voluto fosse il cimitero ebraico, anziché uno dei bagni dell'orfanotrofio, ma è andata così, e in fondo è andata bene, non ero il tipo da rimandare un'occasione soltanto perché lo scenario intorno non gli pareva romantico. Il cimitero ebraico è stato occupato dai cetnici: hanno usato le lapidi come difesa, le hanno scoperchiate, da lassù hanno sparato alla popolazione civile, e chissà se una volta, una sola, hanno ripensato al loro primo bacio.

Io ci pensavo spesso, mentre scavavo trincee. Ero contento fosse accaduto da un bel pezzo, pure se dentro un bagno, pure se con una ragazza che non era la mia, che distribuiva baci a tutti, mi pareva che ogni bacio scambiato con chiunque fosse valso la pena. Cosa vuoi, la guerra mi rendeva un po' nostalgico. Mi mancavano i corpi quando sono in pace. Quando non sono feriti, non spurgano pus, non puzzano. Quando hai voglia di accarezzarli e stringerli e annusarli, quando la loro vicinanza consola, non fa male né paura.

La notte, rannicchiati in quella fossa, eravamo gemelli contenuti da un unico utero, che prima o poi ci avrebbe espulsi per scagliarci verso la possibilità della morte, come fossimo tutti figli non amati. Tutti figli uguali a me.

Avevo trovato un amico, però, si chiamava Faruk. Dal principio della guerra era dimagrito cinque chili, ma era ancora in sovrappeso. Era di qualche anno più vecchio, aveva le guance paffute coperte dalla barba e i capelli elettrici, una raggiera di fili crespi attorno alla testa. Il suo aspetto buffo mi metteva di buonumore. E poi parlava sempre di cibo, dei piatti che avremmo mangiato per festeggiare la fine dell'assedio.

Era uno che ci credeva, non solo nella vittoria. Voleva difendere la città, quella in cui così tanti popoli, diceva, erano vissuti insieme per secoli. Credo nella comunità multiculturale bosniaca, ripeteva, le appartengo. Io rispondevo che non sentivo alcuna appartenenza, a niente, a nessuno. Da quando te ne eri andata tu, non c'era più nulla che fosse mio, a Sarajevo, nemmeno il mio corpo, arruolato per difendere qualcosa che mi aveva partorito e allevato ai margini. A quello stato di abbandono in cui eravamo finiti, io ero abituato da sempre. Faruk non capiva, la mia famiglia sarà la tua famiglia, mi diceva, vedrai: mia madre sa cucinare un *bosanski lonac* da paura, e si leccava le labbra.

Non avevo ancora ucciso nessuno, e gli chiedevo che cosa si provasse, ad avere un morto sulla coscienza. Sto difendendo la città in cui sono nato, rispondeva, e un'idea di libertà. Sì, ma che cosa si prova? Faruk succhiava una Jugoslavia sino al filtro, taceva, mi squadrava con gli occhi un po' stretti, forse per il fumo, forse perché non mi capiva. Insomma, gli dicevo, se la regola è non uccidere, allora vale sempre, se la vita umana è importante, allora lo è sempre: come posso uccidere per sopravvivere, come posso stabilire che la mia vita vale più di quella di un altro? Faruk spegneva la sigaretta schiacciandola con la punta dello scarpone, il ghiaccio si crepava sotto la suola. Se uno cerca di ucciderti, diceva, tu ti stai solo preservando. Sì, ma io non voglio vivere con questo peso. Non voglio vivere a scapito della vita di un altro. A maggior ragione perché prima o poi morirò anch'io, tanto vale arrendersi.

Nel mezzo di questi miei discorsi, che lui chiamava vaneggiamenti, una volta mi chiese: non vuoi bene a nessuno? Pensai che volevo bene a te, sorella, ma come se ne vuole a qualcuno che non esiste più.

Puoi farlo per me?, domandò Faruk.

Cosa?

Cercare di sopravvivere.

Una nuvola offuscò la luce nella stanza e, intaccata dall'ombra, Nada fu pervasa da una smisurata tristezza.

"Aveva ragione," disse. "Adesso sei qui."

Ivo abbassò gli occhi. Ai lati, i capelli si diradavano leggermente, una stempiatura precoce.

"E ci sei andato?"

"Dove?"

"A mangiare il *bosanski lonac* a casa sua."

"Sì," Ivo sorrise. "È stata una giornata bellissima. Il gas non c'era, ma la gente cucinava all'aperto, sopra una griglia poggiata su due sassi, nel cortile del palazzo. Era riparata dai balconi o dai cornicioni, sembrava un picnic di quelli che si vedono nei film americani, tipo barbecue del 4 luglio."

"Esagerato!"

"La verdura, l'aveva piantata la madre di Faruk sul balcone. Nel *bosanski lonac* ci ha messo persino i funghi, che coltivava nello scantinato."

"Ma i funghi non ci vanno..."

"Era squisito."

Nada ebbe voglia di assaggiarlo. Non le era mai mancato il cibo della sua terra, le era mancato Ivo, Ivo e basta.

Ma l'esistenza stessa di quella terra la accoltellava.

"Poi c'erano i nipoti di Faruk, sono quattro. Lo sai che due di loro si sono inventati un giornalino? 'Cocco'."

La Bosnia, un buco nella pancia.

"'Cocco'?"

"Sì, perché in copertina c'è sempre una noce di Cocco che gioca a pallone, oppure srotola un annuncio o, correndo sui pattini a rotelle, consegna il giornale: il 'Cocco', appunto."

Nada imbastì una risata.

"Ci scrivevano sopra le notizie sulla città, per esempio se il gas era tornato, se nel weekend avevano fatto una festa usando una dinamo collegata a una bicicletta, da pedalare a turno, per alimentare l'elettricità per la musica, o che cosa avevano imparato alla Scuola Invernale Virtuale di Radio Zid... Oppure parlavano di un corso di buone maniere che una ragazza – che matta – aveva aperto nella città assediata. O raccontavano piccole storie quotidiane, come quella delle due donne che avevano litigato alla fila dell'acqua: accapigliandosi, si erano bagnate tutte. Faceva così freddo che l'acqua si era ghiacciata sui cappotti."

"Cioè, l'avevano sprecata?"

"Mentre sfogliavo il giornalino, Faruk si è preso i nipotini sulle ginocchia, un maschio e una femmina, i nomi non me li ricordo. Ha detto: la prossima volta che veniamo, Roger e io vi portiamo del cocco. Ma va', zio, e dove lo trovi? Lo trova Roger, ha detto lui. Vero, amico? Mi chiamavano Roger, al fronte."

Nada pensò a Danilo. "Sei riuscito a mantenere la promessa?"

"No." Ivo si sfregò un sopracciglio, si esplorò i palmi. Erano aridi.

Per qualche secondo osservarono entrambi il tappeto sul pavimento, Nada si ritrovò a memorizzarne il disegno. Poi disse: "E come lo stampavano, 'sto giornalino?".

"Con l'aiuto dell'Unprofor. Tipo un centinaio di copie. Però ogni copia era colorata a mano."

"Mi ci porti?"

"Dove?"

"A casa di Faruk, voglio conoscerlo anch'io."

Ivo si alzò dalla poltrona, si diresse alla finestra e la aprì, tuffò la testa nell'aria come se non riuscisse a respirare.

Nada non osò avvicinarsi. Aspettò in silenzio che dicesse qualcosa.

Dopo un po', dandole le spalle, Ivo parlò. "Sai cosa mi ha risposto la nipote di Faruk – poteva avere nove anni – quando le ho detto: Non vai mai a giocare fuori? Mi ha risposto: Sei pazzo? Se mi becca una granata, mia madre mi ammazza."

Rise da solo, poi si nascose il viso tra le mani.

La fiammella del cerino con cui una notte accese l'ultima Jugoslavia lo rese un bersaglio nel buio. Non morì subito. Agonizzò a lungo, le costole fracassate, la carne del petto maciullata. L'odore del sangue è fortissimo, te lo senti in gola. Non ebbe vergogna di piangere, di gridare, di implorare aiuto, era uno che voleva vivere a tutti i costi, e se fosse stato per me avrei scambiato la mia vita con la sua, non per generosità, ma perché ci tenevo poco.

Una notte intera di gemiti e spasmi e deliri, poi Faruk mi afferrò il braccio, era l'alba. È il momento, disse, con un filo di voce. Non capii. È l'ora del tuo primo morto. Mi divincolai, volevo scappare, sparire. Vaneggi, dissi. Ti chiedo di avere pietà, disse, non ne posso più. Per favore, finiscimi.

Ti cureranno, ce la farai.

Lo sai che non posso salvarmi.

Sì che puoi, dobbiamo mangiare insieme il *bosanski lonac* di tua madre, non mi accontento di un solo invito a pranzo, mi hai detto che la tua famiglia è la mia.

Te lo farai preparare di nuovo, e abbraccerai mamma per me, ma ora abbi pietà. Con la mano tastò il terreno finché non intercettò il fucile, lo sollevò, il braccio tremava.

Non posso.

Ascolta, è la cosa giusta: non lo stai facendo per salvare la tua vita, ma per darmi requie. Non è sopraffazione, è pietà. Questo almeno riesci ad accettarlo?

L'alba splendé sulla canna del fucile, sul manto di foglie bagnate, sulle impronte dei nostri stivali, ma nessun usignolo cantò.

Il primo essere umano che ho ucciso era il mio migliore amico. Aveva qualche chilo di troppo e un'aureola di capelli che schizzavano da tutte le parti.

Lo sparo mi fece rinculare e mi cadde il fucile. Il corpo di

Faruk si arrestò in un fermo immagine. Io gettai la testa sul suo petto e da allora ho nelle narici l'odore del suo sangue.

Nada sfiorò la schiena di Ivo con cautela; lui non si allontanò, così lei prese coraggio e gli si fece vicina, lo avvolse finché non aderirono. Poggiò la guancia sul cappotto liso.

"Sei andato a trovarla?"

"No. Non posso dirle che ho ammazzato suo figlio."

"Non sei stato tu."

Ivo sospirò, si sciolse dall'abbraccio. Chiuse la finestra.

Lentamente, tornò a sedersi. Nada si sedette accanto a lui.

I palmi sui jeans erano umidi, li strofinò sulle cosce.

"Ti trovi bene qui?" disse lui, come volesse ricominciare la conversazione da capo.

Lei fece spallucce.

"Che scuola frequenti?"

"La terza media."

"E sei brava?"

"Insomma."

"Non hai dimenticato la tua lingua."

"Sapevo che prima o poi l'avrei riparlata con te."

Ivo sorrise. "Sei bella."

Nada si stupì.

"Come lei. Le somigli tanto, le somigliavi anche da piccola, me l'hai sempre ricordata."

"Non me l'avevi mai detto."

Lui tirò fuori dalla tasca un portachiavi.

"Cos'è?"

"Ma come? È Vučko!"

Sulla targhetta di metallo smaltato era inciso un lupo che sciava, con sotto la scritta: *Sarajevo 1984.*

Nada non sapeva che farsene, però le piaceva che suo fratello le avesse portato un regalo.

"Te lo manda nostra madre."

28.

Era stato previsto uno scambio. I cetnici avrebbero liberato un gruppo di donne sequestrate e loro avrebbero consegnato un manipolo di prigionieri. Ivo e la sua brigata arrivarono con un autobus sul quale c'erano i serbi catturati. Lui sapeva quel che avevano subìto: scariche elettriche ai testicoli e percosse con cavi d'acciaio, quelli delle linee dell'alta tensione distrutte. Le donne aspettavano in piedi assieme ai soldati in fondo alla salita, le più vecchie avevano fazzoletti stretti in testa, le più giovani, occhiaie e guance scavate, nelle iridi un rancore senza perdono. Alcune tenevano per mano bambine con i capelli arruffati, altre si reggevano la pancia gonfia di pochi mesi.

Non aveva il coraggio di guardarle in faccia, la vergogna per ciò che avevano passato gli schiacciava la nuca. Le donne iniziarono a correre, come per timore che l'autobus partisse senza caricarle a bordo. Una inciampò e finì al suolo. Ivo intervenne per aiutarla, tese la mano a quella massa di ricci biondi, e quando la donna sollevò la testa la riconobbe: un balzo del cuore, uno spavento.

Lei non notò nulla, si aggrappò alla mano ringraziandolo, poi si sbatté la gonna. Mai avrebbe potuto immaginare chi fosse quel ragazzo alto e robusto, dopo due anni di guerra già stempiato, nonostante l'età. Che cosa avrebbe dovuto rivelarglielo? Il tocco della pelle sulla sua avrebbe dovuto innescare una reminiscenza? Di occhi banalmente castani quanti ne aveva fissati, prima di allora? Non erano celesti come i suoi, non c'erano in quel mento appuntito, in quelle sopracciglia spesse, tracce del bambino che aveva abbandonato. Il neo sulla guancia, forse. No, anche quello era cambiato, la macchiolina scura di quand'era piccolo si era dilatata.

"Ci siamo già incontrati?" gli chiese, accorgendosi che la frugava con lo sguardo.

Ivo si allontanò, ma dopo, sull'autobus, continuò a girarsi per cercarla. Non era invecchiata. Aveva i capelli ancora lucidi, folti.

L'incursione ossessiva del suo sguardo pareva disturbarla: si muoveva sul sedile come se non trovasse una posizione comoda, gli opponeva un'espressione dura, sfidante. Non ne poteva più, lei, della smania di sopraffazione degli uomini, del bisogno di rivendicare il potere attraverso il sesso, dell'abitudine di scoparsi le donne per degradarle, per vendicarsi dei nemici. O almeno fu quel che Ivo pensò.

Tentò di controllarsi.

"Ti piace la carne frolla, eh?" un compagno gli diede di gomito. Ivo represse un conato. Era dalla morte di Faruk che non piangeva, e adesso tratteneva a stento le lacrime. Aveva ucciso, dormito in baracche di legno che conficcavano a tradimento schegge nei polpastrelli, la tumescenza pulsante del pollice, si era masturbato di notte dietro la tenda logora della latrina, riuscendo a eccitarsi nonostante il miasma organico; dopo, contemplava le stelle. Aveva fatto la guerra, e al suo amico non avrebbe saputo dire perché.

Quando scesero, si impose di non guardarla più, di separarsene, dimenticarsi di averla incontrata, era stato una vita senza di lei e non l'aveva rimpianta. Lui era la prova che si può vivere senza una madre e un padre, che si può crescere senza un consiglio, uno sprone, un abbraccio di conforto: non si muore mica, non si diventa più deboli né più forti, siamo tutti scagliati nel mondo verso la possibilità della morte – è all'origine del creato, la mancanza d'amore.

Le donne si allontanarono lente, quasi avessero smarrito la strada di casa, o temessero di non trovarla più, una casa. E se anche i muri fossero stati integri, allora era probabile che le stanze fossero state saccheggiate. Le bambine si impuntavano, non volevano avanzare: erano stanche, dicevano, di tutto. Le donne incinte toccavano il ventre di cui avrebbero dovuto render conto. Ivo guardò quella schiera di femmine come si guarda una mandria in attesa che attraversi la strada e ci faccia passare, senza concentrarsi su una in particolare. Ma la forza d'attrazione era irresistibile: di nuovo, si ritrovò a setacciare la folla per individuarla.

Lei si stava sistemando i capelli con le dita, e dopo averli scrollati si avviò.

Ivo non lo decise, eppure le corse dietro per fermarla.

"Mi spieghi che vuoi, ragazzino?" Celesti, i suoi occhi, identici a quelli di Nada.

"Per te dev'essere stato più semplice, vero?"

"Che significa?"

"Che c'eri abituata. Se ti avessero pagato, ci saresti rimasta. Sempre meglio della strada."

Lei arricciò il naso come un tic nervoso, due, tre volte.

"Dunque ci siamo già conosciuti, avevo ragione," rise di scherno. "Era la tua prima volta?" e gli carezzò uno zigomo.

Ivo si scostò. "No, ho giurato a me stesso che non sarei mai andato con una puttana."

"Buon per te," disse lei, e riprese a camminare.

"Come fai a non vergognarti di niente?"

La donna si girò, senza interrompere i passi: "Ma che cosa vuoi?".

Le altre li spiarono, nessuno dei compagni richiamò Ivo. Se ci fosse stato Faruk – forse lui l'avrebbe rimproverato.

Ivo la seguì. "Stavolta non ti ha messo incinta nessuno?"

"Chi vuoi che mi metta incinta a quarantatré anni," disse lei guardando avanti. Poi, come punta da una tardiva intuizione, si arrestò. Si volse.

"Quanti figli hai?" chiese Ivo.

Le donne si avvicinarono per farle scudo, ma con un gesto lei le invitò a lasciar stare.

"Non ho altri figli, a parte te e Nada," rispose. Un tic del naso, ancora.

Ivo corrugò ogni centimetro del viso per non piangere. Aveva voglia di picchiarla. Se solo fosse morto lui, al posto di Faruk.

"Come stai?" disse sua madre. "E dov'è tua sorella?"

"Che ti importa?"

Un ciuffo le cadde su un occhio, non lo spostò. Aveva ridotto i movimenti al minimo, per non urtarlo. Quasi lo ritenesse pericoloso.

Le donne restarono in ascolto; solo un paio, che avevano perso tutto, perfino la curiosità, si erano avviate. I soldati chiamarono: “Drakulić, ti sbrighi?”.

“Mi importa,” disse la madre. “Come stai?”

La furia era un dolore alle corde vocali. Non si poteva espellere se non piangendo, picchiando. Quella furia fermentava in lui da anni, da sempre, e sfiancato dallo sforzo di dominarla Ivo cadde in ginocchio.

“Ho ucciso il mio migliore amico,” disse, e sprofondò il volto nella terra.

29.

Le faceva visita quando poteva: l'appartamento in cui abitava era quello dei nonni. Daša se n'era andata di casa quand'era ancora una ragazza, e qualche volta citofonava nella notte dicendo prendete almeno il bambino, tenetelo un po' con voi. I nonni cedevano ritrosi, più per senso del dovere che per affetto. Lui ricordava il vaso di gerani sopra il davanzale della finestra che si affacciava sull'angusto cortile di cemento – il rosso, una fitta agli occhi nella luce che sbiadiva i contorni della nonna ai fornelli – e la vestaglia marrone che il nonno indossava aperta, la cinta a penzolare sui fianchi. Poi Daša tornava, sempre di notte, saliva le scale di corsa, era spettinata, il trucco sbavato, diceva mi manca mio figlio, non potete tenermelo lontano, così forte che lo svegliava, lo strappava al caldo del letto, e nonostante le resistenze dei nonni lo portava via con sé. Dormivano in strada, accoccolati sui cartoni. Quell'esposizione del sonno in mezzo a una via calpestata da tutti era per Ivo una vertigine. All'inizio infervorava i suoi cinque anni. Dopo, era stato solo freddo, e scomodità, e sporco da grattarsi le caviglie. La madre lo restituiva ai nonni, e lui non la vedeva per mesi. A un certo punto, in una vecchia culla riesumata da una cantina, era comparsa una neonata. La peluria bionda, quasi bianca, sulla testolina screpolata, la pelle candida a chiazze rossastre. Non aveva neppure un dente, ma tutte e dieci le dita. Sua sorella, dicevano i nonni. Da allora, Daša non lo aveva più ripreso con sé.

Non si erano mai capacitati, i nonni, di avere una figlia randagia, alcolizzata, una figlia sulla bocca di tutti. Ivo ignorava che fossero morti, ma ora Daša gli parlava di loro, perché non avevano molto da dirsi, lui e lei, e rievocare il passato era un modo per occupare il tempo insieme, o forse per trasmettergli un'eredità. Lei aveva abbandonato la strada: senza figli a carico, senza genitori, aveva lavorato da casa. Non beveva più, aveva un tetto sopra la testa, eppure non le era venuto in mente di cambiare lavoro. E nemmeno le era parso, accogliendo gli uomini in quella che era stata la casa di famiglia, di profanare la memoria di chi l'aveva generata. Con pragmatismo aveva accettato un'esistenza routinaria, senza scosse; riceveva gli stessi affezionati clienti di sempre, se uno moriva partecipava al funerale e piangeva con sincera afflizione, se i figli di un altro si laureavano ne era fiera, non si sentiva diversa dal medico o dal barbiere cui un uomo si rivolge per tutta la vita. Appagava un loro bisogno, per questo instauravano un rapporto duraturo. Senza pudore lo spiegava a lui, che domandava morboso.

Mangiavano assieme il pollo alla King dei pacchi umanitari, poi lei fumava le sigarette che lui le aveva procurato, e si chiedevano che cosa facesse Nada in Italia: non sempre, solo a volte. Non appena cominciavano i bombardamenti, loro scendevano nelle cantine del palazzo, oppure si ficcavano nel ripostiglio, in piedi, le schiene addossate agli scaffali ormai vuoti. Nel buio, respirare l'alito, il sudore della madre, era per Ivo insostenibile.

Quando stava così vicino al suo corpo, la odiava come si odia un nemico. Finalmente capiva Faruk, la determinazione a uccidere per difendere sé stessi, quel desiderio che al fronte non era scaturito. Avrebbe voluto ucciderla, sua madre, per difendersi dal dolore di esserne il figlio. Avrebbe voluto torturare quel corpo che tanti uomini aveva fatto godere, quel corpo senza riserbo. In quanti, guardando la propria madre, pensano al suo buco tra le cosce? Gli faceva questo, lei. Lo obbligava a questo. Non provava pena per quella donna sottomessa da decenni alla foia maschile, voleva schiaffeggiarla. Perché lei non gli consentiva di dimenticarne il sesso, la femminilità, la capacità di dare piacere, perché il luogo dal quale lui era passato per venire al mondo era stato oltraggiato da troppa gente. Quando era così vicino al suo corpo, Ivo temeva di perderlo di nuovo, e ne sentiva già la mancanza, le articolazioni si infiammavano, le fibre muscolari.

Può dare assuefazione, l'intimità.

Forse per questo un giorno le parlò di Faruk, dell'odore ferroso che intaccava ancora le narici. Daša ascoltò in silenzio, non lo abbracciò, e di questo Ivo le fu grato.

Quando arrivò da lei con la spalla bendata perché era stato ferito, la madre lo ospitò per l'intera convalescenza. Poi una mattina disse: "Devi lasciare Sarajevo, come tua sorella. Hai il diritto anche tu di salvarti".

"Sono un soldato," rispose Ivo, sistemandosi meglio sul cuscino. "Non mi hanno portato in Italia perché dovevo combattere qui."

"Hai combattuto abbastanza."

"Nessuna organizzazione umanitaria mi farebbe uscire, adesso. Non c'è modo di andarsene, altrimenti lo farebbero tutti."

"Conosco una persona," disse lei sedendosi sul letto. "Può aiutarti."

Lui rise aspro: "Chi era, un tuo habitué?".

"Che ti importa di chi è? È uno potente."

"Perché dovrebbe aiutarci?"

"Si è offerto di aiutare me."

"Ti deve un favore?"

"Gli sono stata vicina tutta la vita."

"Ma che cazzo dici?" Ivo rise ancora, un raschio in gola. "Ma chi eri: la moglie? L'amante? Ti rendi conto che sei soltanto una puttana? Da dove ti viene quest'assurda autostima?"

Daša si alzò. Aprì le tende per far passare un po' di luce. Neppure un geranio a interrompere il cemento.

"Puoi offendermi quanto ti pare, io voglio aiutarti."

"Se vuole far partire te, perché non te ne vai?"

"Perché preferisco che a salvarti sia tu."

"Non fare la parte della madre premurosa a scoppio ritardato."

"La vuoi rivedere, tua sorella, o no?"

"Sono un soldato, cazzo. Non posso andarmene, è proibito dalla legge, lo capisci?" Ivo si tirò addosso la coperta.
"Smettila di avere paura."

Arrivò mesi dopo la notizia che sarebbe dovuto partire entro due giorni: l'avrebbero spacciato per un membro della delegazione dei croati bosniaci diretta a Zagabria, sarebbero usciti attraverso il tunnel sotto l'aeroporto.

Non ci aveva affatto sperato, non si fidava di ciò che millantava sua madre. Invece era vero: qualcuno poteva elargire favori a una donna che non contava nulla, un'insignificante prostituta di mezz'età, per semplice benevolenza. Qualcuno nel mondo provava simpatia per lei come la si prova per qualunque essere umano. Ivo non l'aveva previsto, credeva lei potesse suscitare solo sentimenti di rabbia. Credeva che chiunque l'avrebbe scartata, sfruttata forse, ma mai presa in considerazione: a lui toccava farlo perché lei l'aveva partorito, e questa casualità vinceva su ogni repulsione. È un incidente, la parentela, eppure lo perseguitava, come se l'esser stato custodito dalla sua carne, l'esser sbocciato tra i suoi organi assorbendo il suo sangue, gli avesse inciso un marchio di appartenenza.

Nemmeno dovette assentire: Daša lo diede per scontato, liberandolo dalla scelta. Forse fu questa tacita imposizione il suo primo gesto materno.

Quando Ivo scoprì che la sua brigata si sarebbe trovata nel tunnel proprio la sera in cui era prevista la partenza della delegazione, addirittura allo stesso orario, per accogliere un carico di medicinali, pensò a un segno.

Daša insisté: "Non puoi rinunciare".

"Ma che cos'hai nel cervello?" le gridò in faccia, così forte che lei arricciò il naso. I capelli si scossero sul celeste degli occhi in allarme. "Secondo te, non solo diserto, ma lo faccio pure davanti ai miei commilitoni? E loro mi dicono: Prego, Drakulić, l'uscita è di là!"

Daša parve provare pietà per lui come se non fosse suo figlio.

"Vacci tu, non sprechiamo questa opportunità."

"Ormai è tuo il nome che compare."

"Figurati se non possono cambiarlo. Ti prego, vacci tu", Ivo le afferrò le spalle. "Perché dovrei salvarmi mentre gli altri muoiono?"

"Fortuna."

"È da vigliacchi. Come puoi spingermi a diventare un vigliacco?"

"Non sono una buona madre, ok. Sei soddisfatto?"

Ivo ritrasse le mani.

"Non puoi essere orgogliosa di un figlio vigliacco."

"Dell'orgoglio non mi frega, mi basta solo che resti vivo."

La sciarpa sollevata fino al mento e una coppola rimediata da Daša, così come il cappotto – chissà a chi erano appartenuti, chissà se c'era stato un uomo con cui lei aveva progettato di condividere i suoi giorni. Avrebbe potuto procurarsi un paio di occhiali, forse, ma in quel travestimento non ci credeva neppure lui, gli pareva una farsa che sarebbe stata scoperta da un momento all'altro, si augurava fosse subito.

Non puoi avere così poca voglia di vivere, figlio mio, gli aveva detto la sera prima sua madre.

Non vi capisco, aveva replicato Ivo, con questa idea che voler vivere sia più logico o più sano che arrendersi alla morte. Non è più saggio lasciare che la morte ci prenda, dato che è inevitabile? A cosa serve tutta questa fatica per tentare di contrastarla, se prima o poi sarà lei a trionfare? Che battaglia è quella dove si sa già chi è il vincitore? Ad affannarsi, il perdente è ridicolo, e voi invece lo credete giusto.

Sei troppo giovane per ragionare così. Dev'essere colpa mia.

No, ragiono così perché sono intelligente. Anche se sono cresciuto in un orfanotrofio. Non ti aspettavi di avere un figlio intelligente?

Preferirei un figlio felice, aveva detto lei carezzandogli il mento.

Ivo aveva accolto il tocco morbido dei polpastrelli, il lieve solletico delle unghie, e aveva desiderato – non capiva perché, non capiva – baciare quella mano.

Nel bagaglio aveva messo le cassette doppiate dei Pink Floyd, anche se non aveva uno stereo per ascoltarle. Pazienza, quando fosse arrivato a destinazione, l'avrebbe comprato; Daša gli aveva dato dei soldi. Era tanto leggero che non gli pareva di partire per un lungo viaggio.

Chino, perché il tunnel era alto poco più di un metro e mezzo, seguiva l'uomo potente che era andato a letto con sua madre, e una guardia. Che cosa aveva trovato in lei, quel signore che calzava scarpe di vitello? In fila c'erano anche delle donne. Una teneva un neonato stretto al petto con una fascia di stoffa, per consolarne il pianto gli soffiava shhh sulla tempia, un'altra aveva una bendatura dalla fronte alla nuca, un po' allentata e sporca di sangue, e camminava piano, più di quanto il percorso non consentisse, aiutata da un militare incollato alla sua schiena.

La luce delle lampadine, appese una ogni quindici, venti passi, languiva, quasi l'aria viziata la soffocasse, o forse erano le bombe che cadevano nei dintorni a farla tremolare. Le torce rischiaravano convulse le fradicie pareti d'argilla; sarebbe sembrato il light show di un concerto rock, se i piedi non fossero affondati nel fango – si sarebbero rovinate, quelle scarpe di vitello – e se alle braccia non fosse stato impedito di aprirsi: il cunicolo, una camicia di forza. Ottocento metri di fiato trattenuto e occhi chiusi, è così intenso l'odore del fango, del sudore che bagna i corpi stremati dall'umidità, l'odore freddo del cuore della terra, l'odore del sangue rappreso sotto le garze, ancora e sempre, l'odore del sangue, non c'è modo di non respirarlo. Proseguire per venti minuti, mezz'ora, per quanto mio dio, la schiena curva, fitte ai lombi, la cervicale punge, si intorpidisce il collo, non pensare a nulla, cantarsi in testa una canzone, *And did you exchange a walk on part in the war for a lead role in a cage?*, abbandonare una madre dopo che lei ti ha abbandonato, ristabilire l'ordine naturale delle cose, quasi questo tradimento fosse un mezzo, l'unico, per diventare adulti – dove sei, Nada, sorella mia? Vorrei che fossi qui.

Ci rivediamo alla fine della guerra, aveva detto Ivo.

Sua madre non gli aveva risposto.

All'uscita del tunnel, soldati con sacchi di juta attendevano il turno per entrare. Ivo si paralizzò. Si abbassò la coppola sulla fronte, sollevò la sciarpa fin sopra il naso.

"Tutto bene?" gli chiese la guardia dell'uomo potente, girandosi.

Ivo aveva riconosciuto il primo della fila: era un suo commilitone, un serbo bosniaco che difendeva Sarajevo, mentre lui stava disertando. Se avesse risposto, il commilitone avrebbe potuto identificare la sua voce.

"Allora," ripeté la guardia, "tutto bene? Perché non esci?"

"Sì," soffiò Ivo e raccolse ogni forza per spingere una gamba davanti all'altra, gli parve di camminare nell'acqua. Una volta fuori, quasi non raddrizzò la schiena, per paura di essere visto in faccia. D'ora in poi, per la vergogna, avrebbe tenuto sempre lo sguardo basso? In un impeto di fierezza lo alzò. O forse era il segno di una resa. Incrociò gli occhi del compagno: erano fissi su di lui. Ecco, era accaduto. Aveva sperato che fosse subito, invece era successo all'uscita del tunnel. Era stato scoperto. Era finita. Avrebbe deluso sua madre.

Prese fiato, aprì la bocca – "Ti sei imbambolato?" lo ammonì la guardia, tornata indietro per fargli fretta. "Sbrigati, dài", e gli tolse la valigia di mano per infilarla nel bagagliaio.

Il buio era compatto, schiacciava lo sterno. Legate l'una dietro l'altra da una corda, tre capre sgomente, o solo annoiate.

"Andiamo," disse il commilitone, e si mosse.

Ivo fu costretto a spostarsi per far passare i soldati in fila. Senza neppure un saluto a quello che era stato un suo compagno, a gente che apparteneva alla sua brigata, salì sulla jeep, dove gli altri si erano già accomodati. Lasciando per la prima volta la città che lo aveva allevato, pensò che non si sceglie di chi essere figli.

Non c'è poi da stupirsi se intorno ai campi militari spuntano bordelli, i maschi sono maschi, non sono mica di legno, il sesso è uno sfogo e i bisogni fisici vanno soddisfatti, sono giovani, poco più che ragazzi, divorati dall'ansia delle bombe, abbrancati ai fucili, cercano una ninna-nanna fra le nostre gambe, ci toccherebbe cullarli come madri, invece noi opponiamo resistenza, è colpa nostra se poi ci fracassano il cranio a terra. Bastava starsene buone e zitte, il tempo di svuotarsi e ci avrebbero mollate. Al contrario ci ammazzano, ci interrano nella fossa comune di Visoko, ci gettano nella Bosna.

Al mercato nero di Srebrenica hai chiamato i caschi blu, amica mia, e ti sei inginocchiata. Il soldato dell'Onu ha aperto un foro nella rete di filo spinato e si è calato le braghe, quando ti sei alzata avevi il viso pieno di tagli. Eri consenziente. Ti servivano cibo, alcol, sigarette, del resto il bisogno alimenta il consenso. Come si fa a non scambiare la ribellione di certe per una schermaglia, per un preliminare? Questo è il mio fucile, gongolano i soldati di qualunque fazione, questa è la mia arma, e si afferrano il cavallo dei pantaloni, mira tra le gambe, mira: non gli si può chiedere di uccidere e poi sorprendersi se ci stuprano. Quando il nemico smette di essere umano, figuriamoci le nemiche. Meglio che sfoghino l'ostilità contro le donne anziché contro i propri ufficiali, dicono gli ufficiali.

Sono giovani, vanno sedati, calmati, cullati, anche se non li abbiamo partoriti, donna musulmana tutta insanguinata, gridano i serbi, e tacciono i caschi blu, neppure si voltano dall'altra parte, sono arbitri che contano i punti, non gli è permesso scendere in campo, non tifano per nessuno, donna musulmana tutta insanguinata, il serbo è stato il primo per lei.

La pensione era bianca con un salice davanti all'ingresso, sedie di plastica attorno a un tavolo, mi sarei aspettata un gelato da scartare, mi sarei aspettata la quiete. Sequestrate, rinchiuse, un bordello sopra un bunker di prigionieri bosgnacchi. Mentre laggiù gli uomini erano costretti a fare balletti e striptease, a succhiarselo a vicenda, noi eravamo prese con la forza. Il Kod Sonje era il ristorante preferito dei caschi blu, ci trovavano la tv satellitare, la rakija, *ci trovavano le ragazze. A turarsi il naso, persino una bosniaca poteva eccitarli, "smel like shit", avevano scritto gli olandesi sui muri di Srebrenica: e dimmi, amica mia, parlavano di te? "No teeth", avevano scritto, "a mustache, bosnian girl!" Ma qui eravamo a Vogošća, pochi chilometri da Sarajevo: davanti alla pensione un salice piangente e alle spalle le rovine dell'Europa. Aiutare le donne non fa parte del mandato, aveva detto l'Unprofor. Ma del mandato non fa parte neanche stuprarle. Il generale MacKenzie, una volta, era un eroe. Io ero una delle tante. Ero Andromaca, Ecuba, Cassandra, ero una delle Sabine. Ero minorenne.*

Tu l'hai mai fatto, l'amore, amica mia? Me lo immaginavo diverso. Com'è possibile siano identici, i gesti dell'amore e del sopruso?

L'uniforme garantisce l'anonimato, e loro non sono che ragazzi, cercano la ninna-nanna fra le nostre gambe. Bisognerebbe cucirle, le donne. Rifondare un mondo senza madri.

30.

Ivo volle salutare Sen e Omar, prima di congedarsi. I ragazzi erano impacciati, di certo non si aspettavano che un pezzo di Sarajevo irrompesse nella loro esistenza italiana, soprattutto Omar pareva turbato.

"E dove vai?" disse Sen, soppesandolo. Quell'abbigliamento da clochard doveva averlo impressionato. Sembrava aver perso ogni ammirazione per colui che una volta era il suo idolo. Sembrava stupirsi che lo fosse stato.

"Torno in Veneto."

"E cosa fai in Veneto?"

"L'operaio."

Ivo omise di raccontare come era finito lì, persino a Nada l'aveva solo accennato. Il cliente importante della madre possedeva una serie di aziende sparse per l'Europa, e tramite quella che stava in Veneto riusciva a far entrare clandestinamente armi in Bosnia. Era stato l'invito ufficiale da parte della medesima azienda a consentire a Ivo di trasferirsi in Italia.

"E quindi tu te ne andrai?" chiese Omar a Nada.

Lei guardò il fratello, che abbassò di nuovo gli occhi.

"Tranquillo", Sen diede a Omar un buffetto, "per ora non te la porta via nessuno."

Il suo amico le parve così gracile che Nada sentì l'impulso di allontanarsene.

In giardino, qualche giorno dopo, lui la raggiunse su una panchina. Lei stava scrivendo fitto su un foglio protocollo, di quelli che usavano per i temi in classe, poggiato su un quadernone sopra le gambe.

"Ti disturbo?"
Si affrettò a piegare il foglio e nasconderlo nel quadernone.
Quando Omar le sedette accanto, lei schiacciò con i palmi la copertina, quasi per assicurarsi che il protocollo non scivolasse fuori dalle pagine.
"Scrivevi a Danilo?"
Nada annuì.
"Una notte mi ha insegnato a nuotare. Non l'ho mai ringraziato."
"Non mi pare che tu abbia imparato benissimo," scherzò.
Dal Natale precedente la corrispondenza era diventata meno fitta, ma adesso doveva assolutamente raccontare a Danilo di Ivo. Non c'era più nessuna promessa da mantenere, Danilo non doveva più trovare suo fratello, e lo scioglimento di questo patto le infliggeva un maggiore attaccamento a lui, quasi potesse perderlo da un momento all'altro.
"Sono felice per te," disse Omar.
Nada poggiò una mano sulla sua. Immaginava che cosa lo avesse sconvolto, alla vista di Ivo. Il mondo che si erano lasciati indietro era riemerso di botto. Omar aveva cercato di soffocarlo, di ridurlo ai pensieri prima di addormentarsi, a qualche picco di nostalgia e a un desiderio costante ma latente, che scatenava solo a tratti diverbi con Sen. Davanti a Ivo, invece, i quattro anni nei quali non aveva più incontrato sua madre e il dubbio che potesse essere morta, anche se lui l'aveva sempre negato, lo avevano risvegliato con la violenza di un'ustione da quel torpore cui per necessità aveva ceduto. Corri, gli ordinava certe notti la voce di sua madre. Ma doveva essere sempre più lontana, affievolita.
"Dico sul serio. Sei finalmente serena?"
Nada annuì di nuovo.
Omar si alzò. "Vieni?"
Lei strinse il quadernone e lo seguì, camminarono fino alla nicchia della Madonna. Una punta di fastidio le pizzicò la gola.
"Devo dirti una cosa." Omar era serio.
Che ti aspetti, pensò Nada. Non ho nulla da darti.
"Domani ce ne andiamo."

Si tenne al quadernone per non cadere. La Vergine Maria sbalordì e lei ebbe voglia di sgualcirle quel suo visetto pulito.

"Andiamo in affido."

"Ma tu non volevi."

"Sen sì, e..."

"Cosa?"

"Non posso separarmi da mio fratello. Scusa."

Nada detestava la compassione. "Ma scusa di che?" Detestava che gli altri la considerassero bisognosa, lei sapeva fare a meno di loro, sapeva fare a meno di tutti.

Portami con te, aveva detto a Ivo. Non posso, aveva risposto lui. Abito con altri quattro operai in un bilocale dove c'è un unico bagno. Non ho abbastanza denaro per mantenerti. Lei si era chiesta quando fosse finita l'epoca in cui era sufficiente buttare un materasso sul pavimento e scampare alle bombe per sentirsi privilegiati.

"Ti avevo fatto una promessa," disse Omar.

Basta con questa storia delle promesse. Basta con il dare agli altri l'opportunità di illuderla, di tradirla, non doveva fidarsi di loro. Com'era stata ingenua. E quale presunzione nel credere che se Omar la accompagnava fino alla statua della Madonna fosse perché desiderava baciarla, mentre lei no. Si era sentita in vantaggio, e invece era lui che la stava abbandonando.

"Non me la ricordo," gli rispose.

Lasciò cadere il quadernone. Sulla copertina aveva incollato un'etichetta bianca con il proprio nome. In spagnolo significa *niente*, le diceva Ivo quand'erano a Sarajevo, si divertiva a prenderla in giro. La lettera per Danilo era scappata dalle pagine. Lei non la raccolse. Era Nada, era niente. Si stese a terra, Omar la imitò.

"Non sono sicuro che le suore lo tollererebbero," disse dopo qualche minuto, spezzando la tensione di quel silenzio. "Stesi come sulla spiaggia. O a letto."

L'allusione le crepitò sotto l'ombelico.

"Tanto, da domani non potranno più romperti le scatole."

Nada si mise una mano a visiera sugli occhi.

"Lo senti l'odore del sole?"

"Che ti inventi?"

"Resta sulla pelle, quando il sole ti arriva addosso. Senti, la pelle cambia odore", e gli offrì la mano.

Omar annusò. "Mi pare semplicemente odore di Nada."

Le afferrò le dita: erano quattro, e di spingergliele sotto il naso lei non aveva avuto vergogna.

"Ti avevo promesso che saremmo tornati assieme a Sarajevo. Ma lo faremo, appena divento maggiorenne."

Portami da lei, aveva detto Nada a Ivo. Voglio rivederla anch'io, quasi non me la ricordo. Hai più avuto sue notizie, la senti? Attraverso il suo cliente importante so che sta bene, aveva detto lui. E non le scrivi? No. Perché? Perché non siamo destinati a stare l'uno nella vita dell'altra. Ma che stupidaggini dici, Ivo, lei ti ha salvato. È nostra madre, e io voglio vederla. La guerra è finita, possiamo andare a trovarla. Glielo chiedi? Per favore, chiedile se posso andare a casa sua. Ivo non aveva promesso – almeno lui.

"Ci posso tornare anche da sola. E comunque ho un fratello." Non disse: ho una madre. Non voleva ferirlo. "Fai bene a seguire Sen. Questi signori mi paiono gentili."

Omar non commentò.

"Avrai una stanza tutta tua?"

"Sì."

"E c'è il giardino?"

"Un cortile."

"Insomma, per arrampicarti sugli alberi, dovrai tornare qui o no?"

"Io tornerò qui per te." Si strofinò la mano di Nada sulla guancia. A contatto con la sua pelle, lei percepì più netto il vuoto del dito mancante. Lui le strinse un polso, si sollevò appena per guardarla negli occhi, come volesse baciarla.

"Verrai a farci visita la domenica con gli anziani? Porterai la merenda? Fate la carità ai poveri orfanelli!"

Omar cambiò espressione, le liberò il polso. E in quell'istante Nada sentì la rabbia stemperarsi.

Al suo posto, una paura senza oggetto, che le fece formicolare le natiche.

31.

Matte li accompagnava a scuola in macchina tutte le mattine. Seduto davanti, Sen chiacchierava per l'intero tragitto. Infilava cassette nell'autoradio, pa', senti questa, dimmi se non spacca. In effetti, le orecchie le spacca, scherzava Matte. Sabato suonano al Leoncavallo a Milano, ti prego, lasciami andare. Non se ne parla nemmeno, è ancora presto per te, poi sabato avete dottrina, e si girava a cercare Omar, stravaccato sul sedile posteriore, muto come sempre.

Non appena Sen scendeva – si entrava in classe un quarto d'ora prima, alle superiori – condividere l'abitacolo con Matte diventava fastidioso, Omar non sapeva mai che cosa dirgli, e soprattutto non ci pensava proprio, a chiamarlo pa'. Da quando ne aveva uno finto ripensava al suo, di padre. Non ne sentiva la mancanza. Ormai lo ricordava semplicemente come qualcuno che aveva partecipato alla sua nascita. Aveva nella sua storia lo stesso ruolo di un antenato conosciuto solo in foto, uno che ha contribuito a farti esistere ma per il quale non puoi nutrire affetto.

Ogni sabato frequentavano un'ora di catechismo tenuta dal sacerdote: soltanto lui e Sen, un favore concesso in virtù della devozione di Mari e Matte. I genitori affidatari avevano deciso che i fratelli dovessero essere battezzati. Avevano chiesto la loro opinione. Sen aveva accolto la proposta con entusiasmo. Non gliene importava niente della religione cattolica, ma gli piaceva l'idea di assomigliare il più possibile ai compagni di scuola, agli italiani. E poi ci sarebbe stata una festa, magari avrebbe potuto invitare una ragazza. Pochi cattolici assistono consapevolmente al proprio battesimo: davanti agli occhi delle sue amiche sarebbe parso un tipo speciale, uno che si fa domande profonde, uno sensibile, ecco. Omar invece non aveva detto nulla e loro l'avevano scambiato per un assenso.

Presto le lezioni con il sacerdote avevano iniziato a pesargli. Il sabato, nel tardo pomeriggio, mentre gli altri si dedicavano alle vasche in centro, lui progettava di passare in istituto a trovare Nada. Mari e Matte però avevano sempre impegni con gli amici della parrocchia, se lui non era di turno, e obbligavano i due figli in affido a partecipare. Sen sbuffava, però alla fine si divertiva: aveva fatto amicizia con altri ragazzi del gruppo – faceva amicizia con tutti. Assieme ai compagni di classe fumava, pure l'erba, assieme a quelli della parrocchia leggeva la parola di Dio, e non si considerava doppio, o falso: semplicemente adattabile.

Di notte, in camera da solo, Omar non riusciva a dormire. Non c'era nulla di sbagliato in Mari e Matte, ma lui non era in grado di amarli. Lo avevano ospitato in casa per non separarlo dal fratello, anche se era Sen che volevano, lui e basta, gli era chiaro. Premurosi, un po' apprensivi, lo indisponevano. Lei, che carezzava la testa di Sen e lo sbaciucchiava al risveglio o per dargli la buonanotte, aveva capito che con Omar doveva trattenersi, non gli piaceva esser toccato. Gli parlava con un tono placido, artificiale, quasi avesse a che fare con un pazzo o un neonato. A tavola aveva tentato di indovinare i suoi gusti, ma Omar continuava a non avere appetito. Gli avevano comprato una bicicletta, il giorno che avevano regalato lo scooter a Sen: non lontano da casa cominciava la campagna, e pedalare gli avrebbe fatto bene, secondo Matte, gli avrebbe aperto lo stomaco. La bici era intonsa nel garage.

Lo avevano invitato a farsi il segno della croce a ogni pasto e si accertavano che recitasse le preghiere prima di addormentarsi. Tanto, lui non si addormentava. Restava vigile fra le lenzuola, come se oltre la soglia del sonno lo attendesse una minaccia che non sapeva decifrare. Certe volte le palpebre si socchiudevano, e brandelli di voci gli fluttuavano in testa, mutevoli figure si componevano e scomponevano nel buio, un preludio dei sogni. Omar provava a farsi trascinare, ad affondare nel sopore, ma un sussulto cardiaco lo svegliava di colpo. Ai genitori affidatari non lo diceva. Rollati una canna, aveva suggerito Sen, e gli aveva lasciato in camera una pallina di fumo. Però vedi di non farti beccare. Omar aveva nascosto quei pochi grammi color cacao in un cassetto della scrivania che non apriva mai.

Non c'era nulla di sbagliato in Mari e Matte, ma Mari non era sua madre e sua madre lui non poteva tradirla – anche nel caso in cui fosse morta, avrebbe dovuto onorarne la memoria. Era Omar, quello sbagliato.

Ogni dieci giorni circa – poteva usare il telefono soltanto la sera e per pochi minuti, altrimenti sarebbe arrivata una bolletta troppo cara – chiamava Nada al San Lorenzo. L'apparecchio era poggiato su un mobile nel corridoio, tutti potevano udire la conversazione, per questo parlava a voce così bassa che sembrava telefonarle controvoglia. Lei rispondeva dalla stanza di suor Direttrice, in sua presenza, e quindi era fredda, laconica. Quelle telefonate lo deprimevano.

L'ultima volta gli aveva chiesto di aiutarla a studiare: lui era l'unico al quale non si sarebbe vergognata di ripetere la tesina che stava preparando per l'esame attingendo a ciascuna materia, tranne matematica, perché non le era venuto in mente alcun collegamento.

"Sabato non posso andare al catechismo."

"E perché mai?" chiese Matte.

Gli scooter sfrecciavano truccati, un rombo tracotante che faceva vibrare i finestrini.

"Vado da Nada."

"A proposito, ha visto qualche famiglia?"

"Che c'entra?"

"Mi ha detto suor Direttrice che ha un carattere un po' difficile."

"Tu non la conosci proprio."

"Ma infatti l'ha detto suor Direttrice, mica io. Non scaldarti. A te piace, mi sa", Matte sorrise nello specchietto retrovisore.

Omar non ricambiò. La collera esordì con un pizzicore ai polpastrelli.

"Senti, il don si offenderà."

“Ci va Sen, che è pure un discepolo più bravo di me.”
“Non essere impertinente.”
Matte spinse stop e si sintonizzò su Radio Maria. Il conduttore stava leggendo dalle Sacre Scritture. “*Figli*,” declamò, “*obbedite ai vostri genitori nel Signore, perché questo è giusto*”, e Omar disse: “Ma è una congiura!”.
Matte rise. “Devo accompagnarti?”
“Prendo la bici,” disse Omar per farlo contento.
Lui ascoltò la lettura in silenzio, poi, quando fu conclusa: “Va bene, Nada sia”.

Sabato il marito era di turno e Mari ricordò a Omar che il catechismo era troppo importante, bisognava prendere il sacramento del battesimo sul serio, giacché lo aveva scelto e non gli era stato conferito per prassi, senza che ne avesse coscienza.
“Io non ho scelto un bel niente. Sei tu che vuoi impormi la tua fede.”
“Ve lo abbiamo chiesto, e non ti sei opposto. Come faccio a sapere quello che pensi, se non lo dici?”
“Farlo o non farlo mi è indifferente, basta che non mi state col fiato sul collo.”
“Se ti è indifferente, non farlo.”
“Ok, allora non mi serve più il catechismo. Posso andare da Nada.”
“Io non ti sto col fiato sul collo. Mi comporto con te come con tuo fratello.” Lo chiamò: “Sen! Sen, per caso ti sto col fiato sul collo?”.
Lui arrivò strascicando i piedi nudi. “Ma’, lascialo perdere.”
“Eccolo, il leccaculo.”
“Omar, non usare certe parole. Cosa c’è che non va?”
“Per esempio, che non mi lasci andare da Nada.”
“Perché sei tanto strafottente?” Il tono artificiale dissolto – era ora.
“Mi imponi la tua volontà e vuoi pure che ti dica che non è così.”
“Adesso basta. Facciamo di tutto per te, e non va mai be-

ne, sei sempre nervoso, hai sempre quella faccia cupa, non spiccichi una parola manco a pagarti, io non ne posso più."

Sen non lo difese né diede ragione a Mari. Era il suo metodo: andare d'accordo con tutti.

"Nada mi sta aspettando."

"Ma non te ne frega niente di quel che ho appena detto?" Mari picchiò una mano sul tavolo.

Sen provò a placarla. "Dài, è solo innamorato di questa tizia fin da quando era bambino, non ce l'ha con te", ma lei era ormai agitata, si muoveva verso l'ingresso. "Parlo a vuoto! Non hai alcun rispetto, non hai," disse infilandosi la giacca. "E quindi adesso te lo insegno io, il rispetto. Fai come ti dico, e vai al catechismo. È per il tuo bene, e un giorno mi ringrazierai."

"Io non vado da nessuna parte," sancì Omar.

Sen gli prese un braccio: "Su, calmati, adesso le passa".

"Mi hai rotto i coglioni pure tu."

"Non usare certe parole in casa mia, ti ho detto!"

"Allora esco da casa tua, così le posso usare quanto voglio."

Omar si diresse alla porta, respirava in affanno.

"Dove vai?"

Sen lo seguì. "Omar, fermati."

"Dove vai?" ripeté Mari. "Tu non ti muovi da qui se non te lo dico io."

"Vaffanculo." Omar si sbatté la porta alle spalle.

Non andò da Nada e neppure la avvertì. La collera offuscava ogni altra emozione, ingrossava la barriera che lo separava dagli altri, più cresceva e più lui aveva la percezione di essere escluso. La collera guastava tutto, persino il desiderio di rivedere Nada.

Non era stato così, da bambino. Aveva obbedito. Aveva accettato, o rinunciato, la sua passività era un rifugio. Ma adesso il suo corpo espelleva rabbia come tossine.

Per quale motivo doveva abituarsi a un'esistenza che non voleva? Perché doveva sentirsi colpevole di non accogliere l'amore di due estranei? Lui non li amava, non voleva amarli.

Senza rendersene conto, si trovò a camminare in campagna. Uno strapiombo di cielo sulla pianura e file d'alberi simmetriche al punto da illudere potesse esserci un ordine sulla terra; insetti in volo, e odore di letame – la collera si diluì. Arrampicato su un ramo, Omar aspettò il tramonto.

Lo svegliò la voce di Sen. Era quasi buio, l'ora di cena doveva essere passata da un pezzo.

"Non sai da quanto ti cerchiamo."

Omar si sfregò gli occhi con il dorso delle mani. Per un attimo gli mancò suor Tormento – che assurdità.

"Scendo", e saltò giù. Non era adirato, né triste, né calmo. Non provava nulla, ed era inspiegabile.

Poco distanti, Matte e Mari. Lei si martoriava le dita. "Perdonami. Non volevo litigare. Ero così preoccupata."

Omar pensò che con Nada non manteneva neppure le promesse più semplici, come quella di aiutarla a studiare. Falliva sempre, ovvio che lei preferisse Danilo.

"Non vi siete capiti, dài, può capitare," disse Matte. "*E voi, padri, non esasperate i vostri figli*," recitò, "ricordi?"

Omar non ricordava.

"L'abbiamo ascoltato l'altra mattina in radio, mentre ti portavo a scuola."

"Lo dice Gesù?"

"È san Paolo. La lettera agli Efesini."

"Andiamo a casa," disse Mari. "Hai fame? Ti ho tenuto la pasta in caldo."

Essere generoso abbastanza da non impedirle di fare la madre. Essere caritatevole – con una madre. Una che non ti lascia in orfanotrofio, ma dall'orfanotrofio viene a prenderti. Una con le dita dei piedi tutte in asse, nemmeno un mignolino fuori posto. Una che vive con il suo uomo, non è stata abbandonata. E non odora di capelli non lavati, di stufa a legna anche in estate. Una che non canta *pati majka, udova ostala* per farti addormentare, perché, se tua madre ti dice che è rimasta vedova e ne soffre, tu diventi insonne. Una madre che non salta su una granata, una madre che non muore, cristo – non muore, quando hai ancora bisogno di lei.

"Grazie," disse Omar, e lo sommerse la pietà per quella madre disgraziata e innocente che l'aveva generato.

Mentre gli altri temono le bombe, il freddo, la fame, lei teme solo la fine dell'amore. È imminente, e l'ha già liberata da ogni altra paura. A guerra conclusa, niente più lo tratterrà, o sarà lei a dirgli va' via. È finita da tempo, il loro amore un malato terminale. Il mondo un'eco, una moviola, e i cecchini sbagliano mira. Non la centrano, non hanno pietà. Lo sai che un medico serbo asportava gli organi ai cadaveri e li conservava in celle frigo? E tu che pensi all'amore. Occhi arrugginiti. Lui non vuole più proteggerla. Alla fine della guerra se ne andrà. E alla fine della vita, poi, morirà. La sua morte non sarà più una questione che la riguarda. Lo è stata per così tanto tempo, per anni lei si è addormentata scongiurandola, ha spiato il suo respiro nel sonno, nella notte ha barattato con Dio qualunque cosa in cambio della sopravvivenza di lui, succedeva da prima della guerra. Invece un giorno lui morirà e la sua morte non sarà più qualcosa che la riguarda. Dopo le bombe i calcinacci le infezioni, dopo tutto questo. Hanno già stuprato migliaia di donne. Alcune sgozzate col filo di ferro, altre morte di emorragia. Vedrai che te la caverai, è solo la fine di un amore. Quanti ne ha uccisi, la guerra? Amori vittime della clausura dei desideri abortiti della diarrea dei sogni censurati dei ristoranti chiusi dei cinema in macerie della morte, che è più forte dell'amore. Lui ha abdicato a ogni patto, non ha più fede. Se sopravvive a questa guerra, da vecchio, lontano da lei, in un'altra casa, con altre persone al suo capezzale, da vecchio morirà. E non sarà (è assurdo, assurdo) una questione che la riguarda. Lo sai che a Brčko, in un'ex fabbrica di cemento, hanno gettato dei bambini dentro le macchine trituratrici? Erano vivi: puoi sentirli gridare? Riesci ancora a pensare all'amore, al tuo meschino orticello d'amore? Se lui saltasse su una granata, adesso, lei sarebbe vedova, un amore interrotto, non un amore finito. Ma vergognati. Questa vostra idea che morire sia peggio della fine di un amore. Vergognati. Che si debba vivere a ogni costo, pure senza l'amore. Vergogna. Occhi sabbiosi, il mondo una febbre. Migliaia di bambini sterminati dall'inizio della guerra. Lui non la vede, non la riconosce. Migliaia e migliaia di esseri umani torturati. Non ha più a cuore il suo destino. E i cecchini che sbagliano mira, non la centrano, la risparmiano. Di una come lei non si può avere pietà.

(Per chi le scrivo, queste pagine, io?)

32.

Le vacanze agli Aquiloni non erano le stesse, per Nada, senza i suoi amici.

Omar era partito con i genitori per un giro della Francia in automobile, Montpellier, Carcassonne, parco naturale dei Pirenei e Santuario di Lourdes. Andrai nella grotta della Madonnina?, l'aveva punzecchiato Nada. Io nelle grotte delle Madonnine ci vado solo con te, aveva risposto lui, tirandole un buffetto sul fianco.

L'orale era andato bene, la tesina sul Romanticismo le aveva permesso di parlare di Leopardi, di mostrare la riproduzione della *Zattera della Medusa* di Géricault che aveva fatto con i pastelli a matita e di suonare un notturno di Chopin. Anche il flauto era di seconda mano, come i suoi vestiti, e le era caduto così tante volte a terra che l'aveva dovuto incollare con il Super Attak: su certe note, le più alte, fischiava un po', ma i professori avevano applaudito lo stesso. L'avessero fatto per il disegno, avrebbe capito. Ma per l'esecuzione del brano, no: era stato come l'applauso all'aeroporto di Milano quattro anni prima, senza merito.

Aveva chiamato Omar per dirgli della promozione. Il sabato dell'appuntamento lo aveva atteso nell'atrio dell'istituto, era uscita in giardino, si era affacciata al cancello, poi era salita di sopra, si era chiusa in bagno e, seduta sulla tavoletta, aveva ripetuto il programma a memoria, senza farsi aiutare da nessuno. Gli ospiti del San Lorenzo potevano ricevere telefonate nell'ufficio di suor Direttrice, ma non chiamare: il giorno in cui a scuola avevano affisso i quadri, le sorelle avevano fatto un'eccezione per lei; persino suor Nanetta era orgogliosa, le sue preghiere erano state esaudite.

Sono scappato di casa, aveva biascicato Omar. Sì, ma sei tornato indietro anche stavolta, e mica ti seguiva un prete. Lui aveva riso. Se lo rifai, diventi ridicolo, aveva detto lei. La debolezza di Omar le generava un miscuglio di tenerezza e sdegno che ciclicamente la spingeva ad allontanarsi.

Nemmeno Danilo poteva passare a trovarla in colonia: ormai abitava a Rimini, proprio in città, con la madre e la sorella, e di pomeriggio andava al mare assieme a Jagoda, agli amici della scuola o del quartiere, e alla sua ragazza. Glielo aveva scritto come se niente fosse, come se la notizia potesse non scombussolarla: d'altronde, perché avrebbe dovuto? È un'italiana, aveva sottolineato. Aveva sempre invidiato la disinvoltura con cui Izet riusciva a conquistare le scout e le volontarie, pure quelle più grandi, Nada lo sapeva. Amoreggiare con le ragazze dell'istituto era semplice, a turno tutti avevano baciato tutte, un'unica squadra che si allena a coppie. Ecco perché a quegli approcci lui nemmeno accennava. Lei però se li immaginava: goffi, passeggeri, come accadeva al San Lorenzo – era accaduto persino a lei. Suscitare l'interesse di un'italiana invece significava partecipare a un altro campionato, giocare una partita vera. Ora che ce l'aveva fatta, che addirittura quella ragazza italiana si definiva sua da tre mesi, Danilo camminava per le strade di Rimini, per i corridoi dell'Itis, per le spiagge del lido con una sicurezza nuova.

Anche Vera era stata data in affido, due mesi prima. Nemmeno qualcuno con cui litigare, roba da consumarsi di caldo e di noia.

Lidia la coinvolgeva in ogni attività ricreativa, le aveva fatto disegnare i costumi per la recita, visto che non voleva interpretare alcun ruolo, le aveva insegnato a mettersi la matita scura sul bordo inferiore dell'occhio, le aveva comprato a una bancarella un paio di reggiseni a balconcino, colorati e col ferretto, per sostituire l'accollato triangolo di cotone bianco, ingrigito dalle lavatrici, che avviliva l'esuberanza delle sue forme. Avevano scelto le stoffe al mercato e cucito i costumi insieme, anche se Nada sbagliava sempre a regolare la tensione della bobina e il filo si aggrovigliava.

Spesso prendeva un album da disegno e si sedeva a riva, per esercitarsi nella copia dal vero: osservava i ragazzi correre o appisolarsi, giocare a biliardino o flirtare, le suore parlottare con il bagnino, una mano sopra gli occhi e i mocassini affondati nella sabbia, e le educatrici formare le squadre per la corsa con i sacchi – si chiedeva perché non facessero mai volare degli aquiloni. Se i figli erano aquiloni, come diceva la poesia di madre Teresa affissa nel salone, allora con gli aquiloni avrebbero dovuto giocarci, assistere allo spettacolo raggiante dei rombi che compongono un mosaico di colori nell'azzurro.

Nada provava a raffigurare le scene corali di cui era testimone organizzando lo spazio con una precisa geometria, come Géricault. Lidia si innamorò di quegli schizzi e decise di appenderli nel salone la sera della recita – che sarebbe stata il 14 agosto – con uno spago di nylon e le mollette, a mo' di bucato.

"Manca la tua firma," disse.

Nada scriveva il proprio nome sui disegni solo quando li regalava: in quel caso non erano diversi da una lettera. I bozzetti no, erano per lei e basta.

"Se facciamo la mostra, saranno di tutti. Vuoi vedere che li vendiamo? Quanto valgono, secondo te?"

"Non lo so," mormorò Nada. Non voleva che nessuno quantificasse il suo valore. Il rischio che fosse scarso la sminuiva a priori.

Ivo le fece visita la prima settimana d'agosto, quando cominciarono le sue ferie. Lidia aveva convinto la Madre superiora a riservargli una stanza: non ha mica i soldi per andare in villeggiatura, aveva detto, e poi così se ne sta un po' con la sorella. La Madre superiora si era spazzolata i capelli con le unghie, e alla fine aveva acconsentito.

Nuotavano assieme la mattina presto, prima che il lido si affollasse; dopo pranzo Ivo chiedeva in prestito a Lidia la macchina – aveva preso la patente in Italia – e scarrozzava Nada in giro per la città, a volte si inoltravano fino a Riccione, a Cesenatico, a San Marino. Nemmeno sembravano due orfani, li scambiavano per fidanzati in vacanza, intenti a leccare lo stesso cono ai gusti nocciola e fondente, a spalmarsi a vicenda pomate per lenire le scottature.

Allo scadere della settimana Nada strinse Vučko in tasca e pose la domanda che aleggiava da giorni. Aveva atteso che Ivo tirasse fuori il discorso ma, poiché non lo aveva fatto, decise che toccava a lei. Dopo aver cenato con un panino, seduti sotto il faro, stavano passeggiando lungo la darsena.

"Le hai chiesto se possiamo andare a trovarla a Sarajevo? Magari per Natale."

"Io non ho i soldi per pagare il mio viaggio e il tuo."

"Forse venderò dei disegni a Ferragosto: Lidia organizza una mostra."

Ivo sorrise. "Non credo che il denaro ti basterà."

"Ok, faremo in modo di trovarne altro, implorerò le suore di farmi lavorare dopo la scuola, però voglio sapere che cosa ha detto lei."

Un gabbiano garrì con tale disperazione che Ivo sobbalzò.

"Ehi, mi guardi?"

L'eleganza con cui l'uccello si librava in volo faceva dubitare che fosse stato lui a emettere quel verso.

"Ivo."

Si era incantato sullo stormo. Visti dal basso, i gabbiani assaltavano il cielo come schegge di una granata appena esplosa.

Si fermò, le prese la mano, disse: "Non ce la fa a incontrarti".

"In che senso non ce la fa?"

"Non se la sente."

I gabbiani stridettero, gemettero, piansero – Nada no.

"Ma come? Te, ti ha voluto incontrare, ti ha pure aiutato a scappare, e me, me non se la sente?"

"Non rovinarti la bellezza di queste giornate. Non può essere lei a rovinartela, capisci?"

"È mia madre."

Ivo sollevò la mano di Nada davanti al suo volto. "Lo vedi?"

"Piantala."

"Guarda!"
"Mollami!"
Un gabbiano si lanciò verso di loro. Nada gli offrì il petto, la gola, la fronte, ma all'ultimo l'uccello sterzò, seguendo un'ampia curva verso il mare.
"Lasciala espiare," disse Ivo.
"E se preferissi perdonarla?"
"Non è questo che vuole."
"Tutti vogliono essere perdonati, Ivo, tutti."
Nada si guardò il buco fra le dita. Rivide il vaso di gerani rossi alla finestra, la schiena della nonna che traffica ai fornelli nonostante le urla, i polpacci muscolosi di sua madre, che inciampa nelle gambe delle sedie, barcolla sui tacchi.

Lei è sulla porta della cucina, ha quattro anni e una devozione integrale per il fratello maggiore, non ha mai dormito su un cartone per strada, l'odore della madre le è estraneo. Cerca la nonna, è la sua attenzione che vuole attirare piangendo. Non ha fame né sonno né deve andare al bagno. Semplicemente la spaventano quelle urla, la spaventa la donna che strilla, è sua madre, l'ha detto Ivo l'ultima volta che è venuta, nostra madre. La nonna e la mamma si spostano, gesticolano, parlano con foga, le vene del collo si tendono. Il nonno è uscito, è andato a comprare il giornale con Ivo, non sapeva che sarebbe arrivata la mamma, non lo sa nessuno quand'è che si presenta. La nonna si passa le mani sul viso, si siede al tavolo e si regge la testa. Nada la chiama piagnucolando. La nonna non risponde, è impegnata a demoralizzarsi. Nonna, insiste lei. Zitta, tu, ordina la madre. La nonna si alza, torna al lavabo, si rimette a tagliare le cipolle, ha promesso *sarma* per pranzo, finge di non sentire quella donna che sbraita. I bambini sanno solo frignare, dice la madre, frignano e strillano tutto il giorno. Nonna, chiama Nada, noooo-nnà. Stai zitta, ripete la madre. La nonna taglia, non ascolta più, di sicuro spera che quella matta si stanchi, che se ne vada. Per cosa stanno litigando, chi lo sa. Ivo ha dormito sui cartoni, da piccolo, certe volte faceva freddo, certe volte la mamma era più calda. Dice che gli manca, un po' la sera, lo dice di nascosto dai nonni, adesso che abita con loro. La madre strappa il coltello alla nonna, dice mi ascolti? smettila di farti i fatti tuoi, sto parlando con te, e le picchietta il manico sulla tempia, con te, hai capito? Nonna, si allarma Nada, le guance scottano di lacrime. La nonna abbassa lo sguardo, è in punizione. Nonna. La madre si gira verso la bambina: E basta! Sai solo frignare. Nonna, nonna, nonna, Nada non si ferma. Oh, devi stare zitta! Invece lei singhiozza ancora più forte, vagisce, sbatte la mano sullo stipite. Cazzo, ti ho detto zitta!, strepita la madre e scaglia il coltello.

Nessun dolore. Una specie di solletico, di vento. Un fiotto vermiglio che macchia la porta. Rintocchi di sangue che gocciola sulle mattonelle, una pozza larga, più rossa dei gerani. La percezione vaga di uno scarto, di una massa che si riduce appena, un ingombro che si contrae nello spazio in modo infinitesimale – se non fosse il mio corpo nemmeno lo saprei, ma è il mio peso nel mondo, da quel momento, a cambiare. Per questo lo so.

Camminando in silenzio arrivarono alla ruota panoramica.

"Vuoi salire?" chiese Ivo, anche se sapeva già la risposta.

Nada pensò che i nonni non erano mai andati a trovarli all'orfanotrofio: perché? Che cosa ci voleva, ad amare loro due?

Estrasse il portachiavi dalla tasca, il lupo aveva una sciarpa rossa. Non c'era nulla da perdonare, perché lei non aveva mai portato rancore. Si è mai vista una bambina di quattro anni che odia sua madre? Piangere è pericoloso, questo almeno l'ha imparato.

"Non ho chiavi da attaccarci," disse, e lanciò Vučko in mare.

L'acqua si fendette per ingoiarlo. I gabbiani si accalcarono, illusi che fosse cibo.

"Lei non ha bisogno di me, ecco il punto."

"Anche questo," disse Ivo, "è un diritto."

33.

"Se non sei pronta entro due minuti, me ne vado."

Danilo controllò l'orologio. Gliel'aveva dato suo padre prima della partenza per l'Italia. Lui lo aveva considerato un prestito, un pegno, il sigillo di un patto: quando ci rivedremo, me lo restituirai. Ma la guerra sembrava non dover finire mai e, quand'era finita, suo padre non gli aveva chiesto di tornare in Bosnia, né era venuto in Italia, al telefono aveva detto sarò tra gli ultimi a essere smobilitato, e dopo, quando era stato smobilitato, aveva detto voglio stare qui per la ricostruzione, amo la mia città. Forse invece non amava abbastanza suo figlio, ecco perché non aveva avuto voglia di rivederlo dopo quattro anni.

"Jagoda, su", bussò alla porta del bagno, "sono le dieci."

Sotto il cinturino di metallo la pelle era più chiara; Danilo toglieva l'orologio soltanto per nuotare; il segno dell'abbronzatura gli ricordò Irene, le areole che spiccavano color ruggine nel triangolo latteo disegnato dal costume, la sottilissima striscia bianca che tagliava in due l'osso del fianco.

Una stilettata di desiderio nelle reni. Toccarla era il suo miracolo.

"So, so, sono quasi pronta," disse la sorella.

La madre passò dall'ingresso per cercare il pacchetto di sigarette nella tasca di una giacca appesa. Lo trovò, ne accese una, aspirando gli poggiò una mano sulla spalla: "Abbi pazienza con lei".

Aveva sempre fumato, tutti i suoi colleghi fumavano battendo o dettando i pezzi, ma adesso era diverso. C'era una prostrazione bulimica nel modo in cui succhiava una sigaretta dopo l'altra.

Erano sempre meno, i pezzi da scrivere. Per trasferirsi in Italia aveva rinunciato allo stipendio fisso, con il progetto di procurarsi, da corrispondente, notizie che sarebbero passate al vaglio del caporedattore. Danilo si chiedeva perché, dopo aver retto un'intera guerra, fosse andata via proprio quando era terminata. Non ne potevo più, ripeteva lei, Sarajevo mi dà la nausea. Chissà che cosa ne pensava il marito, di quella tardiva repulsione. Lei continuava a firmarsi Azra Simić, con il cognome di lui.

"È molto importante che tua sorella si ambienti, e solo tu puoi aiutarla."

"Sì, ma io ho una ragazza, non posso uscire ogni sera con la palla al piede."

Danilo sbirciò la propria figura allo specchio, la maglietta nera su cui era stampato il volto di Kurt Cobain, i capelli lunghi fino al collo come lui.

"E dài", un tono dolce di rimprovero.

"Siete qui da mesi, perché non esce con le sue compagne di scuola? Non ha legato con nessuno?"

"Sono più tranquilla se sta con te."

Lui la abbandonava, Jagoda. A un certo punto della serata implorava un paio di amiche di badarle, neanche fosse un animale domestico, e si appartava sulla spiaggia con Irene. Lei montava cavalcioni sopra di lui steso sulla sabbia, la gonnellina di viscosa gli solleticava la pancia; vestiti, quasi immobili, venivano strozzando il respiro. Quando tornavano in piazza, spesso trovavano Jagoda seduta da sola al bar, i bicchieri e le ciotole vuoti sul tavolino: le ragazze erano poco più in là a chiacchierare, in piedi, si erano scordate di lei. Non faceva mai la spia con la mamma.

Una volta Danilo aveva raggiunto il gruppo già seduto nel solito dehors, e una delle ragazze, che stava imitando la balbuzie di Jagoda tra gli sghignazzi, non si era accorta del suo arrivo. Aveva interrotto il teatrino solo quando le occhiate degli altri l'avevano spinta a guardarsi alle spalle. Danilo era dietro di lei: non aveva detto nulla, a parte ciao. Non aveva preso le difese della sorella, e da allora qualcosa fra lui e la sua famiglia si era rotto. Ma forse era successo molto prima, quando era partito per salvarsi mentre loro erano rimasti a Sarajevo.

"Ha quattordici anni, non è una bambina, non puoi chiedermi di farle da baby-sitter. Io a quattordici anni ho cambiato nazione da solo e da sola lei non può manco uscire sul lungomare?"

"Non siete uguali. Tu sei sempre stato più forte."

"Magari è che a me avete imposto di essere forte, e non ho potuto fare diversamente."

"Perché sei così pieno di rancore?"

Lo era? Lui, il ragazzo più educato degli Aquiloni, quello con la testa sulle spalle, quello di cui Lidia si fidava, era pieno di rancore? Ma non lo sentiva bruciare, spossarlo, dargli amarezza: allora, che rancore era?

La seguì in cucina; in mancanza di un posacenere, la madre aveva scrollato la cenere nella mano a coppa, ma adesso doveva spegnere la sigaretta. Aprì il rubinetto e la bagnò. L'odore ripugnante si sparse per la stanza.

Sul tavolo c'erano fogli vergati di appunti. Una grafia acuminata, maschile. L'ultima frase diceva: "15 luglio '96 – le autorità della Bosnia Erzegovina sono informate del fatto che il Comitato per i minori presso il Consiglio dei Ministri italiano ha deciso di bloccare il ritorno dei bambini bosniaci".

"Ti stai ancora occupando degli orfani di Bjelave?" Danilo pensò a Nada, a Suljo, a Omar e Sen, a Coccodè, chissà che fine aveva fatto. Pensò a Izet, che non era un orfano, e infatti abitava di nuovo a Sarajevo.

"È una questione spinosa." La madre raccolse i fogli, li ordinò.

"Perché farli tornare? Tu sei qui, odi Sarajevo, perché vuoi che loro ci tornino?"

"Ti vergogni di tua sorella, vero?" disse Azra. "Ti vergogni dei suoi capelli, di come parla, di com'è."

Una ciocca grigia era spuntata sulla fronte di Jagoda: non era l'unica bambina di Sarajevo con i capelli brizzolati, a quanto raccontava la madre. Se avesse avuto un altro carattere, pensava Danilo, l'avrebbe trasformato in un segno distintivo, una scelta estetica, un'affermazione di sé. La rossa con il ciuffo d'argento. Invece quell'anticipo di senilità la metteva a disagio, ma non si affidava a un parrucchiere, l'idea della ricrescita la logorava. Stare in comitiva, essere interrogata alla cattedra, giocare a beach volley, tutto la logorava, combatteva con l'impulso costante di sottrarsi.

"No, io dico che qualcosa non va," cercò di essere conciliante. "Devi mandarla da un logopedista, da uno psicologo, non lo so, devi chiamare qui papà."

"Quindi, secondo te, io da sola non ce la faccio? È questo che stai dicendo?" Prima non era così, prima sua madre non aveva gli occhi scavati. "Ma tu che ne sai di quello che ho fatto io, eh? Che ne sai? Tu non c'eri." Accese un'altra sigaretta, aspirò con veemenza. "Quando mezzo chilo di carne costava tre volte il mio stipendio e rischiavo di morire per trovare da mangiare. Quando tuo padre combatteva al fronte e Jagoda piangeva tutti i giorni. Quando il salbutamolo e il cortisone erano spariti da ogni farmacia, e lei aveva le crisi d'asma. Quando avevamo la diarrea contemporaneamente, e non c'era l'acqua, solo un'epidemia di enterocolite in tutta la città. Quando non avevo più assorbenti e tagliavo a strisce asciugamani, federe, camicie per ficcarmeli nelle mutande. Quando speravo nella nebbia, perché con poca visibilità forse i cecchini non avrebbero sparato. Tu dov'eri?"

"Non sono stato io a chiedere di andarmene, non puoi rinfacciarmelo," rispose Danilo. "Jagoda sarebbe potuta venire con me, ma tu non sei riuscita a separarti da lei."

Uno schiaffo. Uno solo, secco. Il secondo della sua vita. Il primo era stato il 4 aprile del 1992.

"Jagoda sarebbe morta di dolore, se fosse partita. Sarebbe morta. Perché non riesci a provare un po' di comprensione per tua sorella?"

"Non è vero che non la provo," la guancia calda.

"Avrei scambiato qualunque cosa con un inalatore per l'asma, ho camminato nella neve sporca di sangue, pozzanghere di sangue e di fango dove affondavano gli stivali, ho continuato a lavorare al giornale anche se la redazione era stata bombardata, stavamo confinati nel bunker, a cinquanta metri dalla prima linea, per mettere insieme ormai non più di quattro pagine in croce. Ho bruciato le scarpe coi tacchi per riscaldarmi d'inverno, non ne ho più, di scarpe coi tacchi. Non sono neanche andata al funerale dei miei colleghi, lo sai? Perché i cecchini non aspettavano altro che la gente riunita ai funerali per fare festa. Sono stata vigliacca, ho preferito pararmi il culo anziché dare l'ultimo saluto a persone con cui avevo condiviso anni di lavoro."

La cenere cresceva sulla punta della sigaretta, la madre non la scrollava. Quand'era troppo lunga, per il peso si spezzava, si infrangeva sul tavolo, sul pavimento, ovunque Azra si spostasse.

"Calmati, mamma. Per favore."

"Gli strappavano la roba dalle mani."

"Chi?"

"Le persone, le persone comuni, gente come me e te. Strappavano le verdure di mano ai contadini, parevano bestie inferocite dalla fame. Rubavano negli orti. Pure la polizia, pure i soldati, rubavano gli aiuti umanitari e li rivendevano al mercato. Io avevo rape e cavoli sul balcone, e me li razziavano i piccioni, avrei voluto un fucile per spararagli." Azra si toccò la testa, la piegò, strizzò gli occhi come colpita da una fitta.

"Mamma! Che hai?" Jagoda era uscita dal bagno. Le andò vicino.

Azra riaprì piano le palpebre, stordita. Lo sguardo assente.

"Per, ché pia, angi?"

Fletté una gamba a squadra e, al rallentatore, schiacciò la sigaretta sulla suola, posò il mozzicone sopra il tavolo e si asciugò le lacrime. "Niente, tesoro. Ricordavo cose brutte, ma sono passate."

Jagoda scrutò Danilo. Non gli chiese che cosa le avesse fatto. L'abito di lino beige che la madre le aveva comprato su una bancarella le donava. Era affusolata, e si muoveva con grazia, nonostante il tentativo incessante di nascondersi.

Abbracciò la madre. "Se vuoi, resto qui con te."

"Figuriamoci."

"No, no, resto con te", l'ansia nella voce.

"Jagoda, non è successo niente," disse Danilo. "Portati la giacca di jeans, magari dopo fa fresco."

"Io non la lascio sola."

"Ragazzi", la madre parve finalmente riscuotersi. "Ho molto da scrivere, su, non fatemi perdere tempo, sloggiate," sorrise.

Quando la sorella si convinse e andò a prendere la giacca, lui si avvicinò ad Azra, ma lei lo bloccò frapponendo una mano.

"Hanno dei genitori, quei bambini," disse. "Non sono orfani."

Nada gli aveva scritto di Ivo, e lui non le aveva nemmeno risposto.

"In molti casi, mamma, non si ricordano neanche che faccia abbiano."

La madre si passò i pollici nelle orbite oculari come se le facessero male.

"Tuo padre non tornerà. Fattene una ragione."

L'orologio strinse il polso fino a indolenzire i tendini.

"Mi fa piacere che tu ti senta inserito. Ma ho l'impressione che ti sia montato la testa. Hai dimenticato chi sei. E ti vergogni, anche di me."

Danilo aprì e chiuse la mano sinistra intorpidita, la apriva e la chiudeva, come per sbloccare la circolazione.

"Pre, presa," disse Jagoda dall'ingresso.

Azra si sedette, fece rotolare il pacco di Marlboro fra le dita, tirò un lungo respiro.

"C'è questo pezzo che ho scritto su 'Oslobođenje'. Il sangue nelle sale operatorie. Quando hanno bombardato l'ospedale di Koševo, non ricordo quanti sono stati i feriti, tre pazienti sono morti. Erano lì per curarsi, e sono morti. Gli zoccoli bianchi dei medici sciaguattavano nel sangue, gli inzuppava l'orlo dei pantaloni, arrivava fino alle caviglie," tossì appena. "Lo sai che c'era addirittura un mercato nero per le trasfusioni?"

Lui infilò il bordo della mano tra i denti, gli incisivi solleticarono la carne, ebbe voglia di morderla, pur di sentire qualcosa.

"E poi c'è una scena che invece non ho mai raccontato sul giornale. Farlo mi sembrava un oltraggio. Un bambino piccolo, avrà avuto sei anni, otto, non lo so, era piccolo, e magro, lo eravamo tutti, stava con suo padre alla fila per l'acqua al birrificio e, quando una granata glielo ha ucciso, il bambino ha usato l'acqua per lavarlo, per pulirlo, strofinandogli il viso con i suoi minuscoli palmi, lì in mezzo alla confusione. L'ho visto con i miei occhi, e non sono brava a dimenticarlo."

Danilo staccò la mano dalla bocca. Non disse mamma, io non mi vergogno di te. Non disse mi dispiace. Non si domandò se fosse vivo, oggi, quel bambino. Le areole di Irene erano larghe, ovali, erano ruggine, e lui si aggrappò alla loro insolenza per allontanarsi.

34.

L'autoradio era spenta, quel giorno non avevano abbastanza fede in Radio Maria, o di Maria si erano momentaneamente scordati.

Matte guidava in silenzio; spiandolo nello specchietto retrovisore, Omar notò che si mordeva l'angolo della bocca, quasi lo masticava. Di solito Mari gli diceva smettila, tirandogli anche un buffetto sulla spalla, ma quel giorno non ci fece caso. Ogni tanto diceva è rosso, che caldo umido, ma quanto traffico, però dovrebbe piovere, aveva messo temporale. Non si rivolgeva a nessuno in particolare, neppure a sé stessa, e non si aspettava risposte. Sen stava con l'avambraccio fuori dal finestrino, quasi per distanziarsi il più possibile dal fratello, o almeno era così che pareva a lui.

In mezzo a loro, Omar sperava.

Un turbinio nella pancia, nella gola, nella testa. Aveva paura di sperare, temeva gli portasse sfortuna, mai nella sua vita si era realizzato un desiderio, e questo desiderio lo aveva da così tanto tempo, doveva tutelarlo: da sé, dalla sventura che si abbatteva sulle cose ogni volta che lui le voleva con tutte le sue forze. Doveva soffocare la speranza. Ma la speranza gli turbinava nella pancia e nella testa e nella gola, e quel puntino di felicità che luccicava nel fondo segreto del suo corpo sarebbe venuto a galla, avrebbe illuminato chiunque, sarebbe stato accecante.

Il Tribunale dei minori di Milano aveva chiamato per annunciare che c'erano notizie da Sarajevo. Di cosa si tratta, aveva chiesto Mari. Il funzionario le aveva dato un appuntamento. Dopo aver riattaccato, lei si era seduta al tavolo della cucina ed era rimasta lì per ore, dimenticando di cucinare. Quando Matte era rincasato, aveva preparato dei toast al volo e a cena le aveva detto perché fai così, lei aveva risposto ti giuro, non lo so. Omar aveva sentito e al solito non si era interessato. Solo quando Sen aveva chiesto ma', si può sapere che hai, e Matte aveva nominato Sarajevo, lui aveva alzato la testa, e il turbinio era cominciato.

Tramite il ministero degli Affari esteri, il Tribunale dei Minori aveva cercato i genitori dei piccoli profughi, o altri parenti, e siccome non aveva ricevuto risposte, diceva, li aveva dati in affido temporaneo a diverse famiglie. Lui non ci aveva creduto, era convinto che non si fossero presi la briga di cercare. Ma adesso era arrivata una risposta, e Omar immaginava sua madre impaziente di riabbracciare lui e Sen. Era viva, doveva essere viva, gli aveva urlato corri, era la sua voce, per forza, e finalmente l'avevano trovata: eccovi, avrebbe detto, dove accidenti vi eravate cacciati? Gli venne da ridere.

Sen si girò a guardarlo, restò serio anche se Omar gli sorrideva.

"Hai paura?" gli chiese Omar avvicinandosi per dirglielo in un orecchio.

"Di che?" disse Sen a voce troppo alta.

Lui non seppe rispondere. Di perdere tutto, forse. Di tornare indietro. Sapeva che Sen guardava sempre avanti, la strada di fronte a sé.

"Hai detto qualcosa, Sen?" si informò Mari, senza voltarsi.

"No, niente, ma'."

"Magari torneremo a vivere con nostra madre," bisbigliò ancora Omar.

"Se mai, è in orfanotrofio che torneremo."

Mari si girò. Li guardò entrambi, gli occhi sbarrati che saltavano dall'uno all'altro, senza quietarsi. Lei sì che aveva paura, non riusciva a nasconderlo.

Nel futuro immaginato da Omar non c'era l'orfanotrofio, ma il seminterrato. Dopo la tragedia che li aveva colpiti, dopo aver rischiato di perdere i suoi figli per sempre, di certo la mamma non si sarebbe più separata da loro. In ogni caso, tornare al Ljubica Ivezić non sarebbe stato un problema. L'importante era poterla rivedere, avere la certezza che era viva. Loro stavano crescendo, sarebbero andati a lavorare per mantenerla, insieme ce l'avrebbero fatta.

"Non ci sarà mai più un orfanotrofio, per voi, ve lo giuro", Matte sputò una pellicina strappata al labbro inferiore.

Il funzionario li accolse in un ufficio spazioso abbastanza perché si accomodassero tutti e quattro su sedie imbottite davanti alla scrivania, lui e Sen in prima fila e Mari e Matte subito dietro, quasi per proteggerli, o fermarli nel caso volessero scappare. C'era anche una donna piuttosto giovane, fu presentata come una psicoterapeuta.

"Abbiamo una notizia per voi," disse il funzionario.

Da secoli Omar non era tanto emozionato. Un turbinio nella pancia, un rimescolio del sangue, le ossa come i bastoncini dello shangai subito prima del crollo. La speranza, la speranza: come fai, se tracima, ad arginarla?

Il funzionario prese una busta, la aprì, c'era dentro un foglio scritto a macchina, era sottile, trasparente al punto che l'inchiostro si leggeva anche dietro; si sporse per darlo a Matte.

"Purtroppo," disse, "non è una notizia buona."

Le ossa crollarono, il sangue coagulò, la pancia intorpidì. Omar si aggrappò alla sedia. Come aveva osato sperare? Perché l'aveva fatto, perché non si era trattenuto? Mai, mai, mai desiderare. C'è la sciagura in agguato.

Mari prese la mano di Sen. Prima ancora di leggere, Matte sfiorò quella di Omar, ma lui si irrigidì. Lasciami stare. Come puoi toccarmi adesso, come puoi entrare in questa cosa che non ti riguarda? Non ti riguarda.

Tacque, e Matte desisté.

"Si tratta di vostro padre," spiegò il funzionario. "Sono costernato, ma devo dirvi che abbiamo ricevuto il suo certificato di morte."

Omar ebbe bisogno di qualche frazione di secondo per capire.

Le campane di una chiesa nei dintorni suonarono le quattro.

Non aveva pensato che la notizia potesse avere a che fare con suo padre. Non si era preoccupato per lui. Suo padre era un pirata con la benda sull'occhio, beveva *rakija* a colazione e non si spazzolava la barba, cresciuta fino alle caviglie. Suo padre era immortale.

Neppure Sen parlò.

Il funzionario disse che era morto al fronte. E dunque, pensò Omar, alla fine era morto da eroe.

Mari e Matte dissero ci dispiace tanto.

"Se avete l'esigenza di piangere", la psicoterapeuta porse una scatola di Kleenex. "Non reprimete le vostre emozioni, non vergognatevene."

Quale emozione? Il sollievo che non sia lei, la morta? Omar non staccò le mani dalla sedia. Il sangue troppo denso – gli stagnava nelle vene.

Il funzionario si rivolse a Mari e Matte: "Vi prego di venire con me, ci sono alcune faccende burocratiche da completare. Lasciamo i ragazzi con la dottoressa, lei saprà aiutarli".

Prima di uscire, Mari abbracciò Sen, lui ricambiò muto. Anche Matte lo abbracciò. Sen si lasciò stringere come un fantoccio. Era morbido, arrendevole.

"Mi dispiace," ripeté Mari chinandosi su Omar. Non aveva più gli occhi sbarrati.

Lui pensò: tu non volevi che fosse vivo. E non vuoi che nemmeno mia madre sia viva. Tu vuoi il tuo nido al riparo. Il tuo nido fasullo, dove hai intrappolato anche me.

"Ok," le rispose, con voce tanto asettica da scoraggiare Matte, che si allontanò senza un cenno.

La psicoterapeuta attese che la porta fosse chiusa, poi si sedette al posto del funzionario. Strinse la coda di cavallo nell'elastico e azzardò: "Volete tentare di dirmi che cosa provate?".

Quella stucchevolezza, Omar non la sopportava. Era il modo in cui la gente sottolineava la sua cattiva sorte.

"No, grazie," disse Sen.

Omar non si aspettava una risposta simile. A giudicare dalla faccia della psicoterapeuta, neppure lei.

"Mia madre è viva?" le chiese.

"Non lo so. È arrivato solo il certificato di tuo padre."

"E quindi deve essere viva," disse Omar, "altrimenti sarebbe arrivato anche quello di mia madre, no?"

La psicoterapeuta annuì. La coda si allentava, lei la apriva in due ciocche che tirava verso l'esterno, i bordi degli occhi si sollevavano.

Poggiò i palmi sulla scrivania. "Magari volete condividere un ricordo di vostro padre."

"Con lei?" disse Sen. "Perché, lo conosceva?"

Non era da suo fratello, quel tono maleducato, lui voleva star simpatico a tutti.

"No, ma mi interessa lo stesso," disse la psicoterapeuta.

"Io, i fatti miei, agli estranei non li racconto," sputò Sen, e si diresse alla porta.

La donna si arrese, andò a chiamare il funzionario.

Soli nella stanza di un ufficio pubblico, i fratelli restarono in silenzio. Dalla finestra entrava il rumore molesto dei clacson.

"Non mi ha insegnato niente," disse Sen.

Omar lo guardò.

"Niente. Non mi ha insegnato a nuotare, ad andare in bicicletta, a giocare a Žandar, a contare, a scrivere. Niente."

La ventola del condizionatore ronzava.

"Però una volta", l'espressione si fece d'un tratto sognante, "mi ha fatto assaggiare la *rakija*. Un goccettino: con l'acqua, eh. Pochissima. Mamma non c'era, era uscita con te, lui stava bevendo e io ho detto me ne dài un po'? Poteva arrabbiarsi, spesso lo faceva, invece no. Ne ha versato meno di un dito, guarda, così", Sen mostrò il mignolo, "ci ha buttato sopra l'acqua e mi ha dato il bicchiere."

"Ti è piaciuta?"

"Non me lo ricordo. Mi sentivo caldo, in faccia, pure sul collo. Dopo un po', mi girava la testa, ma appena appena. Forse era suggestione."

"E la mamma se n'è accorta?"

"Ho passato il pomeriggio a ridere con papà. Non mi ricordo di cosa, forse io dicevo frasi sceme perché ero mezzo ubriaco," rise. "Mi ricordo che ero seduto a giocare per terra e da lì lui, soprattutto quando si alzava in piedi, mi pareva enorme, gli dicevo papà ma sei un gigante, e lui rideva, si strofinava il naso con le dita, e rideva. Poi quando mamma è arrivata io stavo già meglio, o mi sono sforzato. Papà mi faceva l'occhiolino. Aveva una faccia buona, quella sera, paciosa. Come se fosse contento perché condivideva un segreto con me. Anche tu sei un gigante, mi ha detto di nascosto da lei, siamo giganti."

Omar non si accorse di sorridere.

Le campane suonarono le quattro e mezza quando la porta si aprì.

Canta, o Drina, ché oggi è giornata di pesca al fiume. Dicono le guide non calarti di notte, ma è di notte che il mio amico e io ci immergiamo, assillati da un'estate furente, ridotta in brandelli, in due non facciamo trent'anni. Canta, o Drina, ché dalla radio è arrivato l'appello, il fiume è intasato, le turbine bloccate, dice il direttore della centrale idroelettrica, dice che è ora di pescare. Ogni notte scendiamo al fiume, ci sorveglia la luna di giugno, e tu parli, Drina, di Stoja e di Ostoja, li facesti cercare per tutta la Bosnia, finché l'Architetto non li murò vivi nel pilastro centrale del ponte, come tu avevi chiesto. Ma lui ebbe pietà, più di te, per la madre derubata dei suoi figli, una coppia di gemelli non ancora svezzati, così lasciò nel pilastro due fori, perché lei potesse infilarvi i capezzoli e nutrirli. Beata la terra che mi ha allattato, beata l'acqua della Drina, torbida di melma e di corpi sul fondo, le turbine bloccate, ci caliamo in apnea, io ho quindici anni, li avrò per sempre, per sempre sarà il 1992. Custodirò il ricordo della Bosnia come di una malattia contratta, anche quando vivrò lontano da Višegrad e dal ponte di Mehmed Paša Sokolović, lontano dal mio amico, e dal fratellino e dalla sorellina che succhiano latte materno sepolti nella pietra, e dalle donne e dagli uomini sepolti nell'acqua, la più grande fossa comune del Paese, quello in cui sono nato, quello dove non abito più. Anche quando avrò perso il senno ricorderò le notti di giugno in cui la luna illuminava la sponda destra del fiume, e i centottanta cadaveri che il mio amico e io abbiamo riesumato, seppellito, in un mese. Canta, o Drina, l'odio senza scopo e senza origine, una lebbra, verranno gli scienziati dal mondo intero a studiarla, canta la storia dell'anziana signora con le mani e i piedi inchiodati alla porta: sono io che l'ho trascinata a riva, assieme al mio amico. Eravamo pescatori della Drina, ci calavamo all'ombra del ponte, le feritoie del pilastro essudavano latte, in quei buchi i colombi facevano il nido. Beata la terra che mi ha allevato, avevo solo quindici anni, poi ho perso il senno, da allora sono vivo e a Višegrad sono caduto.

35.

L'invito era arrivato da Lidia, lo aveva fatto ad Azra per telefono. Danilo sapeva che si sentivano spesso: erano diventate amiche nei mesi in cui sua madre e sua sorella erano vissute agli Aquiloni, ed era stata lei ad aiutarli a trovare l'appartamento dove abitavano ora; la chiamava almeno una volta a settimana per sapere come stesse, come andasse il lavoro, se avesse scritto pezzi di cui era soddisfatta. Chiacchieravano un po' in inglese e un po' in italiano, Azra si impegnava per impararlo da autodidatta. Non aveva raccontato a Lidia dell'inchiesta sulle adozioni dei bambini bosniaci, illegali secondo alcuni, temeva ne parlasse alle suore. Una sera aveva detto a Danilo che qualcuno si era convinto ci fossero di mezzo i soldi, insomma, che i bambini fossero stati venduti, e lui aveva pensato solo che nessuno aveva preso Nada in affido – nemmeno il fratello l'aveva voluta con sé.

"Fanno una recita, a Ferragosto," disse Azra infilzando un pezzo di carne con la forchetta.

"E cosa re, recitano?" domandò Jagoda.

"Me l'ha detto, ma non me lo ricordo. Aspetta... Hanno adattato un romanzo italiano, dei bambini che scappano per partecipare a un campionato di pallamano, no, palla..."

"Pallastrada," ricordò Danilo.

Nell'atrio dell'istituto c'era un ritratto di Giovanni Paolo II e ogni volta che Lidia lo incrociava diceva: la Grande Meringa! Così era chiamato il papa nel libro che gli aveva fatto leggere. Le meringhe a Danilo non piacevano, Lidia invece ne andava pazza. I maschi dell'istituto erano un po' tutti innamorati di lei, anche lui.

"Io non vengo alla recita. A Ferragosto facciamo un falò in spiaggia."

"Stai scherzando?" disse la madre. "Lidia ci rimarrebbe male. Può aggregarsi anche Irene, se non riesci a staccarti da lei per una sera."

Danilo mollò le posate: all'idea di portare Irene in istituto gli si era chiuso lo stomaco. Si era liberato di quel mondo in cui era stato costretto per anni, si era liberato delle suore e della Caritas, e anche se custodiva il permesso di soggiorno tra i calzini dentro una carpetta di plastica trasparente, per paura che si rovinasse, tant'era sottile la carta di cui era fatto, più sottile della carta velina, da mesi aveva dismesso la vita da rifugiato e in alcuna maniera voleva rivangarla, figuriamoci mostrarla a Irene. Non si trattava di deluderla, di essere meno attraente ai suoi occhi. Si trattava di lei. Se Irene avesse varcato la soglia degli Aquiloni, la sua immagine si sarebbe sciupata. Danilo non tollerava una contaminazione: lei era eccitante perché era separata, un mondo nuovo. Se si fosse mescolata al suo passato, lui avrebbe smesso di desiderarla.

"Non se ne parla nemmeno. Irene non viene, e io vado al falò."

Si alzò per svuotare nella pattumiera i resti del suo piatto.

"Eccoti! Il mio fungo preferito." Lidia lo abbracciò troppo forte, rideva di gioia con quel suo incisivo accavallato.

Danilo aveva dimenticato che all'istituto, mentre imparavano l'italiano, i ragazzi bosniaci si definivano *funghi*, per l'assonanza che percepivano con la parola *profughi*.

L'educatrice salutò enfatica anche Azra e Jagoda, poi fece strada.

"Vi ho tenuto quattro posti in prima fila... Ah, ma dov'è la tua consorte, Danilo? Te la sei già fatta scappare?"

"È a un falò. La raggiungo più tardi."

"Peccato non sia venuta, lo spettacolo è carino. Te lo ricordi, il libro? Lo abbiamo letto insieme."

A volte Lidia staccava il cavo dell'antenna e se lo legava

sui jeans a mo' di cintura. Siete teledipendenti, diceva. Ora basta, leggiamo.

"I costumi li ha disegnati Nada, lo sai? Quant'è brava, la mia Nadadrakulicindirezione", e rise di nuovo.

Danilo si augurò di non incontrarla, non avrebbe saputo come giustificarsi per non avere ancora risposto alla sua ultima lettera.

Non era più tornato agli Aquiloni e gli faceva effetto aggirarsi per il cortile dove così tante volte aveva suonato la chitarra, dove le bambine più piccole avevano imparato con Lidia a ballare l'Hully Gully, e Suljo presentava un immaginario Festival di Sanremo nel quale ci si esibiva in serbocroato. *Sarajevo će biti*, cantava Izet con una voce potente ereditata dallo zio tenore, l'estate maturava, si avvizziva, ed era sempre lui a vincere – Sarajevo rimarrà, tutto il resto passerà.

"Ah!" disse Lidia, tirando fuori dalla tasca una busta. "Ti è arrivata questa, l'altro ieri. Devi dare il tuo nuovo indirizzo, svampito."

Danilo controllò il mittente ed ebbe un sussulto. Di quante cose si era scordato.

Durante lo spettacolo Jagoda e sua madre gli domandarono più volte: che ha detto? Lui aveva voglia di rispondere: statevene a casa, finché non imparate l'italiano per bene.

Mentre il pubblico applaudiva si alzò. Azra gli chiese dove stesse andando, ma lui già setacciava la folla per individuare Nada. Doveva leggere la lettera con lei. O forse no, avrebbe letto lui, e solo in caso di buone notizie l'avrebbe informata.

Appoggiò la schiena al muro, aprì la busta, dispiegò il foglio, trattenne il fiato.

"Insomma, ti sei trovato una nuova corrispondente, ecco cos'è."

Sollevò lo sguardo.

Lei sorrideva. Non era scherno, sorrideva come se fosse felice di vederlo.

"Doveva pur esserci un motivo per il quale avevi smesso di scrivermi."

Non sembrava arrabbiata.

Danilo non poteva saperlo, ma lei aveva previsto la possibilità che lui la ignorasse fin da quando, nel corso del viaggio da Sarajevo, dopo averle stretto la mano durante la perquisizione del pullman, era risalito a bordo e si era girato dall'altra parte. Non poteva saperlo, che lei metteva in conto ogni giorno quella possibilità, con chiunque, che era l'interesse degli altri a meravigliarla, e spesso lo rigettava. Aveva bisogno di poche persone, e a loro mai l'avrebbe confessato. Le avrebbe aspettate, accolte, qualora fossero venute. Sarebbe rimasta sola, se lo avessero deciso, senza pretendere altro. Danilo aveva il potere di sceglierla o di ripudiarla: in qualunque maniera si fosse comportato, lei gli avrebbe dato ragione.

"Ciao, Nada."

Non la vedeva da otto mesi. Non si era accorto che gli mancava.

Era diversa. Radiosa. Sotto la massa di capelli biondi, lunghi come mai prima, l'abbronzatura risaltava dorata. Le clavicole erano solide contro le bretelline della canottiera a righe, veniva voglia di attaccarcisi come a una sbarra. Il suo corpo alto, resistente, un succedersi di sporgenze e insenature, di turgore e cedevolezza, pareva reggere ogni fatica. In quel momento fu per Danilo l'unico luogo in cui valesse la pena attraccare. Ne avvertì la proprietà con un'urgenza che lo sbigottiva.

Rivide la donna che si lavava sul balcone, nascosta da un paio di tavole di legno, nel condominio dei nonni a Sarajevo. Aveva legato un secchio a una trave affinché raccogliesse l'acqua piovana, e una volta a settimana usciva nuda – tanto, era estate, non pativa il freddo – e si insaponava, poi tirava la corda per far inclinare il secchio e sciacquarsi. Con quale delizia si sfregava la cute. Danilo l'aveva intravista in una fessura tra le tavole, e da allora non l'aveva più dimenticata. Per la prima volta da quando era nato, la distanza da un corpo gli era stata fisicamente dolorosa, avrebbe voluto assaggiare quella pelle, e non poterlo fare lo frustrava quasi fino alle lacrime. La nonna si era accorta che stava spiando qualcuno e appena aveva capito lo aveva tirato dentro, commentando che la signorina non si regolava, la guerra aveva fatto ammattire la gente.

La nostalgia per quel corpo mai sfiorato, mai avvicinato, era stata un'iniziazione. Si era già toccato, la notte, nel letto, conosceva lo strappo del piacere. Eppure dentro di sé associò la scoperta del desiderio alla donna che si lavava all'aperto durante la guerra perché non c'era acqua in nessuna casa. Quasi la bellezza femminile fosse il risultato di una mancanza.

Ora, davanti a Nada, lo attanagliava lo stesso dolore, la stessa incontenibile frustrazione.

"Che hai? Tutto ok?"

Danilo strinse la lettera, tentò di riscuotersi.

"Ho una sorpresa per te." Le porse il foglio.

Lei lo interrogò con gli occhi.

"Leggi."

La osservò chinare la testa, ciocche ondulate le scivolarono sul seno. Poi Nada sollevò il viso, e il suo stupore gli diede voglia di difenderla da chiunque.

"Ho vinto?"

"Hai vinto."

"Ma com'è possibile? Non mi sono mai iscritta al concorso, non ho mai partecipato. E perché è arrivata a te?"

"Ho mandato il ritratto che mi avevi fatto. A proposito, adesso devi farmene un altro, non posso mica stare senza."

Nada rilesse la lettera per accertarsi che fosse tutto vero. Estrasse l'assegno.

"Ho vinto cinquecentomila lire. È tantissimo, Danilo, grazie!"

"È merito tuo, sei tu che hai fatto il disegno."

Gli si scagliò addosso. I suoi polpastrelli sulle scapole, il suo mento sul collo, e le sue cosce, aderenti.

Azra e Jagoda li trovarono così.

Danilo si allontanò da Nada, che era in evidente imbarazzo. Per distrarre la madre e la sorella, raccontò del concorso, e proprio mentre loro si congratulavano disse: "Andiamo".

"Così presto?" Nada era delusa.

"Mio figlio deve partecipare a un imperdibile falò. Ciao, tesoro, vieni a trovarci, mi raccomando. L'indirizzo lo sai."

"Cosa? Ve ne state andando?" disse Lidia, quando passarono a salutarla. "No no no, adesso c'è la musica", e trascinò

Jagoda e Azra sotto il palco: le sedie erano state spostate per creare una pista da ballo.

Ballarono *Strange World* e *Lemon Tree*, *Tranqi Funky* e *Vivo morto o X*, non solo Lidia, ma anche Danilo, Jagoda e Nada – Azra disse di avere mal di testa e si sedette ad aspettare. La sorellina era disinvolta come mai Nada l'aveva vista, quasi la danza la isolasse, mettendola finalmente al riparo. Lei era invece così elettrizzata che avrebbe scalato una montagna o si sarebbe immersa a trenta metri di profondità o lanciata giù con un paracadute, se gliel'avessero proposto. Era la prima volta che vinceva qualcosa, e non vedeva l'ora di dirlo a Ivo.

Quando partì il lento, Danilo le afferrò la mano.

La tirò fuori dalla pista, verso la spiaggia. Nada lo seguì correndo.

A riva, lui la spinse in acqua.

"Che fai?" disse lei cercando di mantenere l'equilibrio. Si era già bagnata le Converse, i jeans.

Danilo continuò a spingerla.

"Così mi inzuppo," gridò Nada cadendo. Riemerse rabbiosa. "Ora ti faccio vedere io."

Nel silenzio della spiaggia, dalla pista riecheggiava *I've learned that nothing really lasts forever*. Nada si alzò e con tutta la forza che aveva urtò Danilo, che cadde a sua volta.

Sprofondarono insieme, l'una addosso all'altro, tanto vicini che non seppero più cosa fare. *I sleep with the scars I wear that won't heal*, cantavano la colonia, le lucciole, le meduse, e Danilo fu sopraffatto dal vigore di quel corpo, dalla sua morbidezza: prima ancora di deciderlo, lo tastò, lo cinse, lo accarezzò, senza chiedere permesso, una frenesia infantile, perentoria. Nada lo lasciò fare. Danilo le morse le clavicole, le bloccò i polsi, le strizzò un seno. Non le diede neppure un bacio.

Poi di colpo si fermò.

Frastornata, lei non disse nulla.

Lui uscì dall'acqua e si stese supino sulla sabbia. Respirava in affanno.

Nada rimase a riva. Si tolse le scarpe, infilò gli alluci nella rena bagnata. Nessuno aveva mai toccato così il suo corpo, prima di allora. Non sapeva dire se le fosse piaciuto o l'avesse infastidita. Lo aveva accettato come un esperimento, una prova che prima o poi bisognava fare. Ma quello era Danilo, e adesso lei non riusciva più a parlargli.

"Cosa facevo io mentre durava la Storia?"

Nada non capì. "Che hai detto?"

"È una poesia."

Danilo aveva le mani sotto la nuca, i gomiti aperti.

"È tua?"

Rise: "No che non è mia".

Nada avvampò. Non solo l'aveva toccata senza un minimo di tenerezza, non solo aveva evitato di baciarla, quasi fosse disgustato dalla sua bocca, dall'interno di lei, adesso si prendeva pure gioco della sua ignoranza.

Le scarpe in mano, si alzò e prese a camminare. Non aveva osato toccarlo, lo sconcerto l'aveva anestetizzata, aveva assistito all'evento come se non la riguardasse, eppure intuiva che nel corpo di Danilo c'era una potenziale felicità, bastava superare il confine. Forse lui non l'aveva baciata perché lei era stata fredda, inaccessibile.

Passò accanto alla sua sagoma sdraiata, e lui ebbe voglia di abbrancarle il polpaccio, di farla cadere ancora, ancora accanto a lui, ebbe voglia di veder caracollare a ripetizione quella ragazza che gli provocava una nostalgia incolmabile – dolore fisico. Si trattenne.

Nada proseguì a camminare, senza un saluto, Danilo ascoltò il fruscio delle Converse che sbattevano l'una contro l'altra, finché non fu troppo lontano.

Solo a quel punto, ad alta voce, disse: "Mi limitavo ad amare te", completando la strofa.

Chiuse le palpebre e si espose alle accuse delle stelle.

Parte terza
1999-2000

36.

"Omar, perché non mangi?"

"Ho finito."

"Ma se la cotoletta è ancora tutta lì nel piatto."

"Odio la carne, lo sai."

"Hai la faccia smunta, non stai bene?" Mari allungò la mano verso la sua fronte, Omar si scansò.

"Non ti tocco, non ti tocco, tranquillo." Lei sospirò rumorosamente: non diceva mi hai stufato, ma Omar lo sentiva ben scandito nelle orecchie. Incrociò le posate e si alzò per mettere le stoviglie nel lavello.

"Lo sai che quest'anno rischi la bocciatura?" disse Matte.

"E con la cotoletta che c'entra?"

"Ah, rispondiamo pure?"

"Sen prenderà il diploma," disse Omar, "ed è diventato capitano della sua squadra."

"Quindi?"

"Uno su due che viene bene è un discreto risultato, di che ti lamenti?"

Matte picchiò la forchetta sul tavolo. Preferiva il ragazzino silenzioso sul sedile posteriore dell'auto, pensò Omar, e pazienza se non era di compagnia, se non sapevi cosa gli passasse per la testa – angoscia, paura? Non chiedere, non sei responsabile di ciò che ignori. Il diciassettenne impudente che lui era diventato, Matte non sapeva gestirlo. In tre anni, da quando era andato a vivere con loro, Omar era cresciuto quasi di una spanna. Manco avessi messo i piedi a bagno, gli diceva Matte orgoglioso. Ma adesso che erano alti uguale, capiva di aver perso ogni autorità. Adesso che nel mondo i loro corpi occupavano lo stesso spazio, che avevano la stessa forza, era sopraggiunta una specie di ritegno.

"Ha sempre mangiato poco," disse Sen, "è costituzione."

Lui non si aspettava che lo difendesse.

"Mio fratello è sempre vissuto d'aria, non ha mai avuto fame."

L'appetito era pressoché scomparso dal giorno della granata sulla salita di Bjelave, ma Sen evitò di dirlo. Non per non rievocare un ricordo che avrebbe afflitto lui, Omar lo intuiva, ma per non impressionare i genitori affidatari. Soprattutto dopo che era arrivato il certificato di morte del padre, si sentivano in difetto per quella disgrazia, neanche la bomba l'avessero sganciata loro. D'altronde, avevano finalmente due figli soltanto perché era scoppiata una guerra dall'altra parte del mare: il loro desiderio più persistente si era realizzato grazie alla sciagura di un intero Paese, grazie a una madre saltata in aria. Affinché una donna senza figli possa allevare il figlio di un'altra, serve una quantità smisurata di sofferenza all'origine. Che la madre biologica sia morta o no, è comunque in corso un lutto. Dovresti saperlo, quando ti prendi in casa un orfano, pensava Omar, che se tu hai vinto è perché io ho perso. Mia madre, ho perso.

Mari si alzò, afferrò una mela dal cestino sul ripiano della cucina, gliela lanciò, lui riuscì a pararla al volo, lei rise soddisfatta per la prontezza di riflessi. "Almeno la frutta, dài, fammi contenta."

Puntando il telecomando al centro della tavola come stesse benedicendo il cibo residuo, Matte cambiò canale. Omar mondò la mela con lentezza, la buccia cadde sul tovagliolo di carta disegnando una spirale. Seduto di fronte a lui, Sen gli sorrise, quasi a ringraziarlo per quella concessione. Fa' il bravo almeno stasera, pareva chiedere.

Sul ripiano di granito, esibite al pari di trofei, le foto della Prima Comunione. In una, il profilo in su, Sen guardava serio il prete che porgeva l'ostia consacrata. Nell'altra, gli occhi bassi, Omar si concentrava sul dischetto bianco: ne conosceva già la consistenza di polistirolo, il gusto sciapo, per questo faceva una smorfia involontaria che tanto divertiva Mari.

Il corpo di Cristo, recitava ogni domenica il prete avvicinandogli alla bocca l'indice e il pollice a tenaglia. Mari, Matte, suor Tormento e le altre sorelle, tutti accettavano senza batter ciglio che un uomo morisse in modo tanto crudele perché suo padre lo aveva deciso, accettavano che il padre lo avesse fatto nascere apposta perché venisse insultato, seviziato, ammazzato. E che questa scelta fosse giusta, anzi misericordiosa. La chiamavano amore.

In ginocchio sulla panca, il viso nascosto dalle mani, ogni settimana Omar scollava l'ostia dal palato riducendola a una poltiglia, e non credeva che corrispondesse al corpo di Cristo – come gli aveva spiegato Nada prima di tutti, senza crederci neppure lei – ma ugualmente la disponibilità delle persone a banchettare con la morte di un altro, pur di salvarsi, la facilità con cui approfittavano del sacrificio di un essere umano senza sentirsi sciacalli, lo raggelava. Gesù risorge, avrebbe detto Mari. Sì, però prima suo padre gli assegna per sorte un dolore insopportabile. Omar addentò uno spicchio di mela, fece fatica a mandarlo giù. Tutti voi, avrebbe detto se ne fosse valsa la pena, legittimate questa violenza.

Porse uno spicchio al fratello, che lo masticò in fretta, prima che Mari, di schiena per lavare i piatti, se ne accorgesse. Grato di quella complicità, Omar gli diede il resto del frutto, e lui lo mangiò. Sparecchiarono assieme. Poi giocarono a Žandar sul tavolo della cucina. Le carte erano di Matte, che chiese: "Mi insegnate?". Sen non rispose, e Omar sentì che era di nuovo dalla sua parte. Così gli disse, un bisbiglio: "Solo i giganti possono giocare".

La porta del bagno si aprì sulla sagoma curva di Butterfly.

Senadin aveva già assistito a scene simili, durante l'intervallo. Butterfly che riversava la testa all'indietro e grugniva come in preda a un orgasmo. Era esagerato, l'imitazione di un brutto film. Al suo posto un altro si chinava sul lavandino tappandosi una narice, inspirava forte. Ma a quel punto di solito Sen era già di fronte al water: un ciao sbrigativo e si chiudeva a chiave.

Passando dietro Butterfly per entrare nel primo gabinetto libero, quel giorno si arrestò per la sorpresa.

Omar era appoggiato alla parete, in attesa del suo turno, pareva.

"Che stai facendo?"

"Niente", girò la testa da un lato, dall'altro, pur di non incrociare i suoi occhi.

"Sei impazzito?"

"Che vuoi?" si divincolò dalla sua presa e rinculando picchiò involontariamente contro la parete. "Cristo!"

"Andiamo," disse Sen.

"Mollami", Omar si massaggiava il gomito.

"Vieni con me."

Guardava il pavimento, mai lui.

Sen provò di nuovo a tirarlo.

"Piantala."

"Non puoi fartela con questa gente!"

"Questa gente chi?" intervenne Butterfly. "Di chi parli?"

Mai aveva avuto problemi, Sen, a scuola. Mai una rissa, un battibecco. Salutava tutti, anche quelli che non frequentava, quelli di cui ignorava il nome. Era benvoluto, un tipo tranquillo, dicevano, uno che si faceva i fatti propri. Studente senza infamia e senza lode, non aveva mai risposto male a un professore, non si era mai fatto trovare impreparato, non era mai arrivato tardi. Scherzava persino con i bidelli, che lo avevano preso in simpatia.

"Scusami", il tono accomodante, "però mio fratello è troppo piccolo per questa roba."

Omar lo spintonò. "Non sei tu che decidi per me."

Butterfly si fece vicino, sudava. "Nessuno ha obbligato tuo fratello a stare con noi."

"Certo", Sen ostentò calma, "non l'ho mai pensato."

"Io non sono 'questa gente', e tu non sei migliore di me. Hai capito?"

"Scusami, non volevo offendere. Voglio solo parlare con mio fratello."

"Qui stiamo facendo ricreazione", Butterfly indicò un ragazzo che si sfregava l'indice sulle gengive. "Non ci piace essere disturbati."

"Ok," disse Sen. "Vieni, Omar."

Omar non si mosse.

"Vieni!"

"Ti ha detto di no," ribadì Butterfly. "Non vuole venire, vuole proprio stare con 'questa gente'. A te magari non piace, ma lui ha altri gusti."

"Per favore, è mio fratello. È troppo piccolo."

"Lascialo stare, non sei la sua tata."

"Cazzo, Butterfly. Cos'è che non capisci?"

L'urto delle spalle sulle piastrelle fredde.

Butterfly lo aveva sbattuto al muro, le vene del collo pulsavano sotto la stretta delle sue dita. "Chi è che non capisce?" L'alito caldo, il mento e la fronte umidi, lucidi. "Chi sarebbe quello che non capisce?"

I polpastrelli nella mandibola, il dolore irradiato alle tempie. Sen ebbe paura che Butterfly sfilasse il coltello, quello che millantava di portare sempre con sé e che gli era valso il soprannome. Lui non aveva mai creduto che lo possedesse, ma ora – cercò Omar con gli occhi.

Era là, in mezzo agli altri. La porta del bagno si aprì per due volte, per due volte non entrò nessuno. Meglio trattenere la pipì che ficcarsi nei casini.

"Sei tu," disse Butterfly, e gli sfiorò il naso con il suo, talmente era vicino.

Sen annuì, per quanto avere una mano stretta al collo consentisse.

"Bravo, esatto. Quello che non capisce un cazzo sei tu. Vero, Omar?"

Lui non rispose. Non disse lascialo, è mio fratello, non lo devi toccare.

Butterfly poggiò la fronte sulla fronte di Sen, poi mollò la presa. Sen restò appiccicato alla parete – sul viso, il sudore di un altro – in attesa del permesso per andarsene. Cercò Omar un'ultima volta, ma Omar non lo guardò.

Nel pomeriggio bussò, Sen non rispose, lui aprì lo stesso.

Suo fratello leggeva "Dylan Dog" steso su un fianco, le Stan Smith affondate nel copriletto – se l'avesse visto Mari.

Omar gironzolò per la stanza come fosse la prima volta che ci entrava; ispezionò le foto assieme agli amici appese con le puntine a una bacheca di sughero sopra la scrivania, le coppe sportive schierate accanto ai libri di scuola, il cantiere di un palazzo in costruzione in lontananza, fuori dalla finestra. Sperava che Sen lo salutasse, o almeno gli chiedesse che vuoi, invece continuava impassibile a leggere. Si strofinò la cartilagine del naso, con indice e pollice si turò le narici, finché l'apnea non lo fece sbottare: "Io non mi drogo".

Sen voltò pagina, quasi non avesse sentito.

Omar fu tentato di imboccare la porta, invece gli tolse il fumetto dalle mani, disse: "Te lo giuro".

"Ridammelo."

Guardò la copertina: era un vecchio numero, lo conosceva. Aprì, sbirciò. *Sono sempre stato una nullità*. Chiuse.

Sen gli tendeva impaziente la mano.

Omar non resistette, riaprì alla stessa pagina. *Da bambino, mia madre mi scambiava per mio fratello, anche se ero figlio unico.*

Sen fece per afferrare l'albo, lui lo scansò.

Quindi non ero neanche unico. D'altronde mia madre crede ancora oggi che sia mio fratello il figlio unico.

Sen rinunciò. Si stese di nuovo sul letto.

Omar posò il "Dylan Dog" sulla scrivania, mise una mano in tasca, tirò fuori una pallina avvolta nella stagnola, gliela porse.

"Che dovrei farci?"

"Me l'hai dato tu, e non l'ho mai usato. Figurati se uso cose più pesanti."

Sen si rigirò la pallina fra le mani, per un automatismo la annusò.

"Non voglio che ti faccia strane idee e poi vada a raccontarle a quei due."

"Ah, ecco. Mi stai chiedendo di star zitto con Mari e Matte?"

"Non c'è nulla da dire."

Sen si carezzò il pizzetto sul mento.

"Voglio tornare a Sarajevo," disse Omar. "Anche solo in vacanza quest'estate. Voglio trovare la mamma."

Sen si alzò, inserì la pallina nella fessura che l'albo, estratto dalla sua collezione, aveva lasciato, poi prese il fumetto e lo rimise al suo posto. La pallina sparì.

"Nostra madre è morta."
Omar tirò un pugno sulla scrivania. "Falla finita!"
"Ecco, vedi che sei su di giri?" Sen lo spinse sulla sedia. "Non ricordi il certificato di morte di papà?"
"Appunto," disse Omar. "Abbiamo ricevuto il suo, non quello di mamma."
Oltre il vetro della finestra, laggiù in fondo gli operai camminavano sui ponteggi con una sicurezza che lo atterriva.
"La madre di Danilo ha detto che due anni fa il Comune di Milano ha rifiutato la richiesta di un rappresentante bosniaco di visitare noi ragazzi, perché quel contatto sarebbe stato 'doloroso': stavamo facendo i test psicologici ordinati dal Tribunale dei minori."
"Perché, tu frequenti la madre di Danilo?"
"Me l'ha detto Nada, tempo fa. La madre di Danilo aveva scritto un pezzo per 'Oslobođenje', *Bambini dimenticati in Italia.*"
"E cosa diceva? Sentiamo."
"Che il Tribunale ha deciso di affidarci alle famiglie italiane perché non avevamo più avuto rapporti con i nostri genitori dall'arrivo in Italia."
"È vero."
"Ma c'era la guerra! Come facevano a chiamare? Le bombe hanno impedito a mamma persino di venirci a trovare all'orfanotrofio, siamo partiti senza avvertirla, che ne sapeva di dove eravamo? Ci hanno portato via senza che potesse dire nulla."
"Se ci teneva a noi, non ci abbandonava."
"Non ci ha abbandonati!" strillò Omar.
"Ascolta, sono io l'unico che non ti ha abbandonato, nonostante le tue cazzate. Anzi: io, Mari e Matte."
"Ti giuro che è viva. Io l'ho sentita, dopo la granata. Era la sua voce, mi diceva corri, corri. E io l'ho fatto, perché l'ha detto lei... Cazzo, è colpa mia."
Mari apparve sulla porta. Non entrò – era educata, sapeva comportarsi, per questo Omar la detestava. Perché era migliore di sua madre, e Matte era migliore di suo padre, non beveva, non era nervoso, la sua barba non pungeva. La loro buona volontà sminuiva i suoi veri genitori: gente che suda

troppo, che ha i calli ai piedi, le carie ai denti, come se appartenesse a una specie inferiore, a una fase evolutiva che sta per essere superata.

"Tutto bene?" chiese Mari.

"Sì, ma'. Tranquilla," rispose Sen. "Mi stava dicendo una cosa di Nada."

"Ah, la vostra amica. È tanto che non la sento nominare. Come sta?"

Omar l'aveva abbandonata, perché era troppo penoso aspettare di perderla.

Con l'indice sfilò *Memorie dall'invisibile* dalla collezione. Di nuovo una fessura – stavolta non era vuota.

Arrotolò l'albo e, impugnandolo, scansò Mari e uscì.

Fu un croato a battere il calcio d'inizio, con troppa rabbia o troppo entusiasmo, fatto sta che sbagliò traiettoria e l'avversario catturò la palla. L'avversario era croato a sua volta, e la palla era difficile da difendere, sgusciava, non rimbalzava. Erano tutti croati, quelli in campo: si giocava un'amichevole, l'avevano organizzata per distendere gli animi, per concedersi una pausa dai combattimenti. L'operazione Mistral 2 era in corso, l'obiettivo era Banja Luka, la più grande città serbo-bosniaca. Ma quel giorno i militi croati si erano inventati un campo da calcio senza righe né reti, come facevano da piccoli, senza spalti o tifosi, solo un drappello di caschi blu per spettatori. Si avventavano sulla palla come bambini, e i bambini hanno sempre ragione.

I giocatori ridevano, sferravano colpi brutali, non avevano visione, non avevano tecnica, ma trasudavano grinta, e dribblavano a fatica, ma con infantile entusiasmo, e rincorrevano la palla anche se era inadatta al gioco, anche se non era di qualità, da bambini avevano calciato stracci annodati, lattine accartocciate, carta appallottolata e ricoperta di nastro adesivo per pacchi, qualunque cosa trovassero, e non perché i palloni non fossero disponibili, ma perché i bambini hanno fantasia in eccesso, per questo hanno sempre ragione.

Qualcuno sarebbe stato pure dotato di un buon piede, ma non si trattava di vincere, quel giorno avevano già vinto, stavano festeggiando. I caschi blu guardavano la partita come fossero davanti a uno schermo, il livello era scarso, eppure loro erano ipnotizzati, non riuscivano a girare altrove lo sguardo, ad andarsene, non riuscivano più nemmeno a parlare. Lo spettacolo aveva bloccato in gola le parole, aveva impedito a ogni pensiero di formarsi. Guardarono la partita dei croati contro i croati come fossero stati i Mondiali '90, come se il tempo si fosse fermato un istante prima del rigore che avrebbe cambiato tutto, un istante prima che il capitano sbagliasse il tiro contro l'Argentina. D'altronde anche Maradona aveva appena fallito un rigore, ma su di lui non pesava la responsabilità di una nazione in procinto di disgregarsi.

Il 30 giugno 1990 aveva tirato per ultimo, Faruk Hadžibegić, capitano della nazionale che tutti consideravano il Brasile d'Europa, accettando il ruolo di capro espiatorio. Se avessi segnato, si disse, saremmo andati in semifinale. Se avesse segnato, dissero, la guerra non sarebbe scoppiata. Solo i bambini possono credere che un gol avrebbe cambiato il destino della Jugoslavia, come ha fatto il mondo a dargli ragione? Era trascorso un mese e mezzo appena da quando, durante l'incontro tra la Dinamo Zagabria e la Stella Rossa di Belgrado allo stadio Maksimir, quasi sessanta tifosi e settanta poliziotti erano rimasti feriti nei tafferugli. Quel giorno Željko Ražnjatović non si faceva ancora chiamare Arkan, ma guidava gli ultrà serbi e coltivava il talento che a breve lo avrebbe consacrato criminale.

Da allora erano morti così tanti bambini. L'autunno era alle porte, non faceva il caldo afoso di Firenze in estate, il campo improvvisato era a pochi chilometri da Banja Luka, la gente si era chiusa in casa o messa in viaggio, i serbi scappavano, con tanta fretta da lasciare lì i loro sporchi soldi, aveva detto Tuđman, le loro sporche mutande, milioni di profughi e neppure un tifoso a guardare la partitella dei croati, solo i caschi blu, che avevano perduto le parole, e invece di tapparsi gli occhi avevano preso a vomitare.

I croati ridevano, inseguivano la palla come quand'erano bambini, ma i bambini muoiono e non hanno ragione. Ai croati non importava che rimbalzasse poco e male, che fosse dura e facesse uno strano rumore, ora liquido ora scricchiolante, un rumore di cartilagine rotta, di ossa spezzate, non gli importa-

va che macchiasse di rosso il terreno, non era un vero campo da gioco, non erano allo stadio, era un'amichevole, serviva a distendere gli animi, nient'altro. Se usi un po' di fantasia, quel muro di fronte diventa una rete. E il cemento sotto i piedi, erba sintetica. E la testa mozzata di un serbo diventa un pallone.

Ce n'era una scorta, per giocare fino a sera, una lauta scorta di teste serbe mozzate.

37.

In luglio, a un mese dalla fine degli attacchi aerei Nato sulla Serbia, saltando alcuni appelli della sessione estiva, Danilo partì in nave con la madre e la sorella per Sarajevo. Dopo sette anni, ritornava in Bosnia.

Azra ci era già stata, anche se era un po' pericoloso, per mantenere i rapporti con il giornale di cui era corrispondente, e forse anche per incontrare il marito, al quale dall'Italia telefonava sempre più di rado la sera, meno di una volta a settimana; in verità le conversazioni duravano pochissimo, qui sta piovendo, prendi un analgesico, hai già mangiato, ti passo i ragazzi. Al rientro dal viaggio era sempre sciupata, il solco fra i seni più scavato, l'intarsio delle costole un bassorilievo all'altezza dello sterno. Non aveva mai ripreso tutti i chili che aveva perso durante l'assedio. Ma adesso Danilo si accorgeva che la madre invecchiava. La sua terra la prosciugava, ogni volta le sottraeva qualcosa per non restituirlo, una specie di dazio da pagare perché l'aveva abbandonata.

Le sporadiche telefonate fra Danilo e il padre erano identiche l'una all'altra. Lui gli parlava degli esami superati, taceva di quelli falliti o neppure tentati, non gli sarebbe mai venuto in mente di nominargli una ragazza: suo padre era un estraneo con cui aveva avuto l'intimità di un figlio, una volta, un uomo che gli aveva regalato un'infanzia perfetta, e che lui amava per reminiscenza.

A Bologna, all'università, l'operazione Allied Force aveva diviso sin dalla fine di marzo studenti e professori, circolavano volantini, si organizzavano assemblee, Danilo non partecipava mai. In radio imperversava da settimane un pezzo pop che cantavano tutti, e quando ne ascoltava i versi sulla spiaggia di Rimini, voglio i nomi di chi ha mentito, di chi ha parlato di una guerra giusta, e vedeva la gente ballare dichiarando io non le lancio più, le vostre sante bombe, provava un imbarazzo che a nessun italiano avrebbe saputo spiegare. Bevendo un cocktail, batteva il piede a tempo, convertiva in un ritornello azzeccato la frattura che aveva scisso la sua vita, e se ne separava in quel modo, fingendo che la guerra non fosse toccata neanche a lui, come non era toccata ai suoi compagni di corso o agli amici che villeggiavano in Riviera.

Il porto di Ancona era nella zona industriale, affollato di camionisti croati e albanesi che caricavano il tir sul traghetto, e di altri profughi come loro che andavano a trovare i parenti. Forse per l'accento e i volti familiari, forse per l'architettura spoglia alla luce dei lampioni, a Danilo parve di essere già nei Balcani.

La nave salpò alle dieci di sera, sarebbero sbarcati a Spalato l'indomani alle sette. Partirono con una compagnia croata; per risparmiare, non avevano prenotato una cabina ma le poltrone sul ponte, sperando di prendere sonno lo stesso. Passarono al bar per una bibita – Jagoda aveva sete – e mentre attendevano di ordinare al bancone partì l'intro rock di *Bojna Čavoglave*: Danilo vide Azra irrigidirsi. La voce di Marko Perković Thompson gridò stentorea dalle casse agli angoli: "*Za Dom!*". I camionisti sollevarono in alto le birre come soldati i fucili e in coro risposero: "*Spremni!*".

"Andiamocene," disse Danilo.

Azra sventolò una mano: "No. Ho sete anch'io". Le tremò un labbro.

Thompson era il nome di battaglia che gli avevano affibbiato durante la guerra, o forse era stato il cantante stesso a darselo, in omaggio al vecchio mitra americano che aveva impugnato per combattere a Čavoglave, il villaggio in cui era cresciuto e che era diventato la linea del fronte. Il grido di battaglia che pronunciava nella canzone, "per la patria!", all'epoca di Tito era vietato. Ma adesso, otto anni dopo l'inizio della guerra in Croazia, i camionisti gli rispondevano ancora “pronti!”, esattamente come nel ’91 i suoi camerati.

Azra prese due lattine di Coca-Cola per sé e Jagoda, Danilo si convinse per la birra e pure un panino. Individuarono un tavolo libero, ma mancavano le sedie: i camionisti le stavano usando come poggiapiedi. Danilo si guardò intorno per cercare una soluzione, ma Azra era già davanti al gruppo di uomini che cantava a squarciagola. La seguì.

“Siete comodi?”

I camionisti la ignorarono.

“Mamma, andiamo.”

“Ha sentito?” insisté lei. Si rivolgeva a uno con la fronte scottata di sole, chissà perché proprio a lui.

“Che vuoi?”

“Vorremmo poterci sedere pure noi.”

Quello bevve un sorso, poi si girò verso un amico, risero. Forse erano semplicemente brilli, non si trattava di prepotenza – Danilo sfiorò la spalla della madre. Quasi fosse un segnale, quasi lui avesse premuto un pulsante, Azra partì. Afferrò lo schienale di una sedia e la tirò verso di sé. Le gambe del camionista precipitarono, gli scarponi atterrarono con un tonfo, per la sorpresa l’uomo si rovesciò la birra addosso.

A Jagoda scappò un grido stridulo. “Mamma, no,” disse raggiungendola.

Si alzarono in tre, in cinque, Danilo temette si sarebbero alzati tutti e lo avrebbero massacrato. Perché sua madre si comportava in quel modo?

Sollevò le mani in segno di resa, biascicò: “Scusate”, indietreggiando, e il suono triviale delle loro risate lo umiliò. I camionisti gli lanciarono le sedie contro, una dovette pararla perché non lo colpisse. Si risedettero a cantare gli ultimi versi, mentre Azra trasportava due sedie al tavolo libero, e Jagoda le diceva ti senti bene?

Il panino rimase nel piatto, avvolto da un tovagliolo di carta su cui la chiazza d’unto si allargava sempre di più: Danilo la osservò, neanche fosse un fenomeno inconsueto.

“Me l’hai fatto pagare e poi non lo mangi?” disse Azra.

Danilo le vide tremare ancora il labbro – per questo, a

fatica, evitò di rispondere; prese il panino, lo morse, masticò in silenzio.

In ottobre avrebbe compiuto ventun anni, nel giro di massimo tre forse sarebbe riuscito a laurearsi in Legge, e non gli importava d'altro. All'università aveva scoperto che non bastava conoscere bene l'italiano – meglio di un madrelingua, gli diceva Nada – per non sentirsi in difetto, ma che servivano anche il latino e il greco, e non c'era più tempo per recuperarli. Non difettava in capacità di astrazione o di analisi: malgrado non avesse studiato filosofia, seguiva con facilità lo sviluppo del pensiero sui testi d'esame, ne aveva metabolizzato in fretta la sintassi; eppure all'appello gli era capitato più di una volta che il docente, aprendo il libretto per segnare il voto, commentasse il suo percorso formativo. All'università aveva scoperto che il diploma di un istituto tecnico era uno stigma peggiore dell'essere profugo.

Sul ponte, Jagoda si addormentò presto. Azra invece continuava a spostarsi sulla poltrona, la mascherina sopra gli occhi. Da tempo dormiva pochissimo, trascorreva l'intera notte sul divano a leggere, a tratti si assopiva, e per non disturbare la benedizione di quel sonno insperato non si trasferiva mai a letto. Una volta, dopo essere andato in bagno, alle prime luci dell'alba Danilo era entrato in cucina e l'aveva trovata in piedi a fissare il lampadario.

Che fai?, aveva chiesto – lei era trasalita.

C'era una tazza sul tavolo, l'aveva presa e aveva bevuto. Ho mal di testa.

Di nuovo?

La camomilla si è freddata.

Danilo si era seduto al tavolo, lei pure, ed erano stati a lungo in silenzio.

Poi lui aveva detto, con estrema dolcezza: Perché papà non è venuto a Rimini?

Lo sai, è stato tra gli ultimi a essere smobilitato.

E dopo? Perché non è venuto?

Azra aveva passato l'indice sul bordo della tazza, disegnando un cerchio a ripetizione.

E tu, invece, perché sei venuta?

Mio figlio era qui, aveva detto lei stizzita. O non te lo ricordi?

Sarei potuto tornare.

Volevi tornare?

Danilo non lo sapeva, non era una questione di volontà. Non sarebbe neppure voluto partire per l'Italia e invece lo avevano ficcato in quel pullman.

Non era per lui che sua madre si era trasferita a Rimini, l'aveva capito. Seduta al tavolo della cucina alle luci dell'alba, la tazza di camomilla fredda tra le dita, lei gli fece pena, e la pena verso un genitore è un sentimento impossibile da sopportare.

A Spalato, alla dogana, perquisirono loro e i bagagli. Più volte chiesero se davvero fossero diretti in Bosnia e non intendessero, invece, trattenersi in Croazia. Dovettero fornire il numero telefonico del padre, che fu chiamato per una verifica. Fu imposto di aprire il portafoglio: bisognava avere denaro in contante per non essere rimbalzati indietro. Quando la perquisizione finì, Azra spiegò che tutto si sarebbe ripetuto anche in Italia al ritorno, preparatevi.

La stazione dei pullman era a cinquanta metri dal porto. In fondo alla fila, la fermata per Sarajevo non aveva pensilina né indicazioni né orari. All'arrivo del mezzo – un vecchio, malridotto avanzo jugoslavo – l'autista confermò la destinazione. "A che ora parte?" domandò Danilo. "Hai fretta?" fu la risposta.

Era lo stesso viaggio fatto sette anni prima, ma al contrario, e pure questo fu interminabile, anche perché, oltre alle fermate d'obbligo nelle città maggiori, l'autista deliberava in autonomia ulteriori pause. Lungo il delta nella Neretva scesero dal pullman. Come gli altri, Azra acquistò dei mandarini, li porse ai figli. Appena il pullman ripartì, Danilo ne sbucciò uno: non lo desiderava davvero, ma tutti li stavano mangiando. L'odore dolciastro, infantile, si sparse tra i sedili accendendo in lui un sentimento di solidarietà che lo stupì. Era quella, la sua gente?

Lo commuovevano i corpi accaldati, viscosi, dopo ore di viaggio, delle persone che aveva intorno. Si erano sottoposte a un tragitto estenuante per tornare a casa. Avevano raccolto le forze, custodito le borse, mangiato da una gavetta o sbocconcellato un pacchetto di biscotti, avevano accettato la sospensione a tempo indeterminato dal flusso del mondo, ed erano in balia di un veicolo, di un uomo alla guida che non diceva quando avrebbero raggiunto la meta: tutto, solo per tornare a casa. Dall'altro lato del corridoio, sua madre si reggeva la fronte, aveva di nuovo mal di testa.

Nada questa volta non c'era. Non aveva visto, lei, il paesaggio cambiare a Ploče, la Neretva brillare smeraldina, i carri armati dismessi lungo le strade. Non avrebbe aspettato la polizia per più di un'ora a Metković, la frontiera tra Croazia e Bosnia, per il controllo dei documenti. Né che a Jablanica l'autista finisse di sbafarsi l'agnello arrosto, infilzato a un grosso spiedo e cotto sopra il fuoco, nell'ennesima pausa decisa sul momento.

Nada non avrebbe fatto con lui quel viaggio a ritroso, dodici, snervanti ore per tornare al punto di partenza. Il nastro riavvolto, la guerra già scoppiata, sì, ma una famiglia che rimane unita, compatta, nessun distacco, e niente orfani sulla sua strada – le manca un dito, te ne accorgi appena le prendi la mano, è impresentabile, fa compassione, nessuno vuol essere commiserato, non le ha mai chiesto se è stata una mina, mai fatto cenno a quel vuoto, a quell'ammanco d'ossa, non l'avrebbe incontrata se non fosse partito per l'Italia, non si sarebbe dovuto chiedere cosa farsene di lei.

Erano già tre anni che non la sentiva.

Arrivarono di notte. Il pullman li lasciò dietro le rovine della caserma Maresciallo Tito. Jagoda gli strinse forte la mano e camminarono tutti e tre nel buio fino a Grbavica.

38.

Azra era inginocchiata davanti alla vasca per raccogliere l'acqua in un bidone. Sul tappeto ce n'erano già due pieni. Vedendo Danilo in mutande disse: "C'è solo di mattina e solo in bagno, in cucina no. Comunque adesso vengo a prepararti la colazione".

"Non ce n'è bisogno, non ho fame. E comunque vivo per conto mio da un bel po', so prepararmi la colazione. Jagoda?"

"Ancora a letto. Papà invece è uscito. Appena finisco, se vuoi, puoi lavarti, usciamo anche noi."

Danilo si aggirò per l'appartamento, arredato con i resti dei mobili dei nonni paterni, morti senza che lui potesse congedarsi da loro, e altri pezzi che il padre aveva assemblato chissà come. Nessuno lo aveva occupato, ed era ancora in piedi, quando vi aveva fatto ritorno, ma non aveva trovato nulla di ciò che era appartenuto alla sua famiglia. Danilo pensò che non c'erano i suoi libri di scuola né i giocattoli di Jagoda, non c'erano le loro fotografie incorniciate, e il vaso pieno di fiori freschi in ogni stagione, non c'erano le pantofole invernali con la pelliccia dentro, la federa del cuscino cui mancava un bottone, il cucchiaio di legno con il manico bruciacchiato, il telecomando grigio e nero metallizzato con il logo Grundig in rilievo, lo stereo con il giradischi, il portariviste stracolmo di carta, quel quadro comprato in una galleria d'arte contemporanea che da piccolo chiamava lo sgorbio, gli occhiali da sole poggiati all'ingresso assieme alle chiavi, alle monetine, non c'era più niente del loro passato in comune, e forse era per questo che lui li sentiva distanti, i genitori, la sorella, slegati da sé, particelle che fluttuavano senza aggregarsi.

La notte precedente, entrando nel palazzo in cui sette anni prima era rimasta ad aspettare la madre mentre i cetnici la spingevano su per le scale, Jagoda era scoppiata a piangere. Shhh, aveva detto Azra, non possiamo svegliare tutti. Danilo le aveva tenuto la mano, shhh, faceva anche lui. I singhiozzi di Jagoda avevano richiamato il padre sul pianerottolo, Siete qui! Aveva aperto le braccia per accogliere la figlia, ma lei aveva urlato: Pe, perché non sei venuto a prenderci, per, ché? Tesoro, aveva detto la madre, nessuno di noi sapeva quando saremmo arrivati. Perché non c'eri?, continuava a urlare Jagoda.

La faccia del padre era crollata. Danilo lo aveva salutato con un abbraccio e aveva avuto la sensazione che sarebbe bastato stringere un po' di più perché andasse in pezzi.

Sua sorella non aveva voluto la camera che era stata sua: il padre le aveva lasciato il proprio posto nel letto matrimoniale, dato che a Rimini era abituata a dormire con la madre. Fuori era troppo buio, un buio ermetico, senza lo spiraglio del mare. Hanno le pi, stole, diceva Jagoda. Dalla sua camera Danilo la sentiva. Immaginava che la madre le stesse accarezzando la testa dal ciuffo grigio, per sedarla. Non facevano che sedarsi a vicenda, anzi a turno, c'era qualcosa di morboso, in quel legame. Pi, pistole, ripeteva Jagoda.

Si riferiva a una frase che aveva detto la madre di ritorno dalla Bosnia, due anni prima. La popolazione civile possedeva ancora armi, nonostante fosse stata invitata a consegnarle. Jagoda aveva registrato l'informazione, e adesso, di nuovo a Sarajevo, le era tornata la paura di morire.

La sera Danilo uscì con Izet. L'amico non era più tornato in Italia dopo il trasferimento, si erano scritti mail e soprattutto messaggi, facendo attenzione al numero dei caratteri per non esaurire il credito. Per strada, si tirarono a vicenda finti pugni sulle spalle, e risero.

Mentre si dirigevano in centro Izet lo avvertì che si sarebbero uniti anche i suoi cugini e qualche amico. "Ma davanti a loro ti chiamerò Adis, ok?"

Danilo assentì. Anche se avrebbe potuto ribattere che suo padre, serbo bosniaco, aveva difeso la città fino all'ultimo, preferiva evitare ogni forma di scontro.

Non si aspettava tutta quella gente, seduta fuori a bere, mentre le casse diffondevano musica ad altissimo volume. Le ragazze avevano rossetti trillanti e sandali col tacco, cosce burrose nella luce del tramonto. Accanto alle carcasse degli edifici franati, tizzoni protesi verso il cielo, sorgeva una schiera impressionante di bar: quasi nessuno disponeva di uno spazio interno, se non per preparare le bevande, un bugigattolo ricavato al piano terra di un palazzo superstite; tutti i gestori avevano però sistemato i tavolini all'aperto, ai quali si consumava per lo più una tazza di caffè: con un marco, ci si arrogava il diritto di ascoltare musica e ballare.

L'aria di festa aveva qualcosa di spasmodico.

Si pogava tra i ruderi, ci si baciava addossati a una parete trivellata. Danilo desiderò abbrancare quelle cosce burrose, macchiarsi di rosso le labbra – ma era straniante, come eccitarsi sulla tomba di un morto.

"Balli?" chiese un ragazzo, che non faceva parte della comitiva, alla ragazza seduta accanto a Izet.

Lei indossava un top a rombo sulle clavicole sporgenti, disse: "Ma come ti salta in mente?".

Il ragazzo fece finta di ridere, se ne andò ostentando disinvoltura.

"Che stronza," bisbigliò Izet in italiano, dando una gomitata a Danilo.

"Che hai detto?" gli chiese lei.

"Nulla."

"È da vigliacchi parlare in una lingua che noi non possiamo capire."

"Ha fatto bene," disse uno dei cugini di Izet, "quelli del Sangiaccato, non li sopporto manco io."

"Per me sono peggio di chi ci bombardava," disse la ragazza.

"Ma dài!" la ridimensionò Izet.

"Allevavano pecore fino a ieri e adesso vogliono vivere con noi." Il cugino si accese una sigaretta.

"Esatto", la ragazza gesticolava troppo, "con la guerra, i migliori se ne sono andati via, e qui sono arrivati cafoni a carrettate."

"Sei tremenda," commentò Izet scompigliandole i capelli: gli piaceva, era chiaro.

Danilo non ricordava che il suo amico avesse un accento sarajevese tanto forte.

"Be', pian piano si integreranno," disse.

"E a te che ti importa?" il cugino espirò il fumo dalle narici. "Tra poco te ne torni a fare la bella vita in Italia."

Danilo non rispose, non voleva fomentarlo, ma ormai quello si era innescato.

"L'altro giorno ho incontrato uno di loro sull'autobus: faceva il controllore, capito? Mi ha chiesto il biglietto. Per la cronaca, io non compro nessun biglietto, finché gli autobus sono da rottamare. Gli ho detto: dov'eri, tu, *sandžaklija* di merda, mentre mio padre combatteva per questa città?"

"Non se la sono passata bene neanche loro, durante la guerra," ribatté Danilo. "Hanno avuto una forte repressione della polizia e" – Izet gli sfiorò un braccio, ma era troppo tardi.

"Senti, Pace-nel-mondo," disse il cugino, "è troppo facile inneggiare alla fratellanza quando ti sei salvato il culo mollando gli altri nella merda. Valli a fare al Paese tuo, questi discorsi", e dopo aver pestato la sigaretta con la suola si allontanò.

"La solita diaspora in villeggiatura," concluse la ragazza. "Ci siamo rotti della gente come te", e si alzò a sua volta.

Gli altri non fiatarono. Spensero le cicche nel posacenere, si controllarono le unghie, cercarono in borsa uno specchietto, proposero di andare a ballare.

Alla fine Izet e Danilo rimasero gli unici seduti.

Danilo si scusò.

"Tranquillo," rispose l'amico.

Lui non sapeva più che dire. Pensò che avrebbe voluto essere a casa: a Bologna, a Rimini.

"Non è facile per loro, e noi non possiamo comprenderlo veramente."

Danilo annuì. Più cercava le parole e più gli sfuggivano.

"Dài, vado a recuperarli," disse Izet. "Vieni con me?"

"Vi aspetto qui."

Solo al tavolo, Danilo fissò il buio spezzato a intermittenza dalle lampadine colorate dei bar. Izet aveva raggiunto la ragazza, che stava ballando. Jagoda non era voluta uscire; se fosse venuta, avrebbe ballato anche lei, e magari avrebbe avuto meno paura.

Nelle insenature dei palazzi squarciati si addensava un'ombra fittissima. L'insofferenza per la musica cresceva, l'aria di festa era uno sforzo ferino, lancinante.

Danilo lasciò un paio di banconote sotto il posacenere e andò via.

Una settimana dopo fu svegliato nella notte da un brusio di voci. Provenivano dal soggiorno, erano di suo padre e sua madre. Dal letto non riusciva a capire che cosa dicessero, ma gli parve un litigio. Pose l'orecchio alla porta, non bastò, allora la aprì piano: il brusio era indecifrabile.

Decise di coricarsi di nuovo, ma l'ansia artigliava la nuca.

In quei giorni i suoi genitori erano stati tra loro quasi formali. Avevano fatto visita ai parenti, soprattutto per portare Danilo, che si sentiva sempre sotto esame: ogni dettaglio della sua vita italiana pareva ai cugini un'esibizione di arroganza ma, se lo taceva, gli zii lo consideravano borioso. Il padre riempiva la dispensa e il frigorifero di cibo, tentava invano di convincere Jagoda a uscire e parlava di politica con Danilo. Per superare la radicalizzazione dell'odio, che dopo la guerra è persino aumentato, diceva, servirebbe un'educazione europeista. Sì, ma come può la nostra generazione insegnargliela, interveniva la madre, se è stata proprio l'Europa ad abbandonarci? Be', ma scusa, dopo quasi cinquant'anni di pace, ribatteva il padre, era inconcepibile l'idea di usare armi per fermare un conflitto nel cuore dell'Europa, o no? Danilo non partecipava, pensava solo che lui sarebbe andato in Erasmus, l'anno seguente, che con i suoi coetanei di Sarajevo non c'entrava nulla. Il padre si informava sulla questione degli orfani dati in adozione: Azra si era messa in testa di ritrovare i genitori di ogni singolo ragazzo, ed era partita dalla madre di Omar. L'aveva cercata all'indirizzo che le aveva dato lui, ma sulla via non c'erano più né lei né il seminterrato, e neppure un edificio. Aveva chiesto ai negozianti del quartiere, l'aveva descritta per come Omar gliel'aveva raccontata, aveva mostrato una foto di lui e Sen, aveva nominato il padre morto, non aveva ottenuto nulla.

Danilo era andato con Izet allo Spomen-park Vraca, da cui si vedeva tutta la zona di Novo Sarajevo. Era distrutto. Dal memoriale dedicato alle vittime della Seconda guerra mondiale erano cadute delle lettere, giacevano a terra come i tasselli di uno Scarabeo. Danilo si era accovacciato per raccoglierne una manciata. Aveva provato a scrivere il suo nome mettendo in fila le lettere, ma gli mancava una *n*. Izet lo aveva imitato: aveva composto la parola *odjebi*. Vaffanculo a chi?, Danilo l'aveva chiesto in italiano. Izet aveva riso. Alcun cenno alla serata finita male: Danilo non aveva nemmeno osato domandare se poi fosse successo qualcosa fra lui e la ragazza col top a rombo. Izet aveva trovato una *n* e gliel'aveva data. Nel frattempo aveva scritto *Rimin*, cercava una *i* per completare. *Scemo*, *friends*, *zdravo*: ogni volta che formavano una parola nuova, ridevano – due bambini che imparano l'alfabeto, anziché due studenti universitari. Danilo aveva rimescolato le lettere del proprio nome, aveva intercettato un'altra *a* e aveva scritto *Nada*. Prima che Izet se ne accorgesse, aveva separato le lettere. Nella luce del tramonto la nudità delle rovine gli aveva punto la gola.

Quando suo padre aveva saputo dov'erano stati si era imbestialito. Ci vorranno cent'anni per sminare tutta la Bosnia, lo sai o no?, aveva detto. C'è gente che tornando a casa sua è saltata in aria, le hanno lasciate apposta, le mine! Io temevo che mi scoppiasse la casa sotto i piedi, e tu che fai, te la vai a cercare?

Un tramestio lo fece sobbalzare sul letto, uscì dalla stanza e corse in soggiorno.

La madre era abbandonata sopra il divano, le gambe larghe, sgraziate, la testa riversa all'indietro, gli occhi chiusi, i palmi verso l'alto, neanche mendicassero un'elemosina che nessuno le avrebbe concesso; il respiro ansante pareva amplificato da un microfono.

Danilo non l'aveva mai vista così. Il padre era in piedi davanti a lei, lo guardava impotente. Il cuore precipitò.

"Mamma", Jagoda entrò di corsa, si inginocchiò davanti a lei per abbracciarla. "Sta, stai di nuovo male?"

Di nuovo male? Danilo si rese conto che c'erano cose dei suoi familiari che ignorava. Erano accadute forse mentre lui era assente e nessuno gliele aveva raccontate. L'avevano protetto – o escluso.

Azra aprì gli occhi, guardò il marito, poi le proprie mani. Sfiorò la fede, la fece girare, la tolse e la scagliò in aria. "Il nostro matrimonio è finito," disse.

L'anello disegnò un'ampia parabola e cadde a terra con un breve ticchettio. La madre andò a chiudersi in bagno.

Jagoda la seguì, bussò alla porta. "Mamma." Lei non rispose. Jagoda bussò ancora, poi tremando tornò in soggiorno e, di nuovo in ginocchio, cercò la fede sotto il divano, la credenza. Il padre diceva alzati, non importa – le spalle appese.

Danilo non sapeva che fare, se bussare anche lui a sua madre o aspettare che uscisse volontariamente. Provò ad avvicinarsi alla porta del bagno, non percepì alcun rumore.

Il padre si era rintanato in cucina, aveva messo l'acqua a bollire per una tisana. Danilo lo raggiunse, non disse nulla, era distratto da quella porta chiusa a chiave. Finalmente la sentì uscire dal bagno. Jagoda corse ad accompagnarla in camera da letto.

Dopo una decina di minuti entrò in cucina. "S, sta meglio."

"Da quanto non aveva una crisi simile?" le chiese il padre.

"Così forte, da un po'. Qualche mese."

Danilo avrebbe dovuto dire spiegatemi cosa sta succedendo, cosa sono queste crisi, da quanto le vengono, e come si trattano, e io dov'ero quando le aveva in Italia: ho abitato con lei e non me ne sono mai accorto, perché non me lo avete detto? Avrebbe dovuto pretendere una risposta, oppure alzarsi, andare da sua madre, starle vicino, non averne paura.

Bevvero la tisana, poi Jagoda posò la tazza nel lavello e disse che andava a dormire.

Un istante dopo gridò. La madre non c'era più.

La cercarono in bagno, alle finestre, magari nascosta da una tenda, come giocassero a nascondino, la cercarono per tutta la casa, la nuca scottava. Danilo ebbe l'istinto di affacciarsi di sotto, ma aprì direttamente la porta per scendere in strada, e fu così che la trovò seduta a terra al centro del pianerottolo, in pigiama, la schiena contro la parete, le gambe stese, lo sguardo vitreo. Chissà se dallo spioncino qualcuno l'aveva vista.

La tirò su e lei lo lasciò fare. Non c'era niente della stimata giornalista, della madre che insegnava il senso di giustizia, non c'era niente di Azra Simić, in quella donna: nessuno al mondo l'avrebbe riconosciuta – a parte un marito, una figlia. Danilo no, lui non aveva compreso nulla di lei, distratto com'era da altro, da sé.

La mattina seguente fecero colazione tutti insieme: pareva che nulla fosse accaduto.

La fede di nuovo all'anulare, forse era stata Jagoda a scovarla. Danilo avrebbe voluto tirar fuori l'argomento ma, da come si comportava il padre, dedusse che glielo avrebbe impedito. Non l'aveva mai visto prostrato come la notte prima, neppure il calcio del cetnico, la sera della fuga, lo aveva ridotto in quel modo.

L'avrebbe chiesto a Jagoda, nel pomeriggio, o l'indomani, o in Italia, avrebbe escogitato la maniera di sapere che cosa stava succedendo. Ma avrebbe significato ammettere di essersi interessato così poco alla madre da non accorgersi del suo malessere, di quanto fosse acuto – non se ne capacitava. Soprattutto, sarebbe stato come ammettere la sua marginalità all'interno della famiglia, la sua differenza.

Magari, prima o poi, sarebbe stata la madre a parlargliene, non toccava a lui farlo, non poteva essere invadente. Con quante ragioni nobilitiamo la nostra viltà.

Era di nuovo energica, Azra, sembrava quasi che la crisi

della sera prima l'avesse purificata, come chi, dopo una nottata di brividi e sudore, ha sfebbrato e non avverte più alcuno scollamento fra sé e il mondo, mangia con gusto, ha voglia di camminare, sfodera la consueta allegria.

L'ultima settimana scivolò senza scossoni. Ormai l'apice era stato raggiunto, da lì non si poteva che discendere. Avrebbero ripreso un pullman, un traghetto, un treno, e finalmente Danilo sarebbe tornato a casa.

Cinquanta cadaveri stipati nei cassonetti come rifiuti destinati a marcire. Erano cittadini di Mostar. Fino alla strage, erano persone.

Non scandalizzatevi: le persone sono tutte destinate a marcire.

Li hanno uccisi e ammassati nell'immondizia perché era possibile. Perché il respiro può bloccarsi, la carne decomporsi. Con quale alterigia vi sentite più importanti di mosche e formiche, di lupi e cinghiali, di gatti e canarini, protetti dalla vetta dei vostri pensieri, dall'abisso dei vostri sentimenti, centrali nel mondo come se la vostra nascita fosse un evento capitale anziché un incidente.

Che cos'è un essere umano? Qualcuno che marcirà.

Lisca di pesce, grasso di manzo, buccia marrone di pere ammaccate, muffa sul pomodoro, uovo scaduto, pane raffermo, latte avariato, petalo appassito, foglia arida, fazzoletto umido, gomitolo di capelli, cicca di sigaretta, gomma masticata, assorbente sporco, grumo di polvere, che cos'è, se non questo, l'essere umano.

Non ha colpa del fatto che la vita possa interrompersi da un momento all'altro. Se non morissimo, chi potrebbe ucciderci. Se non provassimo dolore, chi potrebbe infliggercelo. Il male, non siamo noi ad averlo inventato. È colpa di Dio, ma in Dio io non credo.

Rassegnatevi a questa irrilevanza, lasciatemi il diritto di sentirmi nulla, di considerarvi nulla, e finalmente cesserà lo sgomento di fronte alla violenza, e la valuterò per ciò che è, un fenomeno inevitabile e innocente, niente di personale, solo il lupo che sgozza l'agnello, il mio palmo che schiaccia una zanzara, improvviso si interrompe il ronzio, un puntino di sangue sulla parete. Non ha avuto neppure il tempo di dibattersi, di opporsi alla morte che usurpava il suo corpo. Nessun rito pubblico per celebrarne il trapasso. La sua anima vagherà senza pace, mi perseguiterà, ma nell'anima io non credo.

Per chi le scrivo, queste pagine?

Per la morte di una zanzara sul muro della mia stanza, per la morte che è ovunque, mentre voi parlate della vita, e la chiamate dono.

Da giovane ho partorito due figli, mi sono macchiata di questo crimine. È stata ingenuità. Credevo negli esseri umani. Ma se la vita può putrefarsi nel buio fetido di un cassonetto, allora è nascere il peccato.

39.

Omar stava per infilare le chiavi nella toppa quando la porta si mosse e comparve Mari.

"Eccoti," gli disse aprendo.

"Ciao."

"Ciao", l'espressione grave. Non si spostò per farlo passare.

Lui la aggirò.

"Dove vai? Non hai niente da dirmi?"

Omar non rispose, seguitò a camminare.

"Sta parlando con te," disse Matte, uscendo in corridoio.

Omar entrò nella sua stanza.

Mari chiuse la porta e lo seguì. Non accennò al disordine di scarpe sul pavimento, di vestiti ammucchiati sulla sedia, come faceva di solito. Aspettò che Matte li raggiungesse, poi sancì: "Se tu non hai niente da dire, adesso la storia te la raccontiamo noi".

Braccato, Omar spiò fuori dalla finestra: i ponteggi vuoti, desolati.

Sen non c'era.

Il preside aveva telefonato a casa per convocarli d'urgenza. Mari aveva chiamato Matte sul cellulare, lui aveva chiesto un permesso al lavoro. Si erano incontrati all'ingresso della scuola, Matte l'aveva presa per mano.

Il preside li aveva fatti aspettare fuori dal suo ufficio. Mari si sentiva osservata da chiunque passasse, impiegati amministrativi, bidelli: se loro due erano lì, significava che il figlio l'aveva combinata grossa, significava che erano genitori sbagliati.

Infine una segretaria li chiamò.

Dall'altro lato della scrivania, un uomo alle soglie della pensione. Disse che Omar era stato sospeso per due settimane perché aveva aggredito una professoressa.

E dov'è, adesso?, chiese Mari, vergognandosi all'istante di essersi preoccupata per lui anziché per la professoressa, di aver provato prima di tutto angoscia per suo figlio.

È scappato, disse il preside. Mari si alzò, fece per uscire, Matte la trattenne, non posso, diceva lei, non posso perdere il mio bambino.

In che senso, aggredito?, chiese Matte.

Mari pensò che suo marito era un uomo umile, lo ammirò.

Il preside riferì l'episodio, l'ultimo di una serie: litigi con i compagni, scena muta alle interrogazioni, una pallonata troppo forte che aveva colpito un ragazzo durante l'ora di educazione fisica, assenze continue, note sul diario – e la scuola era cominciata da due mesi appena.

Non lo sapevamo, disse Matte.

Le avete firmate, disse il preside, o almeno la firma sul diario, sul libretto delle giustificazioni, c'è.

Mari smaniava per andarsene. E forse non era solo perché doveva cercare Omar: non aveva voglia di sentire tutti quei rimproveri rivolti a lei, una madre sbagliata.

Matte disse che anche a casa il ragazzo era strano, non aveva mai appetito, passava la notte sveglio a giocare al computer, gli avevano tolto il motorino per punirlo dei voti pessimi e lui l'aveva preso di nascosto lo stesso; nemmeno con il fratello andava più d'accordo.

E Mari pensava, perché devi screditarlo davanti a questo estraneo, lui è tuo figlio, è nostro figlio, perché spiattelli i fatti suoi?

Mi scusi, disse, ma ora devo assolutamente cercarlo, e spinse la maniglia.

Credo ci sia anche altro, la bloccò il preside. Per favore, mi ascolti.

Dritto di fianco alla scrivania, su cui giaceva *Memorie dall'invisibile* mai più restituito al fratello, Omar guardò l'uomo e la donna seduti sul letto. Non erano sangue del suo sangue e tuttavia pretendevano di impartirgli ordini, di imporgli divieti. Sua madre era scomparsa; il seminterrato dove viveva con lei, abbattuto. E se dopo averla amata tanto doveva accettarne la morte, allora non poteva amare più nessuno.

Non sapeva che Mari lo avesse cercato nel bosco: aveva controllato ogni albero, poi era andata in macchina fino in centro, era entrata nei bar, aveva attraversato via Italia affacciandosi nei negozi. Aveva camminato sul lungofiume. Omar non era da nessuna parte. Come aveva potuto farselo sfuggire, dopo averlo desiderato tanto?

Forse Dio era contrario, per questo era accaduto. Non le aveva dato figli perché sapeva che non era adeguata. L'aveva messa alla prova, per capire se avrebbe accettato la sterilità come una croce personale – ciascuno ha la sua – anziché pretendere di superare la natura, di contrastare il volere divino. Eccolo, il risultato della sua tracotanza.

Ma io credevo di fare del bene, credevo fosse carità cristiana. Egoismo, sii sincera: di questo si tratta. Perdonami, Signore, abbi pietà – in ginocchio contro un albero, Mari aveva pianto. Matte era tornato al lavoro, da lì le telefonava invano. Omar non lo sapeva.

Percorse con gli occhi la catenella di Mari fino al sottile crocifisso d'argento che pendeva sul pullover.

La professoressa lo aveva interrogato alla lavagna, sulla quale aveva trascritto alcuni versi della *Divina Commedia*; gli aveva chiesto chi è che parla qui?, tamburellando con la penna sulla cattedra. Omar era rimasto in silenzio a leggere quelle righe come fosse la prima volta. *Già cieco, a brancolar sovra ciascuno, / e due dì li chiamai, poi che fur morti.* Sai fare la parafrasi?, aveva domandato l'insegnante. *Poscia, più che 'l dolor, poté 'l digiuno.* Omar aveva riletto, ed era persino stato affascinato dal suono delle parole, ma aveva rinunciato a ogni tentativo. Allora lei aveva detto, con tutti 'sti stranieri in classe, ma come lo finisco, io, il programma? Omar aveva acchiappato il cancellino e glielo aveva sbattuto in faccia. L'aula era scoppiata a ridere. Col viso bianco di gesso, starnutendo, la professoressa aveva strillato. Lui aveva imboccato la porta, e raccontarlo adesso gli pareva inutile.

"Ti droghi?" chiese Mari.

"Che cazzo dici?"

"Attenzione alle parole."

"È stato mio fratello a inventarselo?"

Omar afferrò l'albo sulla scrivania, prese a squadernarlo, Matte si alzò per dissuaderlo, lo tenne lui. "Dài. Siamo qui per aiutarti."

Da bambino, mia madre mi scambiava per mio fratello, anche se ero figlio unico.

"Certo", anche Mari si mise in piedi: il crocifisso le ballonzolò sul petto. "A noi puoi dire la verità."

"Voi credete a Sen e non a me!"

"Che c'entra Sen?"

"È stato lui a infamarmi. Vuole essere il preferito."

"Ma cosa dici? Siete entrambi i nostri figli."

"Non me ne frega un cazzo a me, non me ne frega un cazzo di voi!"

D'altronde mia madre crede ancora oggi che sia mio fratello il figlio unico.

Mari strinse il crocifisso, le tremava la mano. "Sei sempre scostante, e il preside ci ha detto che anche a scuola litighi con tutti."

"E voi gli credete?"

"Ascolta. Se ti droghi, hai bisogno di aiuto."

"Faremo quel che serve," disse Matte, "siamo i tuoi genitori."

"Non siete un cazzo!" gridò Omar e uscì.

Aprì la porta della camera di Sen mentre quelli lo seguivano, andò dritto alla libreria, sfilò un fumetto di "Dylan Dog" dopo l'altro, gettò sul pavimento l'intera collezione. "Ve lo mostro io, chi si droga. Chi è in realtà il vostro amato figlio."

Mari si copriva il viso con le mani. Matte tentava di ammansire Omar, ma con troppa gentilezza per essere efficace.

Quando lo scaffale fu vuoto, senza alcuna traccia della pallina di hashish che settimane prima Sen aveva nascosto, Omar corse alla scrivania, aprì i cassetti.

A quel punto Matte lasciò cadere l'albo e intervenne con più determinazione, lo placcò alle spalle: "Basta, ora la pianti".

Omar sentì montare una scarica di rabbia. Si divincolò con tutta la forza che aveva e scagliò un pugno.

Colpito allo stomaco, Matte si piegò in due. Mari lo raggiunse.

Suo marito sollevò la testa e, prima ancora che Omar potesse rendersi conto di quel che aveva fatto, lo colpì a sua volta.

Mari gridò, si mise in mezzo, ma i due si picchiarono con la stessa disperazione di un padre e un figlio che si sono amati troppo, oppure odiati dal principio, con la stessa sudditanza verso un destino naturale.

Furono per terra, in lotta, avvinghiati – inseparabili.

Quando Matte allentò affannato la presa, Omar si riscosse, d'un tratto vide quel che stava facendo.

Si girò: accasciata a terra, Mari piangeva senza sonoro, bolle di saliva nella bocca spalancata.

"Scusa," disse Omar, e si staccò da Matte.

In piedi, gli tese la mano, lui non la afferrò. Forse aveva bisogno di riposare un momento.

"Mari," disse Omar avvicinandosi. Lei si parò la faccia con i gomiti. "Scusami, scusatemi", Omar si avvicinava, Mari aveva paura.

Un rivolo di saliva colò dalle labbra, si infranse contro il crocifisso d'argento. Solo allora il respiro tornò, un singulto cavernoso, dilatato: "Vattene!".

Omar si curvò a raccogliere i "Dylan Dog", li disponeva sullo scaffale cercando di rispettare l'ordine numerico. Da qualche parte bisognava cominciare, per rimettere a posto le cose. *Memorie dall'invisibile*, non lo trovava più. Guardò Matte.

Lui si girò su un fianco e facendo perno sui palmi, a fatica, si alzò.

Gli prese i fumetti dalle mani, li poggiò sulla scrivania, oscillò la testa in segno di diniego.

"Vattene!" ripeté Mari, più forte.

Omar si rammaricò che Sen non fosse lì, lui sarebbe riuscito a evitare il peggio.

Il pianto di Mari era un latrato.

Era stata tradita da un desiderio ordinario: solo le persone asociali, o disturbate, solo quelle si astengono, tutti gli altri vogliono fare i genitori, non è così? Non è forse normale? È un peccato, essere normali? Mio Dio, Matte, era una tentazione, e noi abbiamo ceduto. Omar la osservò senza indovinarne i pensieri.

Sperò che prima o poi, come mille altre volte, dicesse adesso basta, facciamo pace, lo scooter però resta in garage, non esci per una settimana, domenica dopo la messa parliamo col don, prima di cena mi ripeti la lezione di Storia, di Italiano, di Inglese, e se non mangi la carne la conservo in frigo e te la propino domani a colazione.

Mari non alzò lo sguardo, Matte tacque.

Senza prendere nulla con sé, Omar uscì di casa. Neppure chiuse la porta.

40.

Il dieci agosto del 2000 Nada si affacciò alla finestra della camerata agli Aquiloni per aspettare le stelle cadenti. Era ormai una delle più grandi e le pesava dormire nella stessa stanza con altre ragazze, peggio: con una schiera di bambine sconosciute. Gli anni trascorrevano e gli ospiti del San Lorenzo e della colonia cambiavano, venivano dati in affido, adottati, si trasferivano in un'altra regione, andavano a lavorare perché l'età lo consentiva, ne arrivavano altri, di varie nazionalità, da soli o con le madri. Lei restava sempre lì, stagione dopo stagione, come parte dello staff, o del mobilio, qualcosa che dài per scontato, tanto che una bambina nuova le aveva chiesto se si sarebbe fatta suora pure lei.

No, mi faccio arcidiacono, le aveva risposto brusca.

La bambina non aveva capito, ma non aveva osato chiedere ancora.

Arcidiacono, come san Lorenzo. E mandamela, una stellina, Renzuccio, sono otto anni che mi tieni segregata con l'aiuto delle tue ancelle, almeno un desiderio me lo vuoi realizzare?

Forse il cielo non era abbastanza limpido perché si vedessero cadere. Lei non ricordava di averne mai vista una: aveva finto, qualche volta, quando tutti dicevano eccola, eccola, eccone una anche lassù, ma non sapeva se fossero gli altri a immaginarsele o le sue pupille a soffrire di una refrattarietà agli astri. Se fosse un difetto dei sensi o della fantasia.

Si stese sul letto. Le bambine respiravano forte con la bocca aperta, un respiro da adenoidi, o da pace conquistata.

Il cuscino premeva sulla cervicale, lo spostò, poggiò la testa sopra il lenzuolo, pizzicava. Che ci faceva lei lì? Da sola, senza un amico. Un fidanzato. Una comitiva. Era pure stata bocciata e suor Nanetta non cessava di rinfacciarglielo.

La notte di Capodanno le aveva fatto effetto congedarsi dal vecchio millennio ignorando dove fossero Danilo e Omar, addentrarsi in un futuro che non li avrebbe contemplati. Danilo, non lo vedeva dalla sera dello spettacolo teatrale, mentre Omar non era più andato a trovarla da quando era entrata alle scuole superiori, non era mai in casa se gli telefonava, non la richiamava, a un certo punto lei non lo aveva cercato più.

La guancia sul materasso, sentì il battito pulsare nell'orecchio. Un suono nitido, perentorio. Sollevò la testa, il suono scomparve. La riappoggiò e nel timpano il battito riprese accelerato.

Dove vai, padre, senza il tuo figlio?, chiese Lorenzo a Sisto II mentre il papa era diretto al supplizio: gliel'ha detto Nanetta, la ripete ogni anno la storia del santo protettore del loro istituto. Forse mi hai trovato indegno?

Non crucciarti, Renzuccio, tempo tre giorni e morirai anche tu, ti avverto, io lo so perché tanto di stelle per l'aria tranquilla – persino Abramo offrì suo figlio – arde e cade. Nemmeno una stella, invece, per me: Lorenzo, hai già smesso di piangere?

Gli hai detto ecco i tesori della Chiesa – ed erano storpi, e vedove, e poveracci, erano orfani: certo che il prefetto si è seccato, volevi proprio morire abbrustolito. O forse anche tu lo sentivi sotto la pelle, dietro la nuca, in mezzo alla testa, giù per la gola? Questa parte è cotta, volta e mangia, hai detto sulla graticola, sprezzante più di me. Lo sentivi anche tu quel fuoco ardere, ben prima che ti mandassero al rogo?

Quindi non ero neanche unico, esala il martire con l'ultimo fiato rimasto. E Čupko si ferma davanti alla pira, curva la schiena, iniziano i singulti, pare un motore grippato, dondola in avanti, poi tutto insieme vomita, e cessa il rumore meccanico che dai suoi organi rimbombava. Da quanto non aveva una crisi simile? Il cielo concavo, e niente sfavilla. Neppure un desiderio, per me. Čupko è scomparso, morto sotto le bombe. Chiediamo una grazia. Non merito neppure un pianto di stelle. Era un randagio, non l'ha voluto nessuno. Questo Gesù non mi sembra uno che realizza desideri. E Lorenzo, invece? Fuochi d'artificio esplosi a mezzanotte, ardono i miei capelli, una rondine cade tra spini e Nanetta si angustia, si incendiano le mie braccia come rami in un bosco, i piedi carbonizzati, Čupko li lecca, è proprio lui, sei tornato, cucciolone, sei tor – Nada si svegliò di soprassalto.

Le ciglia incollate, il corpo rorido. Per tre volte provò a respirare, solo l'ultima ci riuscì.

Altrove, anche Danilo si svegliò, la bocca allappata. Doveva bere, ma non aveva la forza di alzarsi.

Omar invece era sveglio da ore, non prendeva sonno. Se chiudeva gli occhi, un lampo lo abbagliava. Gli feriva le iridi, eppure era remoto, come arrivasse da un luogo troppo lontano da raggiungere.

La sentì anche Nada, quella malinconia. Così scese dal letto e tornò alla finestra a cercare una stella.

(Per chi le scrivo, queste pagine, io?)

41.

Lidia le telefonò al San Lorenzo e senza preamboli disse: "Azra ci ha lasciati".

Per una frazione di secondo Nada pensò che fosse tornata ad abitare a Sarajevo, poi la sua mente connesse la notizia alla voce rotta di Lidia, e capì.

Le natiche cominciarono a formicolare. "Com'è successo?"

"Si vede che non ce la faceva più."

Sprofondò sulla sedia con un tonfo e suor Direttrice, che era intenta a leggere documenti dall'altra parte della scrivania, sollevò lo sguardo verso di lei, aggrottando interrogativa la fronte.

Lidia non aveva detto è morta, aveva detto ci ha lasciati, come una cosa che accade perché è decisa. Ne attribuiva ad Azra la responsabilità, e forse c'era biasimo, in questo. Per una come Lidia la vita era sacra, valeva sempre la pena, e malgrado lei fosse brava a comprendere gli altri, per indole e mestiere, la rinuncia alla vita non la accettava. Da parte di un'amica, oltre tutto. Una che, uccidendosi, l'aveva resa inutile.

"Ma così, all'improvviso?"

A gesti la suora chiedeva spiegazioni: Nada girava la testa, premeva sull'orecchio la cornetta.

"Proprio lei, è assurdo, io non mi capacito," disse Lidia.

La gente equivocava sul suicidio, a Nada era chiaro: ammazzarsi non è svalutare la vita, ma pretendere che non ci svaluti. Se il dolore è troppo intenso, l'unica libertà di cui disponi, dato che non hai chiesto di nascere, è sottrarti.

Pensò a Danilo, e le si sbriciolarono le anche. Non avrebbe mai potuto dirgli una cosa simile, gli sarebbe parso il discorso astratto di un'adolescente rifilato nel mezzo di una tragedia personale.

Da poco era passato il suo compleanno.

"Sei sopravvissuta a una guerra, hai continuato a fare il tuo lavoro con coraggio, hai schivato i cecchini, e poi?" insisté Lidia. "Quando tutto è finito da un pezzo, quando finalmente te ne puoi stare in santa pace con i tuoi figli, te ne vai?"

Suor Direttrice aveva smesso di leggere, attendeva con le dita intrecciate, i gomiti sul tavolo.

"Se fosse accaduto durante l'assedio, lo avrei capito, anche se una mamma che si uccide, in realtà, è sempre incomprensibile. Ma adesso? Adesso non ha senso." Lidia era in collera, le aveva voluto bene.

"Durante l'assedio Azra era troppo impegnata a sopravvivere," disse Nada. "Non aveva tempo di decidere se voleva morire."

Suor Direttrice sciolse le dita e rimase un istante con le mani per aria, quasi non sapesse che fare. Poi, adagio, ordinò i documenti che aveva smesso di consultare, li inserì dentro una cartellina, la chiuse con un elastico. In piedi, si rivolse a un ritratto di Padre Pio dietro la scrivania e si segnò.

Quando Nada le chiese di poter raggiungere Danilo e Jagoda per il funerale, disse che Rimini era troppo lontana, il viaggio in treno troppo lungo, non se la sentiva di farla andare da sola.

"Ma ho diciannove anni."

La suora non si convinse.

"Mi accompagni lei, allora."

"Non posso assentarmi dal San Lorenzo."

"È questa, la sua carità cristiana? È questa, la sua cura per il prossimo? Non ve ne frega niente, a voi, non ve n'è mai fregato niente del prossimo."

Suor Direttrice la punì. Ancora cercavano di addomesticarla privandola della cena, come se saltare un pasto potesse farle cambiare idea.

Si rigirò nel letto. Da quattro anni non vedeva Danilo, non si erano più né telefonati né scritti. Carpiva informazioni da Lidia perché Azra le parlava dei figli; soprattutto di lui era orgogliosa, studiava Legge all'università di Bologna e aveva ottenuto un alloggio gratuito in uno studentato.

Come stava, adesso? Lei, che mai aveva avuto una madre, neppure riusciva a immaginarlo.

Nel mondo una volta c'era tua madre e ora non c'è più, c'era un corpo, una voce, un flusso di pensieri, un insieme di gesti riconoscibili, di vezzi lessicali e idiosincrasie, e ora non ci sono più, puoi prendere qualunque treno, qualunque aereo, puoi immergerti fino a toccare il fondo del mare, non la troverai. L'esistenza è venuta meno, al suo posto c'è una porzione di niente, un vuoto calcolabile, e adesso sì che puoi visualizzarlo, adesso non è più un concetto teorico, assenza di materia in un volume di spazio, una nozione inconcepibile dalla mente umana, adesso lo tocchi, un chiodo nello sterno.

Ma lei non poteva saperlo. Non aveva avuto il tempo di condividere una storia con la propria madre, di riconoscerne le frasi, la raucedine mattutina, la consistenza della pelle. Per lei non c'era stata la fitta della perdita, o non poteva ricordarla.

Nada pensò che forse Danilo si torturava, convinto che avrebbe potuto evitare la morte di Azra, ed era questo a distrarlo dall'essere stato abbandonato da lei. Dal fatto che sua madre non l'avesse amato abbastanza da restare. Che ingenuità, considerare l'amore più forte della sofferenza.

Una volta Ivo le aveva detto: Quest'idea che ci hanno inculcato, di dover essere felici, è un castigo. Chi ce l'ha inculcata?, aveva chiesto Nada. Sei figlio di una prostituta, sei scappato da una guerra, ma chi ti ha inculcato a te l'idea di dover essere felice? Aveva riso anche lui. Boh, un certo cinema, aveva detto, certe storie. E quella cazzo di Costituzione americana. Lei si era piegata in due dalle risate. Non abitiamo in America, gli aveva risposto. Era seduta sul dondolo di un bar, prendevano un caffè. Ivo diceva spesso che gli mancava il caffè turco, una sera durante la guerra la madre glielo aveva fatto, chissà dove se l'era procurato. Se non pensassimo di dover essere felici a tutti i costi, se non pensassimo che lo scopo è la felicità, aveva detto, come se fossimo nati per realizzarlo, accetteremmo la sofferenza con meno disonore, meno rabbia, con meno bisogno di capire. In questo, la religione cattolica è più onesta, ti informa dall'inizio che la vita è una merda, ti chiede solo di non ribellarti a questo dato di fatto. Nada gli aveva tirato un colpetto sulla spalla: Non fare il croato bosniaco, ché non ti credo. Ma no, figurati. La religione cattolica non è onesta manco lei, perché ti illude che l'universo sia stato creato per te. Invece no, tu sei una casualità come i virus, i batteri. Aveva sfilato una sigaretta dal pacchetto, Nada aveva preso l'accendino dal tavolo e gliel'aveva porto, poi aveva sputato un chewing-gum in un tovagliolino e l'aveva accartocciato. Espirando, Ivo aveva detto: Bisognerebbe arrendersi. A cosa? Al dolore. Ci ingannano, aveva aggiunto. Non è un errore del sistema, il sistema l'ha previsto, è stato progettato così. Non ti facevo tanto filosofo, aveva detto Nada. Ivo l'aveva spinta finché lei non era crollata sul fianco. Il cuscino del dondolo era morbido.

Nada si alzò dal letto: non era tardi, forse le undici di sera, di sicuro loro erano svegli. Attraversò scalza la camerata, il corridoio, attenta ad appoggiare piano i talloni, scese le scale, si chiuse dentro l'ufficio di suor Direttrice, accese la lampada sulla scrivania per trovare il telefono e comporre il numero, poi la spense e restò al buio ad ascoltare il tuuu, pausa, tuuu, pausa, tuuu, in attesa che qualcuno dall'altra parte alzasse la cornetta.

Fu Jagoda. "Nada", e subito scoppiò a piangere. Aveva la voce di chi non faceva altro da giorni.

Nada le disse che le dispiaceva tantissimo, non osava immaginare quanto fosse dura, ma lei c'era, magari per sfogarsi, le suore le avevano proibito di partire per Rimini, però poteva ricevere telefonate, e comunque di notte si sarebbe alzata, come adesso, per chiamare.

Jagoda si soffiava il naso, mormorava grazie, un automatismo, Nada diceva ma di che.

"Danilo?" Il nome le inciampò in bocca.

"Lo sai, lui fa le cose. Domani per fortù, tu, tuna arriva anche papà."

"Me lo passi?"

Jagoda esitò. Il respiro nella cornetta, una tempesta di vento. Poi, una specie di acciottolio.

"Da, Da, Danil, lo non c'è."

"Ah."

"Glielo dico, co e ti faccio richiamà, mare, ok?"

"Ma sarà pieno di casini, ora, non voglio disturbarlo. Volevo solo fargli le condoglianze."

"Va bene."

Nada non seppe più che dire.

Il respiro nella cornetta, un boato. Lo ascoltava zitta.

Fu Jagoda a congedarsi: "Ti saluto. Grazie", e senza darle il tempo di rispondere mise giù.

Seduta alla scrivania di suor Direttrice, lo stomaco gloglottante nel buio, Nada pensò che il ragionamento di suo fratello era paradossale. Dovrei accettare di essere infelice per poter vivere senza farmi un cruccio della mia infelicità? Vaffanculo, io voglio essere libera di ammazzarmi.

Non poteva confessarlo a nessuno, ma era quasi orgogliosa della scelta di Azra. Se il mondo non è fatto per noi, allora grazie, noi passiamo. Se tanto devo morire, allora scusa, ma preferisco stabilire io quando. Ha fatto bene. Mica è una gara a chi dura di più. Non si vince niente. Il punto non è che Dio non esiste, il punto è che Dio non sono io, né chiunque io ami, è questo a rendere tutto superfluo.

42.

“Perché mi hai fa, tto se, segno di no?”

Seduto al tavolo della cucina, lui non rispose.

“Danilo.”

“Non sapevo che dirle.”

Si alzò, le diede un bacio sulla tempia e uscì.

Jagoda non lo seguì subito nella camera matrimoniale, dove la madre era stata sdraiata, pulita e vestita, le mani congiunte sulla pancia, per accogliere chiunque volesse darle un ultimo saluto. Ma quello non era il suo Paese, e a salutarla erano venute poche persone. Le suore degli Aquiloni, Lidia e le altre educatrici, i pochi amici di Jagoda, qualche compagno di scuola con cui Danilo era ancora in contatto.

Odore di cera. Da quel momento in poi, ogni volta che avesse sentito lo stesso odore diffondersi dai capelli di un amico, lui avrebbe rivisto le unghie azzurrine, violette, di sua madre, le labbra appena dischiuse sui denti perché la colla non aveva tenuto, e la camicia di raso che aveva scelto sua sorella, gliel’avevano regalata loro due all’ultimo compleanno. Azra l’aveva indossata in vacanza a Sarajevo per andare a cena con i colleghi della redazione – non potevano immaginare, loro, che si sarebbe uccisa. O forse sì, forse la conoscevano meglio di lui.

D’ora in poi, sua madre sarebbe stata soltanto i racconti degli altri su di lei, di lei sarebbe rimasto ciò che gli altri ne pensavano, che avevano creduto di sapere, l’idea che se ne erano fatti. Danilo non lo accettava. Smettendo di esistere, sua madre diventava un insieme di opinioni, magari discordanti. La sua verità spariva, la complessità dell'individuo che era stata si riduceva a una sintesi che lei non avrebbe potuto contestare; il suo io cessava mentre gli altri prendevano il sopravvento e definivano chi fosse stata. Anche per questo la morte era un'ingiustizia.

"Perché non vuoi par, lare con Nada?"

Jagoda era entrata a cercare qualcosa in un cassetto del comò. Quando Danilo si era iscritto all'università di Bologna lasciando libera la propria stanza, sua sorella non ci si era trasferita, aveva preferito continuare a dormire con sua madre. Sarebbe stato difficile, adesso, perdere l'abitudine di condividere il sonno con lei.

La notte prima si era addormentata, piangendo, sulle lenzuola accanto alla madre, non le era parso macabro. Avere il suo corpo vicino, per quanto rigido e muto, riusciva ancora a consolarla. Danilo aveva rinunciato a trascinarla via. Preparata dall'agenzia funebre, il viso liscio, la pelle tesa, Azra era un ritratto che le somigliava ma non la coglieva in pieno, una copia riuscita male.

"Che cosa dovrei dirle?"

"È una tua amì, mica, ti vuole bene. Anzi, ti a, dora." Le era rimasta una voce nasale, quella di chi ha singhiozzato a lungo. Lui non aveva versato una lacrima.

"Non ho voglia di parlare con nessuno."

Seduto accanto al letto, si sporse sul cadavere per verificare che non respirasse.

"Che f, fai?"

Non era tanto il desiderio inevitabile che si trattasse di un errore di valutazione: tutto risolto, mamma è sveglia, ci siamo sbagliati. Era la paura che, sigillata nella bara, la madre rinvenisse di colpo e picchiasse contro il legno per uscire. Voleva assicurarsi che fosse morta perché non dovesse patire ancora, perché non provasse più il terrore dei vivi.

"A volte mi pa, pare che l'addome si gonfi, si go, gonfi, e si sgoo, onfi. Capita anche a te?"

Avrebbe dovuto occuparsi di sua sorella, adesso. Non poteva stare da sola a Rimini, ma lui non poteva lasciare l'università. Voleva frequentare le lezioni, studiare in biblioteca, laurearsi, diventare qualcuno, togliersi tutta quella merda di dosso.

La morte intaccava le narici, odore di cera – non faceva piangere.

Poco prima che iniziasse ufficialmente la guerra, dall'estetista sua madre aveva sentito che il 4 aprile avrebbero attaccato Sarajevo e come al solito non ci aveva creduto, nonostante i check-point che i militanti del partito serbo avevano posto da giorni sulle strade di accesso alla città: nel loro quartiere il traffico era sempre bloccato. Alcuni vicini avevano trascorso le ultime notti in cantina, a sussultare per gli spari fra le tenebre, e le mattine a scrutare i Mig che volavano a bassa quota, è l'aviazione federale che controlla dall'alto, buon segno, diceva qualcuno, è Belgrado che vuole intimorirci, diceva qualcun altro. Già da un mese, più o meno a partire dal referendum, quando il padre serbo di uno sposo era stato ucciso con una raffica di colpi esplosi da una Golf, durante la festa di un matrimonio nel cortile della chiesa ortodossa, girava voce che tremila cetnici stessero arrivando da Pale, ma Azra la chiamava disinformazione, e aveva trasecolato assistendo all'assalto di treni e pullman per abbandonare la città: la gente prendeva ferie, malattia, e scappava. Le classi si svuotavano perché i ragazzi erano partiti o perché, per cautela, i genitori li tenevano a casa, gli insegnanti passavano il tempo fuori dall'aula a discutere tra loro fumando, state buoni, dicevano ogni tanto, ché tra poco riprendiamo. Non si facevano interrogazioni o compiti in classe, i pochi scolari presenti giocavano a battaglia navale in uno strano clima di allerta e vacanza. Il 4 aprile infine era arrivato e non era accaduto nulla. A tavola la madre aveva detto: Visto che avevo ragione? Peccato, aveva risposto Danilo, speravo di saltare le lezioni. Lo schiaffo gli aveva strozzato in gola la risata. Non se l'aspettava: in casa sua le botte erano bandite, i genitori non avevano mai alzato le mani. Vergognati, lo aveva rimproverato Azra. A lui era sembrato uno scherzo innocuo, d'altronde era stata lei a dire che il pericolo non c'era: le aveva solo dato retta. Aveva ruminato astio, finché, quando dall'Holiday Inn i cecchini serbi avevano sparato sulla folla, non era andato a dirle: Chi è che aveva ragione? Sua madre si era chiusa il naso fra le mani a conca, lo aveva guardato smarrita. POSSIAMO VIVERE INSIEME, c'era scritto sugli striscioni sbandierati dai sarajevesi che avevano occupato il Parlamento nonostante gli spari. "Senza serbi non potrei respirare, senza croati non potrei scrivere e senza essere me stesso non potrei vivere con loro, aveva detto Abdulah Sidran durante l'happening trasmesso in tv." Sua madre la pensava come lui, per questo si era sbagliata. Vergognati, le aveva detto Danilo, con tutta la crudeltà che poteva, e lei aveva sbattuto forte gli occhi.

Erano chiusi, adesso. La bocca scollata, le dita livide, e gli occhi chiusi.

"Bisogna s, stare vicino a papà," disse Jagoda.

"Papà abita a Sarajevo, a lui la mamma mancherà di meno."

Danilo si avvicinò al tavolino all'angolo sul quale la madre lavorava.

Aveva cominciato a collaborare con le testate italiane, scriveva i pezzi in inglese, venivano tradotti. Il numero del quotidiano nel quale per la prima volta era comparsa la sua firma era rimasto sul tavolino. Danilo lo sfogliò fino a trovare il pezzo. Si intitolava provocatoriamente *Il capriccio delle autorità italiane* ed era incentrato, al solito, sui bambini bosniaci adottati. Ormai erano quasi degli adulti, ma i due faldoni che li riguardavano erano ancora impilati in verticale contro la parete.

"Papà è quello che più di tu, utti può sentirsi re, spons, abile."

"Perché l'ha lasciata?"

"Non si sono mai lasciati. Forse semplicemente non si amà, amà, amavano più."

Danilo andò a inginocchiarsi davanti a lei, che l'aveva sostituito sulla poltrona. "Com'erano a Sarajevo?"

"Uniti, ti."

"E poi, cos'è successo?"

"È finita la guerra."

Le dita di sua madre intrecciate sul petto. Tentò di ricordare come fosse la sua presa, quando lei lo teneva per mano. Che consistenza avesse il suo palmo, quale temperatura, se era secco, asciutto, com'era stringerlo da bambino. Da quanto tempo non camminava per mano a sua madre. L'aveva già dimenticata, quella sensazione, ancora prima che lei morisse. Non avrebbe mai saputo che cosa si provava a tenerle la mano da adulto.

"Torno a casa con lui," disse Jagoda.

"Cosa?"

"Vado a Sa, rajevo, con papà."

"Ma che dici? Tu odi stare lì."

"Mi fa molta più paù, paur, ra il luogo in cui ho trovato la mamma mo, orta."

Azra aveva preso dei sonniferi e si era sistemata sul letto. Una morte igienica, poco invadente, doveva aver pensato. Nessun treno da fermare, nessun volo dal cornicione che avrebbe potuto investire i passanti, nessuna pozza di sangue: non ci sarebbe stato un motivo per biasimarla. A parte gli sfinteri che avevano rilasciato urina e feci, ma sarebbe accaduto in ogni caso.

"Prima facevi da balia a lei e adesso vuoi farla a lui? Alla tua vita non ci pensi?"

"Non siamo tu, tti com, e te."

Forse aveva bisogno di occuparsi di qualcuno, sua sorella, per tenere a bada la propria ansia. Forse era questa, la sua forma di egoismo.

"Devo parlare con la Madre superiora, magari puoi abitare per qualche tempo agli Aquiloni, finché non comincerai pure tu l'università, poi potresti vincere un posto alla casa dello studente. Non voglio stare in Italia da solo."

"Ci sei stato per a, anni."

Quando sua sorella era così lucida, Danilo si sentiva fragilissimo.

Jagoda aveva gridato, seduta per terra, le spalle alla parete, come Azra a Sarajevo la notte della crisi dopo il litigio, aveva pianto nella tazza di camomilla, l'unica cosa che mandava giù da quando aveva trovato la madre morta, e seduta immobile sul letto, in mutande, incapace di infilarsi le calze. Aveva pianto lavandosi i denti o in piedi a braccia conserte nel centro del soggiorno, come in attesa, aveva gridato seduta sul water e sotto la doccia, aveva pianto e gridato fino a turbarlo, a indispettirlo, fino a fargli credere che fosse impazzita anche lei, che non si sarebbe mai ripresa, mentre lui non versava una lacrima. Poi però aveva momenti così, sua sorella, nei quali decideva di cambiare città, nazione, esistenza, e sembrava esente dalla paura. Era una creatura venuta dallo Spazio e non aveva bisogno di lui per star bene sulla Terra. Lui non poteva difenderla da alcun dolore, non solo perché non ne era capace, ma perché non si sarebbe impegnato abbastanza.

Si rialzò. Sbirciò l'addome della madre – già un'abitudine. No, non respirava. A cosa aveva pensato, lei, ingoiando le pastiglie? Chi era stato il suo ultimo pensiero? Aveva pronunciato il nome di Jagoda, il suo? E forse subito dopo aveva cambiato idea, ma non era più possibile tornare indietro. Era straziante immaginare un suo estremo, inutile pentimento. Aveva chiamato i propri figli, e non era bastato.

Danilo abbassò la tapparella.

"Te, lefona a Nada," disse Jagoda, e senza mettersi il pigiama si stese di fianco alla salma.

Un fratello e una sorella da soli in casa con una madre morta. Lidia si era proposta di restare con loro, lui non aveva voluto. Abbiamo diritto anche noi a un lutto privato, aveva detto, e forse lei quel livore non l'aveva capito.

I faldoni avevano i bordi consumati. Danilo li prese entrambi, pesavano.

Con delicatezza, come per non svegliarla, per non sciuparla, Jagoda posò la testa sulla spalla della madre. Accoccolata al suo corpo, chiuse gli occhi.

43.

Dopo la scazzottata con Matte, Omar aveva trascorso la sera girovagando per locali con Butterfly e gli altri, avevano sniffato e ballato fino a tardi, poi l'entusiasmo si era dissolto, la stanchezza li aveva abbattuti. Omar si era ricordato di Sen: credeva sarebbe venuto in centro a cercarlo, ma ormai era l'alba. Anziché salire in motorino aveva chiesto ospitalità ai suoi amici, nessuno era disposto a dargliela. Magari poi i miei rompono le palle, si era giustificato Butterfly, condizionando gli altri, magari fanno una telefonata ai tuoi e scoppia un casino: lascia perdere, tornatene a casa.

Omar aveva legato lo scooter con la catena e passeggiato da solo lungo il Lambro per ore, ripensando alla Miljacka iridescente negli occhi di Nada. Quando i tram e le automobili avevano di nuovo occupato le strade, era entrato in una cabina telefonica. Aveva inserito le monete e composto il numero. Dopo il primo squillo aveva chiuso. Non c'era nulla da salvare – né da perdere. Era riposante assecondare finalmente il proprio destino.

Alla stazione aveva preso un treno e si era assopito per pochi minuti; era sceso a Milano Centrale e aveva giurato a sé stesso che Mari, Matte e pure suo fratello non l'avrebbero più rivisto.

C'era stata la fierezza dei primi giorni, un coltellino in tasca, come Butterfly, e un sentimento inedito di forza: può darsi fosse l'evidenza della sua rabbia a tenere gli altri lontano. C'era stata la libertà della notte davanti alla Rinascente – ma alle sei e mezzo i calci dei vigili lo svegliavano: una giaculatoria di bestemmie e raccoglieva i cartoni. Mangiava così poco che i soldi gli erano durati due settimane; quando erano finiti e, più della fame, lo pungolava la voglia di farsi, aveva cominciato a spacciare per uno spacciatore conosciuto in stazione. Bastava scegliere il posto giusto e la gente veniva, non dovevi persuaderla né negoziare – un lavoro adatto anche a uno come lui.

Una mattina, di fronte al posteggio dei taxi, gli si era avvicinata una monaca per un'indicazione stradale. Lo stupiva che fra tante persone si fosse rivolta proprio a lui. Forse la solitudine, il rancore non gli avevano del tutto rovinato i lineamenti. L'aveva accompagnata per due isolati. Al semaforo, lei gli aveva carezzato il viso come a un bambino, Che Dio ti benedica.

Si era torto la pelle dei polsi con un pizzicotto, ma non si era calmato. Aveva camminato fino a un telefono pubblico e stavolta, quando dall'altra parte avevano risposto, si era fatto passare suor Tormento.

Al contrario di suor Direttrice, lei lo aveva riconosciuto, e l'ansia le aveva accelerato le parole. Gli aveva detto i tuoi genitori sono in pena, hanno denunciato la tua scomparsa e non ti trovano da nessuna parte, Sen è disperato, tua madre ha smesso di uscire, non va più nemmeno a lavorare, ti aspetta tutto il giorno. Per favore, dimmi dove sei e ti vengo a prendere. Sei a Sarajevo? Non ho più motivo di tornare a Sarajevo. E dove sei? Omar avrebbe voluto chiederle di tenerlo con sé in istituto, come quando mangiava sull'albero. Vuoi che chiami Nada?, aveva domandato suor Tormento. Lui aveva abbassato la cornetta.

Aveva affittato un posto letto in un appartamento di ringhiera troppo affollato, era durata solo qualche mese: sniffava sempre di più, cinque costosi grammi al giorno. Così era finito con altri ragazzi nei tombini, al caldo delle tubature. Ci si sballava e ubriacava tutti insieme, ci si addormentava sui materassi buttati a terra, maschi e femmine, come a Bjelave sotto le bombe, tra vecchie scatolette di tonno che traboccavano di mozziconi e bottiglie di plastica piene di piscio, perché col buio era scomodo risalire. Una di quelle notti aveva perso la verginità, e non ricordava quasi nulla. Aveva il terrore che, mentre lui e i coinquilini dormivano, qualcuno li tappasse dentro saldando il tombino – i vigili, o la gente perbene che non ne poteva più di loro – e si svegliava con la gola ostruita, un rantolo. Alla fine dell'inverno il caldo era diventato insopportabile e la puzza asfissiante, così era tornato a dormire per strada, rannicchiato sopra i marmi all'ingresso delle banche o dei negozi di abbigliamento. Rubava sui treni e sugli autobus, lavava i vestiti alle fontane, li stendeva su un muretto, in mezzo al traffico.

Il giorno del suo diciottesimo compleanno uno sconosciuto lo aveva invitato in un bagno della stazione, aveva polacchine sformate e almeno sessant'anni. Omar si era fatto dare in anticipo cinquantamila lire e non appena le aveva avute in mano lo aveva colpito ed era scappato. L'uomo si era tirato su la zip e lo aveva denunciato per furto. Omar era stato catturato qualche giorno dopo, mentre spacciava. Dalla questura avevano chiamato i suoi, ma nessuno, neppure Sen, era andato a trovarlo.

Adesso che era uscito dal carcere però aveva deciso di farla finita con la droga e il resto, perciò era tornato. Un anno dopo: l'autunno inerte della pianura. Mancava un mese e mezzo a Natale.

A quell'ora, spiati dall'esterno, i rumori della casa che era stata sua somigliavano ai rumori di tutte le altre prima di cena, tinnire di stoviglie, brusio della tv, il conforto della banalità. Le tendine ricamate alle finestre gli impedivano di vedere dentro. Che cosa avrebbe detto suonando? Sono io. Sarebbe bastato? Sono io, e tu riconosceresti la mia voce anche nel frastuono. Sono io, e il cancello si apre all'istante. Sono io, sono io, direbbe uno di famiglia, senza necessità di aggiungere altro.

Si trattenne ancora un po' ad ascoltare quel rumore domestico.

Poi la porta si aprì, e Matte comparve sulla soglia con un maglione di lana spessa.

"Che ci fai qua?"

Omar avanzò, un leggero solletico in gola.

Nessun clic metallico, nessun cigolio, il cancello rimase chiuso.

"Che vuoi?"
Si asciugò i palmi sui jeans. "Sono tornato."
Dietro una finestra, velata dalla tendina bianca, c'era Mari.
D'istinto Omar agitò una mano a salutarla. Lei era immobile.
"Dov'è mio fratello?"
"All'università."
"E cosa studia?"
"Devi andartene," avvertì Matte.
"È a Milano?"
"A Pavia."
"E non viene mai?"
"Certo che viene, almeno due volte al mese."
"Siete ancora una famiglia," disse Omar.
La tendina bianca si scostò: eccolo, il viso di Mari.
La salutò di nuovo. Lei sollevò debolmente una mano.
"Lascia stare mia moglie. L'hai fatta penare fin troppo, non te lo consento più."
"Mi dispiace. Vi chiedo scusa. Anzi, soprattutto chiedo scusa a te."
"Ti abbiamo cercato come pazzi, lei ci ha perso la salute. La polizia ti ha trovato dopo mesi e mesi: peccato che ti abbia sbattuto in galera. A proposito, sei già uscito?"
"Ho bisogno di una casa."
"Noi non siamo una casa, un dormitorio. Siamo persone."
Omar si avvicinò ancora un po' al cancello, strinse una sbarra.
"Sarà diverso."
Stava mendicando, ma lo considerò il prezzo da pagare per recuperare ciò che aveva perduto.
"Allontanati, per favore."
"Ho peccato contro di te, non merito di essere chiamato tuo figlio."
Nessun sarcasmo, solo un goffo tentativo.
"Hai peccato contro Dio. E *non sei* mio figlio."
Omar sciolse la mano dalla sbarra, cercò Mari: aveva aperto la finestra per ascoltare.
Le disse: "Aprimi", il tono già disperato. Quel servilismo gli provocava disgusto, ma non poteva evitarlo.

"Te lo ripeto: lascia in pace mia moglie, o chiamo i carabinieri."

"Non puoi mandarmi via, Matte," gridò Omar, "è tuo dovere riprendermi in casa."

Dai balconi si affacciarono i vicini, i giubbotti sopra la tuta e le pantofole.

"Non è un mio dovere. Sei maggiorenne."

"Per la legge sono tuo figlio."

"Abbiamo fatto richiesta per lo scioglimento dell'affido."

"Finché non sarà sciolto", la voce di Omar zoppicò, "io sono ancora tuo figlio."

"Vattene," ripeté Matte, "o chiamo i carabinieri, te l'ho detto."

Omar si sedette sull'asfalto, la fronte contro le ginocchia. Il pensiero che la gente l'avesse visto supplicare ed essere rifiutato gli iniettava collera in corpo, avrebbe spaccato le finestre a sassate. Invece restava lì, a farsi commiserare.

Sollevò di nuovo lo sguardo: sulla porta adesso c'era Mari, da sola. Matte era sparito.

Omar si alzò instabile, tornò al cancello. Lei uscì nel cortile. Aveva addosso una coperta, le pendeva dalle spalle come un manto. Era verde, e quel verde lo trafisse, un incongruo alone di dolcezza – il chiarore lattescente attorno alla fiamma viva.

"Non ce la faccio più, Mari. Sono anni che sto male."

Lei gli andò incontro, infilò le mani tra le sbarre, lo toccò.

Da dentro, il marito la chiamava, ma lei teneva le mani di Omar e chiedeva perdono.

"Di cosa, Mari? Che stai dicendo?"

"Di questo corpo."

Omar le carezzava le nocche con i pollici, non era mai accaduto.

"L'abbiamo deciso insieme, Mari, ne abbiamo parlato tanto", Matte venne a poggiarle un palmo sulla spalla. Lei si spostò appena e la coperta scivolò a terra. Nessuno la raccolse. "Torna dentro, dài."

"Non è stato tramite per nessuno, non ha accolto nessuno," disse lei. "Sono sempre stata sola, io, in un corpo sigillato."

Matte provò con delicatezza a portarla con sé, ma lei stringeva le mani di Omar.

"*'Io che apro il grembo materno, / non farò partorire?' dice il Signore.*"

"Mari, per favore, vieni."

"*'Io che faccio generare, chiuderei il seno?' / dice il tuo Dio.*"

Omar si staccò. Mari si scrutò le nocche, come nello sforzo di comprendere l'assenza dei pollici che un secondo prima le carezzavano.

Poi, pian piano, si lasciò trascinare verso casa. La sua schiena larga, quasi virile, riempì Omar di una tardiva tenerezza. Li osservò entrare e in quel momento arrivò, senza sirena, la macchina dei carabinieri, frenando a un pelo da lui.

Immaginò Mari voltarsi con un leggero fuori sincrono. Nel cortile, la coperta abbandonata come una reliquia. Suo figlio era già corso via.

44.

In moto impiegava un'oretta. Mari gli raccomandava sempre di non correre, ma stavolta non era con lei che aveva parlato, era stato Matte a chiamarlo, Vieni, tua madre ha bisogno di te. Che è successo? Vieni, Senadin. Si tratta di Omar?

Aveva infilato in fretta il casco e preso la strada che costeggia il Naviglio: scorreva rettilinea in mezzo alla pianura di campi e cascine, tanto che era impossibile non accelerare, non sfidare sicuri il proprio destino.

Il trucco è guardare la strada davanti a sé. Lo ripeteva a Omar, il giorno che da bambino gli aveva insegnato ad andare in bicicletta.

Ne avevano una sola, in casa, da femmina, arrugginita e della misura sbagliata: l'avevano trovata vicino a un cassonetto e se l'erano portata via; l'avevano sfregata con la carta abrasiva, avevano chiesto al vicino una pompa per gonfiare le ruote e Sen aveva cominciato a usarla.

Omar era più piccolo di lui, ma era ora che imparasse. Il padre era già scomparso, la madre non aveva pazienza. Un pomeriggio era uscita sul marciapiede e aveva detto sali, datti la spinta sul pedale, poi basta andare dritto. Teneva la schiena curva e le mani sul portapacchi per reggere la bici. Appena Omar era partito, la madre aveva mollato la presa: per la paura, lui aveva perso il controllo del manubrio e continuando a zigzag era caduto. Ti ho detto dritto, perché non mi ascolti?

Un giorno che la mamma era uscita, Sen aveva avuto un'idea, aveva smontato i pedali con una chiave inglese rimasta sotto il letto in una vecchia cassetta del padre. Adesso, Omar, sali su e cammina come un gigante.

Ma io sono piccolo, non sono un gigante.

Non è vero, tu sei un gigante, noi siamo giganti, guardami.

Sopra il sellino, Sen si era dato lo slancio con i piedi sull'asfalto, li sollevava e poi atterrava di nuovo, imitando i passi enormi di un gigante. Vedi? Così.

Soltanto ai bordi della strada la neve era ormai sporca, schiumosa, per il resto ricopriva le tegole delle case affastellate, i tettucci dei tram, la cima e i fianchi delle montagne con il consueto candore. Il sole pareva nascosto da una tenda di nylon, i raggi arrancavano.

Omar aveva provato a imitare Sen: era meno stabile e i suoi passi erano più corti, però lui lo incitava, sei un gigante, noi siamo dei giganti.

Quando il fratello aveva imparato a stare in equilibrio con i piedi sospesi, Sen aveva rimontato i pedali uno alla volta ed era corso in casa a prendere una coperta.

Che hai fatto? Se ti becca la mamma.

Shhh, aiutami.

L'avevano piegata insieme per lungo fino a renderla tubolare, poi lui l'aveva avvolta attorno alla pancia di Omar e aveva intrecciato i due lembi per creare una specie di corda, spessa e resistente.

La mamma si arrabbierà.

Prima che torna la rimetto a posto.

Che devo fare?

Pedala.

Omar pedalò. Per due metri almeno procedeva sereno, poi, quasi per la meraviglia che le ginocchia si flettessero in automatico, bloccava la bici, che si inclinava. Ma da dietro Sen tirava la coperta: Ti tengo. La schiena del fratello di nuovo tesa, lui la sentiva salda nella sua stretta. Non era molto più grande, un paio d'anni appena, ma sapeva che Omar si fidava già di lui.

Guarda dritto davanti a te, non abbassare lo sguardo, non

guardare il manubrio o la ruota, guarda la strada che farai, è questo il trucco, la strada che farai.

Omar si era impegnato. Ogni volta che la ruota anteriore girava per conto suo, senza che lui riuscisse a raddrizzarla, si demoralizzava. Se avanzava in modo regolare per qualche secondo, invece, la sorpresa era tale che dall'emozione perdeva l'equilibrio.

Dopo una serie di cedimenti, frenate a sproposito, ma nessuna autentica caduta, aveva cominciato a pedalare davvero, la coperta stretta alla pancia e la strada davanti a sé. Sembrava che sul serio potesse percorrerla senza incidenti, senza cadere mai più. Aveva addirittura imparato a curvare e tornare indietro. Sen lo seguiva di corsa, ridendo soddisfatto. Bravo, gli urlava. Ti tengo. Anche Omar rideva, forse stupito che stesse capitando. Non lo credeva possibile, Sen lo sapeva: suo fratello non si credeva mai capace di fare qualcosa, soprattutto se lo desiderava tanto.

Quando lui aveva mollato la presa, Omar non si era agitato. Ci sono riuscito, aveva pensato Sen, ce l'ho fatta. Anzi, si era corretto, ce *l'ha* fatta. Ne era fiero.

Omar doveva essersi reso conto solo dopo un po' che lui non lo teneva più: svoltando per tornare indietro aveva sollevato gli occhi, incantato. Un tappeto volante, un grande aquilone, un uccello esotico, o preistorico, il magnifico esemplare di una specie sconosciuta – volteggiava lieve nell'aria, tanto che persino Sen l'aveva scambiato per un misterioso messaggio proveniente da un mondo lontano, dal Paese dei Giganti.

La coperta si era infine adagiata sulla neve, una macchia verde nel bianco. Non l'avevano raccolta subito.

A cento chilometri all'ora, bardato nel giaccone antivento, Sen non aveva freddo, anche se era novembre. L'odore di concime lo consolava, l'odore acquitrinoso della pianura era casa. A questa landa piatta, senza punti di riferimento, che potrebbe smarrire, angosciare lo sguardo, a questa terra lui apparteneva. Qui aveva imparato a guidare, non altrove. Qui aveva sfidato il suo destino. Un giorno d'estate, mentre viaggiava su questa strada, aveva intercettato una cicogna in volo. Se l'avesse raccontato a Omar, lui avrebbe detto che ti inventi.

Cos'ha fatto stavolta? È venuto. A casa?, si era stupito al telefono, ed è ancora là?

Non lo vedeva da un anno. Una sera era rientrato per cena e aveva trovato la propria camera a soqquadro e quella del fratello vuota. Era così indignato con lui che neppure era uscito a cercarlo. A 'sto giro, quando torna, gli do una bella svegliata, diceva a Mari e Matte. Omar non era più tornato.

È là con voi? No. E dov'è? Silenzio. Dov'è? Non lo so.

Te lo sei fatto sfuggire di nuovo, pensò Sen.

Non era tanto questione di avvertire la sua mancanza: si sente la mancanza di ogni abitudine, e poi ci si abitua alla condizione nuova – lui lo sapeva, in quanti casi ne aveva fatto esperienza. Omar aveva deciso di andarsene, era stato lui ad abbandonarlo. Carogna.

Eppure si sentiva responsabile, Sen. Come se avesse lasciato la presa troppo presto. Aveva smesso di tenerlo, e suo fratello era caduto. Non era un gigante. Loro non erano mai stati dei giganti.

Davanti al cancello suonò il clacson per avvisare che era arrivato. Matte aprì la porta e salutò. "Vado a parcheggiare," gli disse Sen. Mari non uscì, di solito era lei ad accoglierlo per prima. C'era qualcosa, per terra, in cortile. Un groviglio, forse un mucchio di stracci, no, era un telo, una coperta. Verde. Sen vacillò sulla moto accesa.

Fece il giro della strada per arrivare sul retro ed entrare in garage. Si tolse il casco, respirò polvere e segatura, si guardò intorno, quasi per ritardare l'ingresso in casa.

In mezzo alla vecchia credenza, agli attrezzi di Matte, ai contenitori di plastica del cambio di stagione dimenticati, all'automobile e ai motorini, appoggiata a una parete, c'era la bici di Omar, quella che gli avevano regalato poco dopo l'affido. Era in buono stato, solo le ruote erano un po' sgonfie, ma c'era una pompa, da qualche parte. L'aveva usata così di rado, suo fratello.

Sen frugò nella cassetta degli attrezzi e si inginocchiò davanti alla bici. Uno alla volta smontò i pedali, poi si alzò. Ritto davanti alla saracinesca abbassata, li fissò neanche potessero dargli una risposta, neanche fossero loro, questa volta, il messaggio inviato dal Paese dei Giganti.

Ma era un messaggio indecifrabile, oppure i Giganti erano muti, o parlavano al loro popolo e basta, non alla gente come lui.

Gettò i pedali nel cesto di metallo sotto la credenza, fra trucioli e fogli di giornale accartocciati; affondarono senza quasi far rumore.

45.

La sera prima della partenza, mentre Jagoda dormiva, Danilo aveva chiesto a suo padre perché non si fosse trasferito in Italia con loro. Lui si era tolto gli occhiali da presbite che usava da poco, li aveva puliti nel bordo di un polsino, si era passato il palmo sul cranio calvo e aveva fissato il figlio. Abbassando lo sguardo aveva detto: Non facevamo più l'amore. E si era rimesso le lenti.

Danilo non si aspettava una confessione tanto privata, credette di non reggerla. Ma figurarsi la madre fare sesso non lo riempiva ormai di vergogna, perché un tabù più grave era stato infranto: la sua morte. Quando gli chiese se dipendesse dall'episodio con i cetnici la mattina in cui lei stava scappando da Grbavica, se fosse stato quello a generarle un rifiuto per il sesso, il padre spiegò che il problema non era lei, ma lui.

Ci sono persone che di fronte alla possibilità imminente della morte si attaccano con accanimento maggiore alla vita. La dimensione biologica ci sovrasta, precede la nostra stessa identità. Nasciamo corpo e quel corpo ci appartiene, lo sentiamo ben prima di definirlo io. Ci sono persone che, nelle cantine gremite per sfuggire alle bombe, si sono innamorate, o hanno dato il primo bacio, raggiunto un orgasmo, persone che durante la guerra hanno deciso di sposarsi, e partorito figli, lui ne conosceva diverse. Ci sono persone che sfidano la morte semplicemente vivendo, nel modo più intenso possibile: dato che prima o poi la morte trionfa, fino a quell'attimo ha senso solo essere vivi per davvero, con tutta la prepotenza del corpo. Ce ne sono altre, invece, che in uno stato prolungato di emergenza perdono ogni desiderio. Lui, Predrag Simić, aveva combattuto per la sua città, non si era tirato indietro, la certezza di fare qualcosa di giusto gli aveva dato la forza per andare avanti: il senso del dovere è un antidoto, per chi non crede in nessuna forma di trascendenza, il senso del dovere ti libera dalla paura, decide per te, ti tiene dritta la schiena. Il resto si era assottigliato, ogni altro sentimento, l'amore soprattutto, somigliava all'angoscia. Aveva accolto gli slanci della moglie aggirandoli, prendendosi cura di lei, l'aveva abbracciata forte e consolata a furia di carezze, aveva respinto il suo desiderio narcotizzandolo, e per un po' lei non se n'era accorta, o lo aveva tollerato.

Azra non aveva mai smesso di uscire di casa, di scrivere pezzi, di difendere la propria dignità nonostante l'assedio, anche lei aveva trovato nel senso del dovere una direzione, ma non era bastato a tenerla in equilibrio. Aveva cominciato ad avere delle crisi, crolli nervosi che turbavano Jagoda. Erano rari ed erano una novità, non ne aveva mai sofferto in passato. Predrag li aveva attribuiti a quell'eccesso di energia che tanto lo aveva attratto quando l'aveva conosciuta: se non riusciva a incanalarla tutta, la mandava in cortocircuito. Non capitava durante i bombardamenti, capitava nei giorni di tregua. Il silenzio la ossessionava, era la quiete sinistra, traditrice, prima della tempesta di granate, le ronzava nelle orecchie, un acufene, un allarme senza fine, da fracassarsi al muro la testa. Lui non aveva capito che fosse anche debole, sua moglie, se n'era innamorato perché era sicura, persino spavalda, aveva scambiato il suo ardore per forza. Durante la guerra il bisogno di proteggerla soverchiò qualunque altro bisogno, annullandolo. Azra si lamentava: per quanto potesse toccare il corpo del marito, esserne avvolta, non lo aveva più avuto dentro. C'è nell'amplesso il paradosso di una prossimità massima proprio quando la consapevolezza della barriera si fa più netta: ciascuno è isolato nel recinto del proprio individuale piacere, e può entrare nell'altro, accoglierlo, solo se si percepisce separato, distinto. Dimenticare il confine è pericoloso; desideriamo unicamente ciò che è altro da noi. Ecco che cosa era accaduto a Predrag: l'aveva amata troppo, tanto da ritenerla una parte di sé, la più vulnerabile, perciò aveva smesso di desiderarla.

D'altronde chiunque avrebbe potuto penetrarla, il cetnico che l'aveva fatta risalire in casa il giorno della fuga, o qualsiasi combattente, per disprezzo, per astinenza – l'atto sessuale non aveva nulla di sacro, di esclusivo: avrebbero potuto violentarla davanti ai suoi occhi senza che lui riuscisse a evitarlo. Era come se fosse accaduto.

Soffriva di mal di testa, disse Predrag, e non ci facevamo caso, pensavamo fosse la guerra. Jagoda balbettava: era la guerra. Le era spuntato un ciuffo grigio fra i capelli rossi: sempre la guerra. Il nonno non parlava più, passava giornate intere senza spiccicare parola, in quella casa in cui stavamo ammassati in cinque, e la colpa era della guerra. Soli nella stanza che era stata la mia da bambino, noi due non facevamo l'amore, ed era per via della guerra. Se la guerra fosse finita, tutto sarebbe tornato a posto. Quattro anni senza fare sesso, da dove si ricomincia poi? Sopraggiunge il pudore. Jagoda non ha mai smesso di balbettare.

Avevano fatto un altro errore di valutazione, i suoi genitori, come nell'aprile del '92.

Niente è tornato a posto, disse il padre, neppure la Bosnia-Erzegovina.

Perché l'hai lasciata allontanarsi da te?

Per sentirne la mancanza, anche fisica. Il padre si alzò in piedi, le ginocchia scricchiolarono. Disse: Non ha funzionato.

La mattina dopo, Jagoda partì con lui, sebbene Danilo avesse cercato a più riprese di dissuaderla da quel sacrificio, ma lei obiettava che non era un sacrificio. Aveva una serenità che la rendeva per la prima volta a fuoco.

Lui era tornato a Bologna, frequentare le lezioni e uscire con amici che non conoscevano la sua famiglia gli era stato d'aiuto. Se poteva sopportare la morte di sua madre, allora niente lo avrebbe piegato. Lo stupiva che non dovesse più temerla, quella morte: era già accaduta. Eppure lo atterriva ancora come se stesse per accadere. Un continuo stato di allerta. La mortalità di tutti gli esistenti era d'un tratto lampante, ineludibile, Danilo tratteneva l'impulso di avvertirli, quasi incombesse. Sua madre invece non sarebbe morta mai più, ed era questa irreversibilità a inaridire ogni emozione.

Le cose intorno si erano rimpicciolite, avevano perso di importanza. Non era triste, o adirato, nemmeno indolente. Aveva sistemato sulla scrivania i faldoni di Azra, con l'intenzione di continuare la ricerca intrapresa da lei. Era partito da Omar, ma chiamandolo a casa aveva scoperto che non abitava più lì, neppure Sen aveva sue notizie. Ripensò alle prime bracciate che aveva fatto, otto anni prima, senza che lui lo reggesse con il palmo della mano. Quando si era reso conto di avanzare nell'acqua da solo, per la sorpresa si era impaurito e aveva bevuto.

Nei faldoni Danilo aveva trovato anche un taccuino blu, una specie di diario. Si apriva così: "Da bambini facevano il bagno nella Miljacka", e lui si era chiesto di chi parlasse sua madre: dei cugini, degli amici d'infanzia? Soltanto arrivando in fondo al brano aveva capito che parlava dei cadaveri in decomposizione nel fiume della loro città.

Aveva passato la notte a leggere quei frammenti un po' sconclusionati, così diversi dai pezzi che Azra Simić aveva pubblicato sui giornali. Erano fotogrammi, allucinazioni. Erano vicende davvero accadute che lei aveva trasformato in scrittura, era la realtà che aveva attecchito in lei e, incistata dentro, aveva proliferato, fino a debilitarla, fino a ucciderla. Era la guerra inoculata nel suo organismo, dalle sue cellule filtrata, restituita. Era la guerra. Anche se quei brani riguardavano un conflitto che aveva imperversato sui media di tutto il mondo, a Danilo era parso di violare l'intimità di Azra, di conoscerla davvero per la prima volta.

Che cosa sappiamo di nostra madre? E lei, che cosa sa di noi?

È possibile amare qualcuno ignorando così tanto della sua vita, conoscendo di quella vita solo le abitudini quotidiane, il tempo passato in bagno la mattina, la postura a tavola, le malattie esantematiche contratte, le ore di sonno, il numero di piede, i voti scolastici, i nomi degli amici storici, le frasi ricorrenti, gli sbotti d'ira – a pensarci, non è poco, ma sua madre di lui non sapeva nulla, nulla delle ossessioni che gli sbiancavano le notti, degli interrogativi sempre identici, le madri non sanno nulla dell'amore che abbiamo inventato o deluso, della scossa tellurica che nell'orgasmo ci spoglia di tutto, un abbandono così verticale che è come ritornare a casa. Come essere appena nati.

E lui non le aveva domandato quasi niente, non si domanda ai genitori tu chi sei. Adesso lei era morta e tutte le domande sarebbero rimaste inevase.

Forse gli aveva trasmesso i geni del suicida – forse no, sarebbe toccato a Jagoda ereditarli, lui si sarebbe salvato. Si vergognò di quei pensieri. Tentò di concentrarsi per ricordare l'ultima cosa che si erano detti, ma non ci riusciva. Quasi mai si sa che è l'ultima volta che incontriamo qualcuno da vivo.

Sfogliò di nuovo il taccuino, sorpreso di averlo in mano, lo sfogliò e lo rilesse a pezzi, con un'avidità ignota, baciò una pagina che l'aveva emozionato, ricordando l'odore del pane cotto nella pentola a pressione, poi un'altra che lo aveva repulso, la partita amichevole con le teste mozzate, venerò la sua grafia maschile e scoppiò a piangere. Pianse in silenzio sui fogli scritti fitto, e solo quando vide quelle lettere spigolose sbavarsi sotto le sue lacrime, rischiando di diventare illeggibili, chiuse il taccuino, e continuò a piangere.

A gennaio Danilo avrebbe dato gli esami della sessione invernale, si stava già preparando, studiava ogni pomeriggio, desisteva appena era stanco, malgrado gli mancasse un bel po' per terminare il programma.

Camminava spesso da solo mangiando un panino anziché cenare con gli altri, i suoi guanti di lana erano unti e puzzavano di formaggio. Le tavolate chiassose lo infastidivano, così preferiva tornare in stanza mentre il coinquilino era a mensa, godersi due ore di piena solitudine: quando lui fosse tornato, avrebbero deciso in quale locale bere una Moretti.

Quella sera però, sulla strada verso la residenza universitaria, vide da lontano una figura accovacciata accanto all'ingresso, e si fermò. Spiandola, finì di masticare, riavvolse metà del panino nella carta e lo mise in tasca. Di profilo, le spalle protese in avanti, la testa china sul pavimento, le gambe flesse e divaricate, come si scaldasse davanti a un fuoco immaginario, lei gli parve così priva di grazia che fu tentato di andarsene. Invece si pulì gli angoli della bocca con le dita, i denti con la lingua, e riprese a camminare.

Solo quando le scarpe di Danilo le usurparono tutta la visuale, Nada alzò la testa.

Si guardarono in silenzio. Poi lei disse: “Quanto mi hai fatto aspettare”.

46.

Danilo non l'aveva richiamata, così qualche settimana dopo Nada aveva telefonato di nuovo: non aveva risposto nessuno. Aveva saputo da Lidia che l'appartamento era vuoto, Jagoda a Sarajevo con il padre, Danilo all'università; le aveva chiesto un indirizzo cui spedire una lettera di condoglianze, non l'aveva scritta.

Poi quella mattina, anziché a scuola, era andata in stazione e senza avvertire le suore era partita: niente biglietto, non aveva denaro per comprarlo. Il viaggio era stato più lungo di quanto credesse e lei era inesperta. Aveva bigiato moltissime volte, tanto che l'anno prima, a furia di assenze, si era fatta bocciare. Dove te ne andavi, sciagurata, con chi?, l'aveva assalita suor Nanetta. Semplicemente, lei scendeva al Lambro a disegnare: sola, come si sentiva. Non l'aveva mai sfiorata l'idea di prendere un treno, a maggior ragione con il rischio che la multassero e obbligassero a scendere. Ma adesso era determinata a incontrare Danilo, non ne poteva più. Per fortuna il controllore non si era visto, e prima di pranzo era arrivata a Bologna.

Non solo raggiungere la residenza universitaria era stato complicato, ma all'entrata una signora le aveva detto che Danilo non c'era. Aveva fame, sperava che lui tornasse a mangiare, lo aveva atteso nell'atrio. La fame era diventata nausea poi mal di stomaco poi abitudine. Passavano ragazzi arruffati e ragazze con sciarponi di lana colorata, non le badavano, salivano al loro piano. Intorno alle tre del pomeriggio Nada aveva pensato al putiferio che di sicuro si era scatenato al

San Lorenzo e un po' le era venuto da ridere. Le borse sotto gli occhi non inficiavano una certa bellezza della signora alla reception, che a cadenza regolare usciva a fumare. Aveva offerto una sigaretta a Nada per attaccare bottone, lei l'aveva rifiutata, però le aveva fatto compagnia. Fuori c'era una luce che sbeccava gli spigoli. La signora le aveva dato un pacchetto di cracker: forse l'aveva scambiata per una studentessa universitaria, perché era più alta di lei. Le chiese da dove venisse e Nada era stata presa dall'ansia. Monza, aveva risposto con un filo di voce, quasi da questo l'altra potesse dedurre che era scappata dall'istituto. No, ma intendo da dove vengono mamma e papà.

Alle quattro e mezzo il sole era tramontato e la signora aveva terminato il turno. L'ho commesso anch'io tante volte, quest'errore, le aveva detto salutandola. Aspettare in eterno.

Nada non aveva capito, lo stomaco borbogliava di nuovo, le stagnava in bocca il sapore amaro del digiuno. Rimase fuori nonostante il freddo, continuò ad attendere.

Quando finalmente rivide il volto di Danilo, era buio fitto.

In trattoria lo guardò mangiare le tagliatelle al ragù, gli occhi fissi al piatto, la testa incassata e le spalle troppo grandi. Mangiava curvo e assorto, un vecchio, e Nada pensò di amarlo. Credeva le avrebbe chiesto che ci fai qui, invece l'aveva portata a cena fuori quasi avessero un appuntamento.

"Non stavi morendo di fame?" Uno schizzo di sugo sul labbro superiore.

Erano seduti ad angolo, Nada si sporse verso di lui e con la bocca lo pulì.

Danilo si toccò il mento: "Sono ancora sporco?".

Lei fece no con la testa, sorrise.

Aveva tante cose da dirgli e le aveva tutte dimenticate.

C'era puzza di chiuso, in camera, e di polvere, di magliette sudate appese allo schienale delle sedie. Giocò a indovinare quale fosse il suo letto, la sua scrivania. La riconobbe per negazione, le foto del coinquilino incollate alla parete indicavano un'appartenenza, sopra l'altra testiera non era appeso nulla. Vide i faldoni con l'etichetta "Bambini di Sarajevo" in serbocroato, pensò a Omar.

Danilo se ne accorse e fece la stessa associazione: "È scomparso," disse. "Suo fratello mi ha detto che non sanno dov'è".

"In che senso?"

"È scappato di casa, non è tornato più. Pare abbia vissuto per strada, ha problemi di droga, è stato anche dentro."

Nada si sedette sul letto, le gambe non la reggevano. Era stata lei a dirgli che era ridicolo tornare indietro ogni volta che scappava.

Che fine aveva fatto il bambino al quale aveva tenuto la mano il giorno in cui una granata gli aveva strappato la madre? Che fine aveva fatto il bambino sull'albero? Si era sempre domandata come fossero stati da piccoli i delinquenti, gli accattoni, i tossici, che cosa immaginassero del futuro a otto, a dieci anni. Com'era, da piccola, sua madre. Magari aveva sognato una figlia, aveva sognato di vederla crescere, fino al matrimonio, una laurea. Persino Nada, persino all'orfanotrofio, aveva sperato che da grande le accadesse qualcosa di bello: una mostra di quadri con la sua firma, o anche solo un libro di fiabe con il suo nome in copertina – illustrazioni di Nada Drakulić. Quel delinquente, quell'accattone, quel tossico, lei lo aveva conosciuto da bambino. E forse era questo: lui non si era mai aspettato nulla di buono per sé, non aveva sognato, sperato nulla, a parte che sua madre fosse viva.

Cosa faceva lei mentre Omar si guastava?

La porta si aprì. Il coinquilino fu sorpreso di incontrarla.

Danilo fece le presentazioni e senza preamboli gli chiese se potesse dormire dalla sua ragazza, così da liberare un letto per Nada, che aveva perso l'ultimo treno: lui avrebbe convinto il tizio della reception a chiudere un occhio. Il coinquilino preparò uno zainetto e uscì di nuovo, come fosse naturale. Chissà quante volte si era ripetuta quella scena, lasciami la camera fino a mezzanotte, fino all'una, chissà con quante donne Danilo aveva fatto sesso lì dentro.

Le prestò una felpa e un paio di calzoni della tuta, le stavano larghi, ma lei si tolse l'elastico dai capelli e li fermò con un nodo in vita. Danilo non aveva uno spazzolino in più né le offrì il proprio: Nada si spalmò il dentifricio sull'indice. A lei toccava il suo letto, lui avrebbe preso quello dell'inquilino, così non ci sarebbe stato bisogno di cambiare le lenzuola.

Senza troppe cerimonie, Danilo si sdraiò e spense l'abat-jour.

Nel buio Nada si sentì come sempre con lui: uno scarto.

Restò immobile per non far rumore, temeva quasi di respirare. Le suore di certo avevano chiamato la polizia, lei non aveva in programma di dormire a Bologna, di dormire con Danilo: non era accaduto se non sul pullman verso l'Italia, ma allora lei non lo amava. Adesso avrebbe voluto passare la notte sveglia per decifrarne il sonno alla luce di un fiammifero, sfondare il mistero che lui rappresentava. Danilo si girava e rigirava, sospirava, aggiustava il cuscino.

A un certo punto la sua voce emerse dall'oscurità: "Sai cosa mi succede" – Nada trasalì – "quando vado a dormire?".

"Cosa?"

"Sento odore di cera."

Non osò chiedergli.

"Era l'odore che aveva da morta mia madre, dopo che l'agenzia di pompe funebri l'ha preparata. Jagoda ha dormito in quell'odore, non so come abbia fatto. A me pare di sentirlo di continuo, e mi ammala."

"Mi dispiace molto non aver potuto salutare tua sorella."

Nel buio le parole prescindevano dai corpi, diventavano innocenti.

"È stata lei a trovarla, io ero qui all'università. Ha bussato ai vicini di casa, gridando, li ha costretti a chiamare un'ambulanza, anche se non c'era più nulla da fare."

"E come sta adesso?"

"Boh, per paradosso, mi sembra meno inquieta di prima. Come se attendesse questa tragedia da sempre, e ora che è avvenuta il suo stato d'animo si fosse finalmente accordato agli eventi. Anche se non avrebbe pensato a un suicidio. O forse sì, chi lo sa. Era sempre tanto apprensiva con lei. Era come se la controllasse, come se temesse da un momento all'altro l'esplosione e fosse suo il compito di disinnescarla. L'ho capito bene solo a posteriori. Credevo che si sentisse in colpa perché non era riuscita a salvarla."

"E tu? Ti senti in colpa?" Nada si pentì di averlo domandato.

"Io, un suicidio, non me l'aspettavo. Mia madre era la donna che più stimavo al mondo."

"Che c'entra? Ora che si è uccisa non la stimi più? O chi si uccide non merita stima?"

Danilo non rispose subito.

"Da piccolo non pensavo che mia madre esistesse al di là di me, di mia sorella. Che fosse altro, non soltanto mia madre. Eppure aveva un lavoro che la teneva parecchio tempo fuori casa, e aveva amici, e una marea di interessi, era ambiziosa, aveva una sua esistenza che mi escludeva. Io però credevo che vivesse per me, che finché fossi stato in vita lei avrebbe desiderato vivere. Anche quando mi ha messo su un pullman decidendo di separarsi da me per il mio bene, ecco, sentivo che dovevo farcela per lei, che dovevo stare bene per lei, perché ero il centro del suo desiderio di vivere: ero io, il suo istinto di sopravvivenza. Quanta megalomania, vero?" Una risata di gola, quasi un colpo di tosse.

"Forse Jagoda ce l'ha un po' con lei perché vi ha abbandonati, forse è indignata, per questo ti sembra meno inquieta."

"Forse Jagoda è libera dall'amore di mia madre, per la prima volta, e l'ansia di dover sopravvivere, di dover stare bene per forza, si è improvvisamente placata. Non deve più preservarsi per lei, non ha più questa responsabilità, potrebbe anche morire, adesso, Jagoda, senza provocarle dolore, perché lei non c'è, e quindi mia sorella non sta più aggrappata alla vita con le unghie e con i denti, è come se avesse meno paura."

"Stai parlando di te," disse Nada. "Sei tu che hai meno paura."

Danilo tossì ancora. "Può darsi. Penso anche che se mia madre ha deciso così aveva ragione, perché lei era una persona giusta."

Nel buio le parole erano innocenti, ma non inoffensive.

"Vorrei poter dire una cosa simile della mia."

Danilo non rispose e Nada si condannò per aver interrotto quella confidenza. Non sapeva ripristinarla e temeva lui fosse stanco.

Invece, dopo interi minuti di silenzio, la voce di Danilo si levò ancora: "È strano pensare che il corpo che ti ha messo al mondo non sia più al mondo, che il luogo da cui hai avuto origine sia scomparso, è come se il mare avesse inghiottito la terra in cui sei nato. Mi pare meno reale anche la mia esistenza, ora che le manca l'inizio, mi sento meno reale io".

"È un po' come essere profughi, a pensarci."

"La Bosnia esiste ancora, mia madre no."

Nada si sentì sciocca per il paragone. "Solo adesso capisco che cosa ha provato Omar, adesso che parlo con te. Come ho fatto a comportarmi in quel modo sul lago con i giornalisti? Ti ricordi?" Omar era stato in prigione, e lei nemmeno l'aveva saputo. Perché le suore non glielo avevano detto?

"È che posso accettare una madre morta, ma non una madre suicida. Una madre morta, in genere, prima o poi capita a tutti. Una madre suicida è una vergogna. Non lo sa nessuno, qui, che si è uccisa. Ho inventato un incidente. Ma nello stesso tempo frequentare solo persone che non l'hanno mai conosciuta, che di lei non sanno nulla, continua a rendermi meno reale."

"Non sei obbligato a dirlo, se non vuoi."

"Lei non è in nessun posto del mondo, capisci? È sparita dal mondo. Non posso dirle nulla. Non mi sente. È troppo difficile da immaginare. Cioè, se devo collocarla nello spazio, ecco, allora penso alla fossa. Lei adesso è in una fossa. No, è inconcepibile, mia madre chiusa con la terra intorno."

Anche sua madre, pensò Nada, era sparita. Occupava un posto del mondo, eppure lei non poteva dirle nulla da tempo.

"In verità, è orribile, lo so, ma in verità", il tono concitato, "per me è meglio che anche Jagoda sia andata via. Preferisco stare da solo in Italia, slegato, senza il peso di una storia che mi trascina giù."

Nada rifletté, poi disse: "È così anche con me, vero? Anche io faccio parte di una storia che ti rallenta mentre vuoi correre".

Muto, il buio si solidificò fino a rendere l'aria irrespirabile.

Nada si mosse e le lenzuola frusciarono; scese dal letto, si avvicinò a Danilo. Lui le abbrancò il polpaccio. Ficcò i polpastrelli nel muscolo, come se da anni desiderasse stringerlo, farle male. Nada resistette, non si lamentò.

"Sì, è così anche con te," disse lui.

Lei posò un ginocchio sul letto e Danilo le fece posto.

Furono stesi accanto, le spalle si sfioravano.

"Me ne sono andato otto anni fa e da allora non ho più smesso di volerli abbandonare."

Nada gli prese la mano, e rimasero così, le dita intrecciate sul materasso.

"In fondo, anche mia madre ha fatto lo stesso," continuò Danilo. "Ha scelto per sé e basta."

"Hai appena detto che la capisci, che era una donna giusta."

Danilo le serrò le falangi.

"Il bambino che la adorava è stato tradito. Mia madre mi ha tradito."

Nada si portò la sua mano sulla pancia. Il contatto fece pulsare il battito sotto l'ombelico – chissà se lo sentiva anche lui.

Danilo la tirò per un fianco, la baciò.

Il suo alito aveva un retrogusto amaro, e Nada ne fu consolata.

"Sono ancora sporca?" gli chiese quando si staccarono.

"Sì," rispose lui. "Ti sei sporcata ovunque", e la baciò sul mento.

Fecero l'amore come ci si getta a terra per scampare alle bombe, come si ruba il cibo nei negozi devastati, come si raccoglie l'acqua piovana dalle pozzanghere, come si aspetta in fila per il pane malgrado i proiettili, come si corre tra un palazzo e l'altro per non farsi sparare, come ci si assopisce in una cantina affollata, come si succhia il latte materno, senza deciderlo, senza sapere perché – fecero l'amore come si resta in vita, perché si è nati, e basta.

Parte quarta
2010-2011

47.

Il lavandino è nero di formiche. Scendono dai bordi verso lo scarico e si diramano in ogni direzione, percorrono l'orlo della tazza lasciata mezza piena dalla sera prima, un cerchio scuro dentellato, galleggiano nel tè ricoprendolo di una patina grumosa. Omar apre il rubinetto per innaffiarle d'acqua, ma è inutile: cambiano appena traiettoria, non desistono, avanzano fra gli schizzi. Gli pare persino che nuotino – è lui l'unico al mondo a non aver imparato. Dalla finestra filtra una luce statica, tutto è immobile, a parte le formiche; Omar si gratta le braccia, quasi le avesse addosso.

L'inferriata proietta un'ombra sulla parete che la fila nera attraversa, così anche loro paiono in gabbia. Poi la fila supera il perimetro delle sbarre inoltrandosi nella parte di muro inondata di luce, e Omar si sente in trappola. "Siamo invasi dalle formiche," dice, ma il suo compagno continua a russare nel letto di sopra. Dietro il lenzuolo che hanno appeso per avere un po' di riservatezza, anche il water è a chiazze, le formiche lo hanno colonizzato.

Controlla il pacco di pasta sulla mensola, le formiche ci si sono infilate dentro, e si sono mimetizzate nel caffè, alcune trascinano sulla schiena briciole di biscotti, per portarle dove, si chiede Omar, e si gratta la testa, la pelle tra il collo e le orecchie. Il graffio delle unghie gli dà sollievo, ma più guarda le formiche più la pelle prude, più lievita il senso di sopruso.

Chiama la guardia. "Mi serve un insetticida." Nessuno risponde. Fanno così, le guardie. Ti ignorano anche se non sono impegnate in alcuna attività, solo per ricordarti chi detiene il potere. Omar sbatte un cucchiaio contro il cancello, il tintinnio sveglia il compagno. “Che cazzo fai?”

“Ci sono le formiche.”

“E allora?”

“Tra poco arriveranno pure nel tuo letto.”

Omar si gratta i polsi, la pancia, lunghe strisce rosse si gonfiano sulla carne. Toglie le lenzuola dal materasso, lo piega in due sulla branda, le formiche marciano ordinate sotto il letto, dove vanno, l’uscita dov’è?

Apre l’armadio e tira fuori le maglie, i calzoni, li lascia cadere sulla rete, cerca le formiche sui ripiani, struscia il gomito contro l’anta per grattarsi, già gli prudono le cosce, i talloni, se li gratta con le unghie degli alluci, si morde le mani.

“Falla finita,” dice il compagno scendendo.

“Sono dappertutto,” sbuffa Omar.

“Guarda che casino.”

La cella è a soqquadro come qualche settimana fa, dopo la perquisizione. Che cosa cercate, aveva chiesto Omar, perché.

“Mi serve un insetticida! Mi sentite?”

Dalle altre celle si levano lamentele, stai sclerando di nuovo, Sarajevo?

“Fumati una sigaretta e rilassati,” dice il compagno.

“No, devo pulire.”

Omar pensa sempre che ce la farà, quando è fuori dal carcere, che righerà dritto; invece, senza quasi sapere come, si ritrova di nuovo a San Vittore, magari dopo due anni di libertà. Le prime notti in cella sono le più dure. Il cervello che balla nella scatola cranica, ogni movimento una fitta, dal centro della testa alle orbite degli occhi, gli fanno male tutti i muscoli. Si asciuga la bocca e trema nel sudore limaccioso, rovente poi gelido poi rovente. Trema sul pavimento in attesa che la crisi passi, che l’organismo smetta di invocare la roba, e con uno straccio umido di detersivo strofina il water, le mattonelle, si alza in piedi e usando le poche forze a disposizione smacchia il rubinetto dal calcare. Vedere lo sporco diradarsi lo incoraggia: anche il suo corpo pian piano si ripulirà, e lui smetterà di tremare.

Prende un pacco di caffè ancora chiuso e lo batte come

un martello sul pavimento, sperando di uccidere le formiche in processione rasente il battiscopa.

"La pianti con 'sto bordello?"

Ieri l'ha finalmente saputo, il motivo della perquisizione.

È stata colpa del marocchino morto la notte stessa in cui è entrato in galera. Le guardie credevano fosse un attacco epilettico. Era finito dentro perché l'avevano sorpreso con quindici grammi di cocaina addosso. Sette ore dopo ha iniziato a stare male. Inutile l'intervento del medico. L'autopsia ha rinvenuto il resto della cocaina nel suo stomaco.

Quando gliel'hanno detto, Omar ha vomitato. Di notte si è svegliato e risvegliato perché l'apnea gli comprimeva il cuore. Al mattino è rimasto a letto anche dopo che i blindi erano stati aperti. Il marocchino è morto di overdose. Poi sono arrivate le formiche.

Hanno contaminato l'acciaio delle manopole, infestato la ceramica, non basta l'acqua a debellarle. Omar abbandona il pacco di caffè, cerca di ammazzarle con i pugni, ma quelle scappano. Le insegue con le dita, le infilza con le unghie segandole a metà, si annusa le mani e l'odore lo disgusta.

"Non riusciremo mai a farle andare via da qui. E noi non possiamo andarcene. Hanno vinto."

"Tu sei proprio idiota, Sarajevo", il compagno gli avvinghia il collo nell'incavo del gomito.

Un rumore di passi oltre le sbarre. "State amoreggiando?"

"Alla buon'ora!" esclama Omar. "Mi serve un insetticida."

"Adesso non si può giocare alla casalinga disperata," dice la guardia. "Hai visite."

Sen è venuto il mese scorso – lui non credeva che sarebbe tornato così presto. Ha avuto bisogno di tempo, Sen, per abituarsi a un fratello delinquente, uno che entra ed esce dalla prigione. Per anni non ha voluto incontrarlo. Poi suor Tormento l'ha convinto, prima di lasciare il San Lorenzo. Si è ritirata in montagna, nel paesino dove di solito accompagnava gli orfani per le vacanze natalizie. Chissà se le suore ricevono una pensione statale. Secondo suor Tormento devo perdonarti, gli ha detto Sen, e devo farlo per me, non solo per te. A me non frega nulla del paradiso e quelle stronzate lì, io non voglio sentirmi in difetto solo perché sono stato più forte di te. Forse più egoista di te. Forse meno sensibile. Forse semplicemente più furbo. Forse meno pigro, non lo so. Non ho alcun merito a essere più forte, per questo vengo qui.

Da quando Omar è stato incarcerato di nuovo, gli fa visita ogni due mesi circa. L'ultima, gli ha portato un asciugamano con le sue iniziali ricamate. Che cos'è? Un regalo di mamma. Omar ha sussultato. Di Mari, intendo un regalo di Mari. Omar ha fissato le lettere ricamate su un angolo, e si è ricordato dell'etichetta rossa con il numero che le suore avevano cucito sui loro indumenti nell'estate del '92, diciotto anni prima. Mari pensava ancora a lui, anche se non andava a trovarlo. Forse era stato Matte a proibirglielo, e lei aveva troppa paura di deluderlo: senza il marito, sarebbe stata perduta. In fondo ciascun rapporto è una forma di prostituzione, siamo tutti dipendenti da qualcuno, costretti a soffocare certi bisogni perché altri bisogni premono.

Gli ha ricamato un asciugamano con le iniziali, come si fa per un bambino che va all'asilo, non per un finto figlio diventato uomo lontano dagli occhi. Un detenuto.

L'agente apre il cancello, Omar lo segue. "Sì, però dopo mi dài il disinfestante."

"Va bene, tranquillizzati, dopo farai la brava mogliettina."

Quando entrano in sala colloqui, Omar si blocca.

"Non è mio fratello," dice guardando la schiena della persona seduta ad attenderlo, come se all'agente importasse. "Chi è?"

"Avvocato," risponde quello chiudendo la porta.

La serratura scatta e l'uomo si gira.

48.

Ha gli stessi occhi di quand'era bambino, ma un aspetto un po' rozzo.

Danilo vorrebbe non averlo pensato.

"Ciao", gli porge una mano per salutarlo.

Lui ricambia senza energia, si guarda attorno spaesato, poi sembra volerlo mettere a fuoco.

Danilo intreccia le dita. "Come stai?" dice, e subito dopo si accorge che non è la domanda da fare a uno che hai conosciuto da piccolo e che rivedi, dopo troppi anni, nel parlatorio di un carcere.

Omar sente che il suo spazio è invaso dalle braccia di Danilo, poggiate sul tavolo a pochi centimetri dal suo torace, come la cella dalle formiche, e àncora le caviglie alle gambe della sedia finché premere la tibia contro il ferro non gli dà dolore. Scruta quelle mani troppo vicine, estranee, familiari, vicine, e gli balla una palpebra. Danilo porta la fede. Nada, pensa Omar, e rivede la sua vena a ipsilon sulla fronte, i suoi lunghi capelli biondi, e sente la sua voce cigolante – schiaccia la tibia sul ferro ancora più forte, brucia.

"Scusami se mi presento in questo modo, volevo prima scriverti, ma poi ho deciso che non c'era tempo. Devo dirti una cosa molto importante." La faccia seria, preoccupata: così pare a Omar. "Spero che non ti turberà." Danilo lo tocca: il metallo freddo della fede sul polso, Omar scatta.

"Le è successo qualcosa?" chiede accennando con gli occhi all'anello.

Danilo increspa la fronte.

"È successo qualcosa a Nada?"
La tibia scotta.

Danilo accarezza la fede. Non ha mantenuto nessuna promessa, con lei.

Si fece consolare, quell'autunno di dieci anni prima, per la morte di sua madre. Nada andava a trovarlo ogni fine settimana a Bologna. Era servita l'intercessione di Lidia, ma alla fine suor Nanetta si era arresa. Qualunque castigo imposto a quella ragazza si era rivelato inutile. Le aveva tentate tutte, il Signore le era testimone, e allora basta, che la Drakulić rispondesse solo alla propria coscienza, ormai era una donna, lei non avrebbe potuto guidarla per sempre.

Qualche volta era lui a tornare a Rimini: dormiva da Lidia, che nel frattempo si era sposata e non poteva più abitare agli Aquiloni, insegnava alle elementari come supplente.

Il primo dicembre Nada regalò a Danilo un calendario dell'avvento di cartone fatto con le proprie mani, dietro ogni finestrella c'erano gli indizi di una caccia al tesoro, i tesori erano nascosti nella stanza dello studentato, oppure in sala lettura, nella cucina comune del piano, o in lavanderia – Nada aveva imparato a conoscere quel luogo, gli faceva il bucato quando restava per il weekend, gli faceva la spesa e la sistemava nel ripiano riservato a lui dentro la credenza, lo accompagnava in biblioteca e gli si sedeva a studiare accanto, e Danilo era innervosito dai suoi libri delle superiori, dal suo liceo artistico da ripetente, dai suoi jeans del mercato sdruciti sotto le natiche, ma le suore te li lasciano mettere?, dalle sue scarpe da ginnastica taroccate, dal montone preso su una bancarella dell'usato, ha cattivo odore, le diceva, e lei lo baciava, era innervosito dai suoi capelli senza taglio e dal suo viso senza trucco di fronte ai compagni di corso con le camicie bianche nei pantaloni ben stirati e il codice penale sotto braccio. Era innervosito dal fatto che non abitasse per conto suo, che dovesse chiedere alle suore il consenso per ogni cosa, che non avesse un cellulare.

Però quando riusciva a trovare il tesoro, e scopriva, fasciato con il cellofan e riposto nel portaombrelli all'ingresso, oppure sotto una poltrona nella sala tv, un foglio arrotolato di carta di riso su cui era trascritta una poesia di Cortázar, "Io ti chiedo la crudele cerimonia del taglio / ciò che nessuno ti chiede: le spine / fino all'osso", o *Kid A* – lo aveva comprato con i soldi dei disegni che ogni tanto vendeva alle bancarelle di beneficenza – o un cuore di pastafrolla preparato apposta per lui nella cucina del San Lorenzo e portato in treno avvolto da uno strofinaccio, o un ritratto a matita, che finalmente sostituiva quello spedito al concorso nel '95, Danilo era pervaso da un tale calore, da un tale senso di protezione, che credeva di non poter fare a meno di lei. Nada era la fragranza tra i suoi seni, rannicchiarsi nudi sotto il piumone mentre fuori nevicava, girare in motorino di notte nella città deserta e addobbata di luminarie, il freddo sulla faccia, il caldo del suo corpo contro la schiena, era cantarle una canzone con la chitarra seduto in mutande sul bidet mentre lei faceva la pipì, era tirarle i capelli e penetrarla da dietro, la voglia costante di vederla soccombere, caracollare.

Per Capodanno andarono a Sarajevo, non perché lei lo desiderasse, ma perché a lui sembrava giusto, anzi inevitabile, che rivedesse il posto in cui era nata. Dormirono a casa del padre, spesso uscivano con Jagoda. Nada non disse cerchiamo mia madre, e lui non lo propose. Non aveva voglia di sbalzi emotivi, voleva semplicemente stare nella città che li aveva espulsi con la serenità di chi adesso può scegliere dove abitare.

La notte di San Silvestro passeggiavano lungo la Miljacka a pochi minuti dallo scoccare della mezzanotte. A un certo punto Danilo disse fermiamoci qui, per rispettare la tradizione di trovarsi sopra un ponte, a guardare il cielo brindando, quando l'anno nuovo fosse giunto. Lei rispose no, non qui. Era il ponte Vrbanja, dove due innamorati erano stati uccisi nel '93 mentre tentavano di fuggire dalla città assediata: lo chiamavano il ponte di Romeo e Giulietta, perché lui era serbo e lei musulmana. Arriviamo al successivo, disse Nada. Danilo camminò controllando l'orologio e, quando gli parve che il conto alla rovescia stesse per scadere, prese a correre, sbrigati. Corsero nel gelo lungo il fiume, l'aria fredda bucava la trachea. A una manciata di secondi dal ponte successivo esplose il primo fuoco d'artificio e la gente affacciata alla balaustra sollevò le bottiglie, abbracciandosi. Calpestarono quel ponte proprio mentre la raffica pirotecnica cominciava a scemare, si diedero un bacio fuori tempo, Nada sorrideva, Danilo cercava di camuffare l'irritazione. Quel ritardo, l'essere colti in affanno dal 2001, a un passo dalla meta ma troppo lenti per raggiungerla, quel fallimento con cui l'anno nuovo esordiva, l'aveva messo di malumore. Era un segno, un cattivo presagio. Ed era colpa di Nada. Non le disse nulla, provava pena per lei.

A fine gennaio partì per Vienna con la borsa Erasmus e alla prima sbronza la tradì. Ficcò la lingua in bocca a una svedese con i capelli rasati e i capezzoli turgidi sotto la canottiera, il locale era nel Gürtel e lei sapeva di marijuana. Non lo confessò a Nada, né quella volta né le successive: era convinto di comportarsi nell'unica maniera possibile, e non solo perché era in credito con la sorte e meritava un risarcimento, una forma di leggerezza, ma perché era giovane e anche chi non aveva appena perso una madre si comportava così. Lei non lo avrebbe capito, era troppo ingenua, o solo digiuna del mondo. Per questo un giorno Danilo cessò di risponderle al telefono. Nada lo chiamò, gli mandò messaggi, mail, lettere via posta, contattò la reception dello *Studentenheim*, ma lui si fece negare. Non gli pareva crudele, solo necessario. Temeva che sarebbe spuntata un giorno sulla soglia, come a Bologna, anche se non aveva abbastanza denaro per raggiungerlo. Se lo avesse fatto, forse lui l'avrebbe desiderata ancora, più di chiunque altra. Un gesto di forza, di imposizione di sé. Ma Nada non venne, e dopo due settimane smise di chiamare. Si era rassegnata. Aveva fatto un passo indietro. Restare indietro era la sua indole. Danilo non sopportava di compatirla.

Da allora non aveva più saputo nulla di lei. Al ritorno, Lidia lo insultò e, quando lui le chiese notizie di Nada, si rifiutò di dargliele.

La pensava poco, non l'aveva mai nemmeno nominata davanti a sua moglie.

"Parla, per favore," lo supplica Omar. "Le è successo qualcosa?"

Danilo scuote la testa. Respira profondamente, poi dice: "Ho trovato tua madre".

49.

Nada aumenta il contrasto dell'immagine e la importa nel documento, sistemandola dentro la cornice. È sola in studio, il capo se n'è andato e lei ha quasi finito, ma mancano cinquanta minuti al termine dell'orario di lavoro.

Estrae dal cassetto della scrivania un blocco schizzi A5: sui fogli lisci disegna da mesi le storie di Nino.

Nino è un bambino con le ciglia lunghe che ha per amico uno scarafaggio afflitto da complessi di inferiorità. Non piaccio, dice Scarafaggio. A me sì, gli dice Nino. Non so fare niente, insiste Scarafaggio. Sai volare, dice Nino. Sì, ma non se lo ricorda mai nessuno. Scarafaggio si avvilisce. Si è allenato così tanto a volare che adesso fa a gara con le rondini, vince chi tocca per primo il tronco della betulla gridando tana, a volte è lui. Ormai ti temono pure i piccioni, dice Nino. Poi gli salta sul dorso e scandisce: un, due, tre, via! Insieme planano sopra la città, dall'alto tutto sembra minuscolo e persino Scarafaggio si sente leggero.

Anche se ha solo nove anni, Nino risolve un sacco di problemi. Per esempio, quando la Signora della pioggia si è buscata il raffreddore – per forza, con tutta quell'umidità! – è salito fin sopra le nuvole in sella a Scarafaggio, per lanciare da lassù una miriade di gavettoni. All'inizio è stato divertente, ogni volta che schizzavano un passante si sganasciavano dalle risate, lui e Scarafaggio si sono sfidati a chi ne colpiva di più. Poi però dopo un'ora gli si è indolenzito il braccio: Nino si è riposato; steso a pancia sotto sopra il manto soffice di una nuvola, si è accorto che le strade erano ricoperte di palloncini scoppiati, bisognava scendere a pulire. Ha salutato la Signora della pioggia, che stava facendo i suffumigi col vapore, e a cavallo di Scarafaggio è tornato a terra in picchiata, mentre l'urto dell'aria gli raddrizzava i capelli in testa.

Al trillo di un messaggio Nada molla la matita e controlla il cellulare. L'ennesima urgenza stabilita dal suo capo. Sospira. È stufa di impaginare locandine per ferramenta e supermercati, dépliant e cataloghi per piccole ditte di quartiere, lei vuole disegnare storie, inventarle. Risponde ok, poi apre un nuovo messaggio.

Una sera, tornando a casa sul tram troppo pieno, è rimasta in piedi schiacciata contro la cabina di vetro dell'autista e lui l'ha abbordata. Hanno chiacchierato finché non è scesa. Si sono incontrati di nuovo, per caso, la settimana seguente sulla stessa linea, e lui le ha chiesto il numero di telefono. All'inizio l'ha corteggiata in modo serrato, anche un po' spinto. Lei ne era lusingata e infastidita, non rispondeva mai esplicitamente, ma badava ad alimentare la sua voglia, timorosa che si dissolvesse, perché le faceva compagnia. Al terzo rifiuto di cenare con lui, l'autista ha diradato i messaggi. Adesso è lei a doverlo incalzare, e non perché speri in una relazione, ma perché quei messaggi, seppure un po' osceni, erano uno spiraglio. Immagina sé stessa come un uccellino chiuso dentro una scatola delle scarpe bucherellata: non importa se è ferito e quello è l'unico modo per salvarlo, non importa se lo hanno intrappolato per pietà, l'uccellino non può uscire. I messaggi dell'autista erano ridicoli, ma aprivano nella scatola una fessura che le consentiva di respirare. Guarda lo schermo del cellulare a lungo per decidere che cosa scrivergli, poi lo posa. Forse lo incontrerà al ritorno verso casa, di persona sarà più semplice.

L'offesa dell'autunno è nella carenza improvvisa di luce: una sera il tg raccomanda di spostare le lancette dell'orologio, e il pomeriggio seguente è dimezzato, alle sei è notte ma senza la concessione del sonno. Nada aspetta il tram al buio della pensilina tirandosi la zip del piumino fino al collo. Prima ancora di salire si accorge che a guidare non è lui. Prende il cellulare: "Sono sul tram e (mi) manchi tu". Lui non risponde, lei si maledice per averlo spedito. Flirta come un'alunna delle medie, non ha mai imparato. Neppure Scarafaggio sa corteggiare le ragazze, la consola Nino da un foglio A5 appallottolato in tasca. E tu, che sai fare tutto, hai una soluzione?, gli chiede lei – ma usa la telepatia, per non farsi sentire dagli altri passeggeri. Potreste fidanzarvi, propone Nino. Pensavo di meritare di meglio, dice lei. È un bravo ragazzo e sa pure volare: sai volare, tu? No, io sono chiusa dentro una scatola delle scarpe, dice Nada. Schiaccia il foglio in tasca finché non crepita e Nino si ammutolisce.

Scesa dal tram, passa al supermercato e con le borse della spesa sale su, si ferma davanti alla porta della dirimpettaia.

"Buonasera," saluta Dora aprendo. "Dài, vieni."

"No, è tardi."

"E su, stavamo prendendo il tè."

Si inoltra per il corridoio in penombra. Nada osserva i suoi polpacci senza vene in rilievo nonostante l'età, le pantofole di velluto beige. Quando l'ha conosciuta, Dora era appena diventata vedova. Bassina, i capelli argentati che spuntavano dal cappello di lana cotta verde bosco e gli occhiali a triangolo, le è parsa una creatura che avrebbe potuto disegnare lei.

"Spero un tè senza biscotti, è quasi ora di cena."

"Che noiosa", Dora sventola una mano prima di entrare in cucina.

Nada la raggiunge e sotto la luce giallognola del lampadario lo vede, chino a fare le divisioni sul quaderno.

"Ma non hai ancora finito i compiti?"

Lui alza la testa. Ha briciole di biscotti appiccicate agli angoli della bocca e i palmi rigati dalla penna rossa. Sorride ruffiano. "Ciao, mamma."

A quel sorriso lei non riesce mai a resistere. "Ciao, Nino."

Il giorno in cui lo partorì crollarono le Torri gemelle. Mentre un Boeing 767 si schiantava contro un grattacielo e lo incendiava, con uno scarto di pochi secondi dall'impatto un bambino di tre chili e otto si separava dal suo corpo per non entrarci mai più. Ovunque le persone sbigottivano davanti agli schermi, terrorizzate all'idea di una nuova guerra, e Nada si rendeva conto per la prima volta che era irreversibile, quello strappo. Il bambino era stato dentro, un pezzo del suo corpo, era stato lei, e adesso era fuori, era un altro, lei si era divisa, non sarebbe mai più stata intera.

Quando aveva scoperto la gravidanza si era confidata con Lidia. A volte pensa che se davvero avesse voluto, anche per un istante, abortire, l'avrebbe fatto. Era capace di fare le cose da sola. Coinvolgere Lidia significava escludere quella possibilità, perché lei glielo avrebbe impedito a ogni costo.

L'educatrice aveva parlato con le sorelle, era venuta apposta a Monza, una domenica. Suor Nanetta neppure si era indignata: che quella ragazza era la sua penitenza, lo aveva capito dal principio. Da settimane, poi, Nada si comportava in modo strano, saltava i pasti, mangiava alle ore più disparate, e disegnava di continuo le proprie mani, a matita, a carboncino, a china, a penna bic, quasi quella ripetizione fosse una specie di studio, di meditazione o preghiera, che avrebbe consentito a chissà quale mistero di svelarsi. Ma il mistero non si svelava e Nada riempiva fogli d'album o di Scottex, fazzolettini da naso e pezzi di carta igienica, e li abbandonava sul tavolo della sala pranzo o sul letto o in bagno, quasi se ne dimenticasse nel momento stesso in cui li concludeva, quasi li perdesse come si perdono i capelli, le monete dalle tasche. Atti d'accusa disseminati per l'intero istituto. Così, diceva Lidia, li aveva interpretati la suora.

Suor Nanetta la accompagnava dal ginecologo regolarmente e grazie alla beneficenza si procurò una carrozzina e una culla usate. Del padre chiese all'inizio, ma di fronte all'ostinazione desistette, si preoccupò che Nada terminasse la scuola: a giugno avrebbe dato la maturità artistica. Negli anni lei si era impegnata per trovare il sostegno di alcune famiglie disposte a pagarle l'Accademia di Belle Arti a Milano, ora però quel progetto sfumava. Si rassegnò al fatto che la ragazza sarebbe vissuta al San Lorenzo assieme ad altre madri single, finché ne avesse avuto bisogno.

Il giorno dell'orale, seduta davanti alla commissione, per calmarsi Nada si accarezzò la pancia. La gravidanza l'aveva fatta diventare popolare tra i compagni e suscitò reazioni diverse nella commissione d'esame: alcuni furono più magnanimi, altri invece furono disturbati dalla mancanza di disciplina che la sua condizione denunciava. A lei parve irrilevante qualunque domanda, di fronte all'evento che le maturava dentro. Avrebbe voluto dire che tutti i discorsi fatti con il professore di Storia sulla crescita demografica in Italia la indispettivano: chi mai sceglie di avere un figlio allo scopo di aumentare la popolazione del suo Paese? Tanto più che questo non è il mio Paese. Avrebbe voluto dire che le pareva assurdo decidere di fare un figlio se questo figlio poteva sparire da un momento all'altro. La morte avrebbe dovuto essere un deterrente per la nascita, la sbalordiva che non lo fosse. Come riusciva la gente a progettare di mettere al mondo esseri mortali, come riusciva a superare il paradosso di voler dare la vita innescando il conto alla rovescia della morte? A Nada sembrava che i figli potessero capitare solo per errore, come a lei, come lei: un incidente, l'effetto collaterale di un bisogno fisico. Quelli che li cercavano di proposito le sembravano pazzi. Ma non lo disse, alla commissione d'esame, e due mesi dopo partorì.

Da sola, senza nessuno a incoraggiarla, a parte l'ostetrica.

Fu suor Nanetta ad accompagnarla appena le si ruppero le acque, ma in ospedale lei non le disse per favore stia con me, e senza invito la monaca si fece scrupolo a entrare. Nada pensò che assistere al parto avrebbe messo a Nanetta troppa nostalgia per ciò cui aveva rinunciato. Non l'allevare figli, ma la possibilità di usare il proprio corpo come valico tra qualcosa che è a lungo solo immaginazione, sogno, terrore, una clip in bianco e nero che scorre sgranata sul terminale di un ambulatorio, una cosa della quale dubitare, come l'allunaggio – la possibilità di usare il proprio corpo come valico tra l'invisibile e il visibile, tra la mente di Dio e la vita in carne e ossa.

Quando il tempo fra una contrazione e l'altra si ridusse e il dolore aumentò sino a farla gridare, Nada rivide l'andatura sbilenca di sua madre sui tacchi. Aveva sofferto lo stesso dolore, per darla alla luce, e l'aveva sofferto da sola, pure lei.

Detestava che le toccasse il medesimo destino, neanche fosse inscritto nel Dna – una tara genetica. La solitudine. I figli concepiti per sbaglio, i figli come errori che non si possono cancellare. Tutti vogliono essere perdonati. Non voleva somigliarle. Tutti. Vuoi essere come lei? Una ragazza che a gambe aperte si spreme in un letto d'ospedale, senza un compagno, senza una madre a tenerle la mano, ad asciugarle il sudore, una donna costretta a espiare, una donna senza perdono, vuoi essere uguale a lei? Non ha bisogno di me. I bambini sanno solo frignare, frignano e strillano tutto il giorno. Il dolore è un'ondata, un cavallone altissimo, mi sommergerà, suor Nanetta perché mi hai lasciata fare il bagno, perché mi hai lasciata sola? Zitta, ti ho detto, solo frignare sapete. Tutti, Ivo, tutti: vogliono il perdono. L'onda si infrange sulla riva, la risacca mi fa respirare. Respira, respira. Chiamate mio fratello. Gliel'hai detto, *brate moj*, che diventerà nonna? Non ha bisogno di me. Era sola, anche lei. Un dolore atroce. Come il mio. Per gettarmi nel mondo. Per liberarsi. Nove mesi ad assorbire il suo sangue. Mi ha fatto spazio, mi ha custodita. È stata la mia casa. Le ho tolto il fiato il sonno l'appetito, o la sazietà. Dormivo nella beatitudine del suo grembo e poi mi ha espulsa, l'ossigeno mi ha scottato i polmoni, è stata l'aria a sancire lo strappo, lo shock del dolore come ingresso alla vita – perché, Dio, hai voluto fosse così? Ero dentro di lei, poi mi ha abbandonata.

Anche questo è un diritto.

Nada scagliò fuori il bambino con rabbia, quasi per separarlo da sé stessa, per non contaminarlo, non trasmettergli la sua sorte. Le labbra gonfie, le guance arroventate; il sudore le aveva abraso la pelle intorno agli occhi. Che sconosciuta tenerezza, per quella ragazzina che l'aveva data alla luce e l'aveva persino chiamata Speranza.

Quando le poggiarono addosso il piccolo ancora sporco, viscoso, odoroso del suo interno, quando lo sentì contorcersi per la disperazione sopra i suoi seni, e strillare, piangere perché era vivo, Nada seppe – ed era uno spavento, una dolcezza sterminata – seppe che aveva bisogno di lui, ne avrebbe avuto per sempre.

Nino piangeva con la bocca spalancata sulle gengive nude: era quella nudità delle gengive a sbranare Nada. Si chiese se sarebbe riuscita a tenerlo in vita. La irrigidì il panico quando glielo portarono via per lavarlo. Poi l'ostetrica glielo posò di nuovo accanto. Il piccolo ficcò la testolina umida sotto la sua ascella e quando fu lì, nascosto in parte dalla sua carne, smise di piangere. Nada diventò madre in quel momento, lei che non era mai stata figlia.

Ivo, che era corso giù dal Veneto, davanti al nipote si commosse. Non aveva comprato un mazzo di fiori, non sapeva nulla della maniera in cui si celebra una nascita, aveva preso una barretta ai cereali dal distributore automatico. Non ho fame, si scusò Nada. Ci volevano delle ciliegie, disse Ivo, ma non è stagione.

Suor Nanetta era stata tutto il tempo nella cappella a pregare. Tenendo in braccio Nino con una disinvoltura, una naturalezza cui Nada, al San Lorenzo, non aveva mai fatto caso, le fece promettere un battesimo. Il giorno della celebrazione donò al bambino una croce d'oro: non era di seconda mano.

Nada non voleva che suo figlio crescesse in un istituto, come lei. Così cercò lavoro a Milano e, non appena un piccolo studio di grafica miracolosamente la chiamò, partì, sebbene le suore avessero tentato di dissuaderla. Aveva ancora da parte le cinquecentomila lire vinte al concorso di disegno, in un libretto postale aperto a suo nome da suor Direttrice, il resto se lo fece prestare da Lidia, per pagare la caparra e il primo mese di affitto di un monolocale alla periferia della città. Quando provò a restituirle la somma, Lidia disse: è il mio regalo per tuo figlio.

I primi mesi, i primi anni, Nada era così ossessionata da Nino che pensava non avrebbe più potuto fare sesso con qualcuno, ora che lui era nato. Non era una questione di occasioni, o di libido, era che l'abbandono del sesso, quell'amnesia di sé e del mondo, quell'interruzione della coscienza, le parevano minacciosi: che cosa può accadere a tuo figlio mentre godi e non pensi a lui? Mentre sei altrove, dove lui non è.

Per fortuna, con il tempo, l'ossessione si attenuò. Ebbe qualche storia tiepida, qualche amplesso asciutto, niente che la distogliesse da quell'amore senza scampo. Anche il bambino la amava in modo selvaggio, e questo la stordiva. Non si erano scelti, erano stati condannati l'uno all'altra.

Di quel sentimento che lo legava a lei, Nada non aveva merito, per questo ne avvertiva tutta la responsabilità.

"E quindi Nino ha portato Scarafaggio agli autoscontri?"

Dormono assieme nel divano letto che ogni mattina lei riordina. Verso le nove e mezzo, dieci al massimo, Nada gli rimbocca le coperte, lascia accesa la lampada e stira per un'oretta, o guarda la tv a un volume tanto basso che le pare di dover indovinare le scene come in un film muto senza didascalie. Dora va a prendere Nino a scuola nel pomeriggio e lo aiuta a fare i compiti, con la stessa dedizione di una nonna. Spesso prepara spezzatino o zuppa di ceci e li chiude in un contenitore: tieni, dice a Nada, basta scaldarli. Per fortuna c'è stata dal principio; senza Dora, lei non ce l'avrebbe fatta.

"Sì, Scarafaggio si è messo i pattini a rotelle e si è mimetizzato tra le macchine."

"E quante botte ha preso?"

"Eh, un sacco. Infatti adesso è pieno di bernoccoli."

Suo figlio ride.

"Ora però dormi."

"Domani mi racconti un'altra storia?" Si gira su un fianco e affonda la guancia nel cuscino.

"Certo."

"E poi mi porti agli autoscontri pure a me?"

"Vediamo, magari quando viene zio Ivo a trovarci."

"E quando viene?"

"Adesso deve lavorare."

"Quando pubblicherai il tuo libro, verrà. E io diventerò famoso."

"Be', se mai, diventerò famosa io", Nada gli pinza il naso tra indice e medio. "Tu che c'entri?"

"Il protagonista si chiama come me."

"Hai ragione", si alza per andare in bagno a struccarsi. "Saremo famosi tutti e due."

"Anche Scarafaggio."

"Va bene, tutti e tre."

Il bambino ride ancora, Nada gli dà sulla fronte il bacio della buonanotte.

In prima elementare, non appena arrivava l'ora di coricarsi, Nino accusava mal di stomaco. L'idea che il giorno dopo sarebbe dovuto andare a scuola lo angustiava. In classe piangeva spesso, a volte così tanto che il bidello la chiamava, venga a prenderlo, non si calma, e lei doveva uscire dal lavoro senza preavviso. La pena di suo figlio essiccava campi, prosciugava fiumi, disboscava foreste, affamava bestie, sconvolgeva fasi lunari, rallentava il moto della terra intorno al sole – lo eclissava, il sole. Nada ne era annichilita, non sapeva che fare. L'aveva tenuto troppo vicino, era stato questo l'errore?

Una sera, di fronte al suo pianto anticipatorio, ebbe un'idea. Prese dal frigo i formaggini Bel Paese che tanto gli piacevano e li tolse dalla scatoletta di plastica trasparente. Vuota, la avvicinò alla guancia di Nino e disse: raccoglile qui, le tue lacrime. Il bambino era sorpreso, la lacrima cadde senza fare rumore, per la curiosità lui smise di piangere quasi subito. Mhm, disse Nada scuotendo la scatola come una confezione di Tic Tac. Sono proprio poche, queste lacrime, non ce ne facciamo niente. Vuol dire che era un dolore piccolo, menomale.

Anche la sera successiva Nino pianse nella scatoletta, poi Nada passò il dito sulla plastica e se lo leccò. Mhm, che buone, assaggia. Nino intinse il polpastrello e lo succhiò. Gustose, vero?, disse Nada, e lui annuì, le guance rosse, il sorriso trattenuto di chi non vuol dare soddisfazione. Be', questo dolore non è poi tanto cattivo.

Andò avanti così per oltre una settimana, poi una sera Nino si scordò di piangere, ma prima di chiudere gli occhi chiese della scatolina. Nada gliela portò: era asciutta. Dove sono le lacrime di ieri?, disse il bambino. Il dolore è evaporato, rispose lei, non c'è più.

Suo figlio imparò a tenere sempre la scatolina in tasca, era il suo amuleto.

"Nei fumetti Nino può fare quello che vuole, perché non ci sei tu che lo sgridi."

"E certo, mica sono sua madre."

"E chi è?"

"Boh. Nessuno."

"Impossibile, una mamma deve averla per forza."

Seduta sul water, Nada controlla di nuovo il cellulare. L'autista non ha risposto, allora lei gli scrive: "Mi manchi anche adesso che dal tram sono scesa". Non è vero, ma le pare l'unica strada per ristabilire un contatto. Detesta la smania di essere corteggiata che a volte l'assale, quel bisogno di considerazione da parte di chiunque. È diventata proprio come le compagne di scuola che biasimava. Chissà se l'autista si è già accorto del suo dito mancante. A Nino piace avvicinare la bocca e soffiare in quel varco, come il vento nella feritoia di un castello.

Subito dopo l'invio, il cellulare squilla. Nada si tira su le mutande e sbircia il proprio viso allo specchio prima di rispondere, neanche lui potesse vederla. Chissà perché la chiama da un numero privato.

Con tono malizioso gli chiede: "Sei tu?".

Un istante di esitazione, poi una voce dice: "Sono Danilo".

50.

Danilo non credeva che avrebbe reagito così.

Quando gli disse che sua madre era viva, Omar lo fissò muto, come se non avesse capito. Poi prese a tremare, a dire lo sapevo, lo sapevo, e sorrideva, una miriade di grinze sulla fronte. Danilo gli strinse le mani e questa volta lui non si ritrasse: afferrandogli i polsi ripeté grazie. Tremava al punto che Danilo disse: Ti tengo.

Gli raccontò delle ricerche durate anni, da quando Azra era morta e lui aveva custodito i suoi faldoni come un'eredità. Dopo la laurea in Giurisprudenza era andato in Bosnia più volte e si era impegnato affinché "Oslobođenje" pubblicasse una serie di articoli sui bambini dell'orfanotrofio affidati o adottati in Italia, mai più restituiti ai genitori biologici o ad altri parenti. Del caso si era discusso anche sulla tv nazionale. Le madri e i padri che dall'inizio della guerra avevano perso ogni traccia dei propri figli accusavano la Bosnia-Erzegovina di non aver preteso che tutti i bambini di Sarajevo tornassero indietro. Alcune rogatorie non erano mai arrivate, probabilmente per problemi di trascrizione dei nomi o degli indirizzi, ma poiché il consolato non era stato in grado di fornire le anamnesi familiari di ciascun bambino, o di garantire loro una prospettiva futura che non fosse l'orfanotrofio, in una logica di tutela il Tribunale dei minori di Milano aveva deciso di trattenerli e avviare le adozioni.

"Parli come un avvocato," disse Omar, staccando le mani da quelle di Danilo, che tentò di ridere. "Mia madre non l'ha mai dato, il permesso."

"Lo so," rispose lui, "ma voi eravate minorenni sul territorio italiano, che per legge doveva tutelarvi, e subito dopo il conflitto le istituzioni bosniache erano fragilissime."

"Appunto non dovevano farlo", Omar alzò la voce, e il secondino lo ammonì. "Se ne sono approfittati perché stavamo messi male. Anzi, te lo dico io, quelli ci volevano vendere da subito, per questo ci hanno portati fin qui."

Danilo preferì non insistere, non voleva indispettirlo, causargli problemi con gli agenti, tanto più che aveva smesso di tremare. Gli spiegò solo che una donna iscritta all'associazione "Vittime di Sarajevo", guardando un servizio televisivo, aveva riconosciuto i figli della vicina nella storia sua e di Sen. Omar rise di nuovo, ma a occhi bassi, concedendo al proprio sguardo una porzione risicata di spazio, quasi a proteggerla, quella felicità: se avesse alzato la testa, forse sarebbe svanita. Condividerla sarebbe stato un azzardo, una forma di arroganza. Danilo gli disse che era andato a Sarajevo per incontrare sua madre e aveva fatto un video per lui.

Fu la guardia a inserire il cd nel computer del direttore. Omar non era mai stato nel suo ufficio e mai avrebbe immaginato che, dopo aver parlato con Danilo e con il suo avvocato, il direttore acconsentisse a farlo entrare, in propria assenza, accompagnato da due secondini, a farlo accomodare sulla poltrona con i braccioli, sotto le bandiere dell'Italia e dell'Europa, a farlo sedere alla scrivania a L, mucchi di scartoffie divisi in pile da un lato, dall'altro lato il monitor, la stampante e nemmeno una formica sperduta. Persino dalla sua cella erano state eliminate: quella mattina ne era apparsa una solitaria, allocchita, sopra la mensola del caffè, ma Omar l'aveva graziata. Anche lui si sentiva graziato, dal destino che aveva risparmiato sua madre, e dal direttore che gli concedeva di vederla, sebbene in video. Sapeva che aveva fatto un'eccezione per lui, che non capitava tutti i giorni un simile dono.

Una guardia si sedette dall'altra parte della scrivania; l'altra, in piedi dietro di lui, armeggiò con il mouse fino a cliccare *play*. Omar vide comparire a schermo intero l'immagine di sua madre con le mani aperte all'altezza delle spalle, neanche fosse di fronte a un rapinatore, sono disarmata, non sparate.

Il cuore accelerò. La madre aveva i capelli ancora scuri, ma corti sopra le orecchie, la pelle del viso arrostita, incisa da solchi netti, e parlava, parlava con Danilo, che era dietro la videocamera della macchinetta fotografica e non si vedeva. Omar la ascoltò, immobile, con tutta l'attenzione che poteva, ma da quel flusso di parole solo qualcuna spiccava, figli, ospedale, abbracciare, solo qualcuna si staccava dalle altre nel profluvio di suoni indecifrabili che gli impedivano di cogliere l'intero discorso. Non la capiva. Omar non capiva più la propria lingua.

Com'era possibile che l'avesse dimenticata? Quand'era successo? Come aveva potuto consentirlo?

Il senso di scollamento, di sordità, di claustrofobia lo demolì. Montò l'angoscia. Sua madre parlava e lui non la capiva, non la capiva. Era sua madre, ed era inaccessibile. Ancora.

La solitudine lo isolò dalla scrivania, dalle scartoffie, da ogni grazia possibile, se una formica almeno gli avesse restituito l'impressione di esistere, di non essere altrove, separato dagli altri, deprivato dei sensi. La madre aveva perso quasi tutti i denti davanti, dietro le labbra spuntavano i canini inferiori e un incisivo di sopra, e la vista di quella deturpazione gli travasò furia in ogni arto.

Omar si avvicinò con il naso allo schermo, una scossa ai lombi, alle ginocchia, ascoltò la madre raccontare qualcosa di impenetrabile, i seni cadenti, gli anelli dell'abbronzatura scavati nel collo, e pensò che gli assomigliava di più, adesso che aveva perso ogni residuo di femminilità, e si morse un braccio fino a lasciare l'orma della rabbia sulla pelle, e si resse alla scrivania per non precipitare. "Che hai?" disse un secondino. Chissà se lei odorava ancora di stufa a legna.

Omar accostò le labbra per baciare quella donna sfiorita. "Oh, che hai?" Spinse la fronte sulla fronte di sua madre e per il peso, o l'irruenza, il monitor si inclinò indietro e cadde rumorosamente a terra.

"Che cazzo fai?" La guardia vicina lo tirò indietro fino a far strisciare sul pavimento la poltrona, l'altra era già accorsa a recuperare il monitor. Omar si inginocchiò sotto la scrivania per aiutare, ma il primo agente lo tirò su dalle ascelle:

"Alzati, torniamo in cella". "Il video non è finito," replicò lui. "Sbrigati." "Ti prego, me ne sto tranquillo." Manette ai polsi. "Giuro." Lo scatto familiare della chiusura. "Andiamo." Di nuovo quell'impotenza. "Voglio vedere mia madre, per favore." Soccombere. Sempre. Supplicare a vuoto. "Ho detto muoviti." Le manette stringono, un laccio emostatico, l'angoscia è un'emorragia. "Piantala o vai in punizione." Stringono, le manette, e il video non è finito. C'è mia madre, lì dentro. "Hai deciso di farmi incazzare?" gridò la guardia, trascinandolo con forza nonostante lui opponesse inerzia.

L'altro agente ricollegava i cavi per accertarsi che tutto funzionasse ancora. Il direttore si sarebbe innervosito.

Omar riuscì a divincolarsi per tornare verso la scrivania: con le braccia tese sferrò sullo schermo un pugno che lo ammaccò, poi lanciò a terra le scartoffie per calpestarle, mentre le guardie tentavano di trattenerlo.

Nulla servì a sfogare il suo furore.

Quando riuscirono a immobilizzarlo, si morse le braccia a sangue, aveva impellenza di ferirsi, di morire – proprio adesso che sua madre era viva, che la sua speranza si era realizzata. Era ingabbiato e non poteva incontrarla, salire su un aereo per Sarajevo, c'erano mesi di detenzione da scontare, altri mesi di rinuncia a lei, dopo che l'aveva aspettata per anni, non è morta, lo sapevo, avrebbero dovuto liberarlo, non potevano impedirgli di vederla, non poteva rimanere in prigione se sua madre era viva, se non sapeva che lui era un carcerato, l'avrebbe delusa, le avrebbe chiesto perdono, avrebbe scritto al presidente della Repubblica, al Papa, avrebbe implorato Danilo di aiutarlo, il bisogno di abbracciarla era uno spasmo, un'ostruzione cardiovascolare, Omar gridò aiutatemi, mentre le guardie lo portavano in cella, e la paura occludeva il corridoio, lo occupava fino al soffitto, e lui non era da nessuna parte, non era saldato a nessun presente, a nessun luogo, il sudore limaccioso, come in astinenza.

Danilo non credeva che avrebbe reagito così.

Gli diedero dei calmanti, aumentarono la dose di sonniferi, uno psicoterapeuta lo prese in cura e Omar raccontò a ogni seduta lo stesso sogno. Nel buio, sempre più vicine, sempre più brillanti, le fiamme di un incendio. Si svegliava un attimo prima di bruciare. Lo psicoterapeuta pensava alle bombe, al rimorso, alla sensazione di non avere scampo, ma Omar disse quella luce mi conforta. In principio lo psicoterapeuta non vi badò, poi, dopo l'ennesimo sogno da cui lui si era risvegliato strillando, gli chiese: c'è tua madre, nel fuoco? No, sorrise Omar, solo Nada risplende.

Ecco perché, a un certo punto della terapia, Danilo è stato avvertito e, per quanto gli costasse, ha convinto Lidia a dargli il numero. Dopo diverse resistenze, una sera si è deciso. Ha carezzato la pancia tonda di Elsa accoccolata sul divano, poi si è chiuso nello studio e l'ha chiamata.

51.

"È tardi," dice Nada.

Apre la borsa, ma Danilo la ferma: "Faccio io", e poggia la carta di credito sul tavolino.

Il bar ha un arredamento dozzinale e nessuna personalità, ma è quello sotto l'ufficio, lei lo ha scelto per preservarsi. Se si fosse concessa di immaginare un posto migliore, magari chiedere consiglio per far bella figura, il senso di sconfitta l'avrebbe abbattuta.

Ha smesso da tempo di dipendere dal giudizio di Danilo, l'incontro con lui non meritava preparativi: nel bar sotto l'ufficio sarebbe stato come incrociarsi per caso, di sfuggita, lei avrebbe ascoltato quel che aveva da dirle, ma all'orario e nel luogo che le erano più comodi. Per l'intera settimana si è ripetuta che se non aveva declinato l'invito era soltanto a causa di Omar, poi quella mattina si è lavata i capelli prima di portare Nino a scuola e, già fuori dalla porta, gli ha detto aspettami; è tornata indietro per infilare in borsa dei trucchi. A cinque minuti dall'appuntamento, però, ha deciso che il rossetto sarebbe stato un indizio di vanità.

Uscendo dal portone dell'ufficio, lei gli ha detto: Non sembri mica un avvocato. Perché?, ha domandato Danilo. Gli avvocati non si vestono così, ha risposto lei. Lui si è guardato i jeans, le Dr Martens, si è tolto il berretto di lana. Lascia, ha detto lei rubandolo dalle sue mani per calcarglielo di nuovo in testa, fa troppo freddo. Era il primo contatto fra loro dopo tutti quegli anni, ed era avvenuto subito, senza che nemmeno si salutassero.

"Abiti lontano da qui?" chiede Danilo e sistema il portafoglio nella tasca del giaccone.

"Non è lontano," risponde Nada. "Prendo il tram."

"Se vuoi, posso portarti io."

"Devi tornare a Bologna, manca poco all'ora di cena, quanto ti ci vorrà per essere a casa?"

"Ho la macchina qua dietro, dài, non mi costa niente."

Doveva essere stato il contatto precoce sotto l'ufficio a far sentire Danilo autorizzato ad abbracciarla. Nada si è limitata a ricevere l'abbraccio senza ricambiare – lì, in una strada quotidiana, nel suo mondo – e non perché fosse emozionata, al contrario. Non ha provato nulla: rimpianto, nostalgia, tenerezza, rancore. Neppure desiderio. Prima, al solo fantasticare della sua mano sul collo, la schiena si inarcava di colpo. Per anni ha continuato a toccarsi pensando a lui, anche se non sapeva più che faccia avesse. Qualche volta, invece di venire piangeva, lei che non piangeva mai, che non aveva mai imparato, ed era così degradante che aveva schifo di sé. Restava stesa sul divano con gli slip calati sulle cosce e un figlio addormentato nella culla accanto.

Sforzandosi, era infine riuscita a strozzare la voglia di lui, ma al punto che si era spento il desiderio per chiunque altro.

"Prego", Danilo le apre lo sportello e Nada sale.

In auto gli spiega che strada imboccare, poi lui dice: "Quando pensi di andarci? Devo farti avere il permesso".

"Il prima possibile, ma nel fine settimana."

Il traffico la rassicura: tutto è identico, nessuno scossone farà franare la sua vita.

"Ha sempre avuto un debole per te," dice Danilo.

"Non è questo. È che non ci siamo scelti."

"Cioè?"

"Per caso sono stata testimone del suo dolore, ed è bastato a unirci."

"Non accade sempre così? Non è sempre per caso che le persone inciampano l'una nell'altra?"

Il solito sfoggio di logica. Il solito tentativo di disarcionarla. Nada sospira.

"Non abbandonarsi significa sceglie rsi," continua lui.

"Però noi ci siamo abbandonati."

Danilo si gira a guardarla, lei si chiede se non abbia frainteso.

"Parlo di me e Omar."

Lui riprende a fissare il buio oltre il parabrezza. "Lo so." Tira su col naso. "Ma non è vero. Tu sei qui."

Si gira ancora: quasi a rafforzare il concetto, solleva per un attimo le mani. "Per lui, dico", e stringe forte il volante.

Nada si rammarica che non sia mattina. Il rosso scuro delle foglie l'avrebbe distratta. Nei giorni in cui componeva lo 0043 e le rispondevano in tedesco, scandiva: Danilo Simić, sperando fosse sufficiente, nei giorni in cui la mettevano in attesa senza mai passarglielo, e si ripresentava la voce di prima pronunciando parole incomprensibili, ed era come essere tornati al '92, come essere di nuovo stranieri, in quei giorni lei non pensava mai che gli fosse successo qualcosa di male. Aveva messo in conto dal principio che lui potesse rifiutarla, fin dal viaggio verso l'Italia.

"Mi sono comportato in modo terribile con te."

"Non farlo."

"Ti sto chiedendo scusa."

"No, mi stai ricordando chi ha avuto più potere tra noi due, ed è volgare."

Lui tace. Si abbassa la cerniera del giaccone e si toglie il cappello, lo posa sopra il cruscotto. Nada lo osserva finché non scivola giù, nessuno lo raccoglie.

"Siamo arrivati, fermati davanti all'edicola."

Danilo accosta.

"Bene," si congeda lei. "Chiamami quando è tutto pronto, ok?"

"Aspetta, ti accompagno al portone."

Sulla soglia, lo vede controllare il citofono: il cognome Drakulić corrisponde all'interno 1.

Nada non sente l'impulso di abbracciarlo, e forse nemmeno lui, che adesso se ne sta immobile e senza cappello, senza più armi.

"Mamma!"

Nada si volta. Nino si è staccato da Dora e le corre incontro, si getta su di lei.

"Che ci fai qui, amore?"

È Dora a rispondere: “Mi mancavano le uova e siamo andati all’angolo a comprarle”.

“Ciao”, Nino si rivolge a Danilo.

Lui guarda Nada con tale sorpresa che, imprevista, la tenerezza la squarcia. Lei spera che non si porti dietro anche il rimpianto. Il rancore.

“Ciao,” dice Danilo.

Nada si tira Nino addosso. “Lui è un mio amico, lo conosco da quand’ero piccola.”

“Come me?”

“Mhm… aspetta. No, due anni in più.”

“Io salgo,” avverte Dora, “ho il brodo sul fuoco. Buonasera.”

Nada non gliel’ha neppure presentato.

Danilo saluta Dora, poi chiede a Nino: “Come ti chiami?”.

“Vediamo se indovini. Mi chiamo come un supereroe.”

Danilo si massaggia il mento. “Clark?”

Nino ride. “No.”

“Uhm… Peter? Sì, ti ho riconosciuto, sei Peter Parker, guarda che hai qui”, e gli prende un orecchio per catturare qualcosa.

Nino se lo strofina.

“Una ragnatela!” dice Danilo.

Nino ride di nuovo e gli afferra il polso, quasi il breve contatto di poco fa non gli fosse bastato, quasi avesse già innescato una dipendenza. Nada sente formicolare le natiche.

Il bambino tira il polso con tale forza verso di sé che l’orologio di Danilo inavvertitamente si apre e cade a terra.

“Che hai combinato?” lo rimbrotta Nada.

“Non fa niente,” dice Danilo, chinandosi a prenderlo.

Lo mostra a Nino. “Ti piace?”

Lui annuisce entusiasta.

“Era di mio padre. Me l’ha dato per affrontare un lungo viaggio.”

“Come un amuleto?”

“Esatto.”

“Ed è servito?”

Danilo riflette. “Be’, sì, sono arrivato sano e salvo.”

"Anche io ho un amuleto."
"Ci credo, sei un supereroe."
"Ma pure tuo padre ha i superpoteri?"
"Tutti i papà li hanno, no?"
Nino non risponde.
"Dài, saliamo su a mangiare," dice Nada infilando le chiavi nella toppa.
Il bambino la segue, d'un tratto mansueto, quasi intontito.
Danilo gli fa ciao con la mano, ma lui si scorda di ricambiare.
Per le scale, a un certo punto, dice: "Mi chiamo Nino", come se Danilo potesse sentirlo.

52.

Anche lui sta per avere una figlia: sono pari.

No, non lo sono, perché il figlio di Nada ha nove anni, quindi lei l'ha avuto l'anno che si sono lasciati. Questa cosa lo fa impazzire. Non è gelosia retroattiva, è un sentimento attuale, persistente: una volontà di possesso che lo aizza come un diritto negato.

Certo che lei è appartenuta ad altri corpi, questo lo sa, e lo tollera. Ma che concepisse un figlio con un altro uomo, no, non se lo sarebbe aspettato. Forse è soltanto che non se l'è mai figurata madre. Lui l'avrebbe fatto, un figlio, con lei? Era troppo giovane, allora, per desiderarlo. Ma in fondo non l'avrebbe voluto, neppure dopo. Nel suo immaginario Nada è sempre stata sola, e inospitale, si poteva amarla a pezzi, mai per intero, si poteva amarla senza arrivare al nucleo più profondo di lei, perché è incandescente.

Sua sorella gli direbbe che è un egoista. Per questo se l'è sempre cavata, per l'indulgenza che riserva alle proprie meschinità. Vorrebbe confessarglielo: credevo di avere un vantaggio, Jagoda, e invece lei mi ha anticipato. È diventata adulta prima di me. Ha capito qualcosa che io devo ancora capire, e che mi fa paura. Lei paura non ne ha avuta, o almeno non ne ha più. Allevare un bambino le viene naturale.

Danilo credeva di averla espropriata di quella possibilità, credeva che soltanto con lui Nada avrebbe fatto un figlio, chissà perché; invece non le ha rubato nulla, e anziché sollievo questa consapevolezza gli procura livore. È appena caduto dal trono. Il regno che ha perduto non concentra nazioni e non è bagnato dagli oceani. Si estende per una superficie di un metro e settantaquattro, e le sue insenature, le sue vallate, le sue vette non sono segnate su alcuna mappa. Gli è parso inadatto alla vita, quel territorio, così qualcun altro lo ha conquistato.

"Stai bene?" Elsa lo raggiunge alla scrivania. Non ha bussato, la porta è aperta.

"Sì", lui le poggia i palmi sulla pancia. "Scusa, sono ancora qui tra i fascicoli."

"Ti stai dando molto da fare per i bambini di Sarajevo, tua madre ne sarebbe contenta."

Tu non l'hai conosciuta, mia madre, pensa Danilo, che ne sai. Tu che sei italiana, e parli dei bambini di Sarajevo come se non fossi nato laggiù anch'io.

Ma è un attimo, si pente subito. Le sposta piano il maglione e apre la bocca sul suo ombelico sporgente.

Nostra madre ha scritto sul taccuino blu che nascere è il peccato. Ci ha chiamati crimine, Jagoda. Il suo crimine.

Elsa gli carezza i capelli, le orecchie, la nuca. Lui bacia ogni centimetro di quella pancia che contiene sua figlia.

Secondo te, Jagoda, ci voleva?

Le sfila il maglione e sgancia il reggipetto. I seni sono pesanti, lei se li regge con le braccia. Lui gliele slega e la fa sedere sopra le sue gambe.

Il primo uomo, la prima donna, non hanno scelto di fare un figlio. Non si sono domandati se lo volevano o no. Non era una questione di volontà individuale.

Danilo penetra la madre di sua figlia mentre sua figlia le galleggia dentro, protetta dal corpo di lei come da uno scrigno che lui ha appena scardinato. La penetra perché l'universo intero cospira a questo crimine, a questa sorda promiscuità.

53.

L'obbligo di lasciare il documento al gabbiotto e chiudere a chiave nell'armadietto la borsa con dentro il cellulare le inietta un po' d'ansia. Non siamo abituati a essere così spogli, pura carne senza nome, senza complementi, estensioni. Tutte quelle porte chiuse che solo un agente, solo un impulso elettrico, può aprire: è alla mercé di un altro, di un sistema a lei ignoto, si sente esposta.

Lui è già nella stanza con una guardia, al suo ingresso si alza in piedi. Quando è diventato così alto? Alto e un po' gobbo, lo stelo di un fiore che si curva nel vaso. È come se la testa pesasse troppo, a dispetto del corpo magrissimo, come se lui si fosse arreso alla gravità. I pantaloni larghi della tuta camuffano le gambe strabiche che tanto la divertivano. Ha il collo di un uomo, ma nelle sopracciglia increspate che incorniciano gli occhi dolenti, così scuri da annullare la pupilla, c'è una delusione infantile.

Se non si fossero persi, forse lui non sarebbe finito in galera. L'ha sempre intuito, in modo sotterraneo, precosciente, ha sempre saputo che lui non ce l'avrebbe fatta.

"Hai visto che non era morta?" dice Omar, e scoppia a piangere.

L'agente esce. Nada si fa vicina; in silenzio, dall'altra parte del tavolo, lo guarda: ha le braccia flaccide, quasi avesse perso tono muscolare di botto, una convalescenza. Non sa se le è permesso toccarlo, se può tenergli la mano anche stavolta.

Rimangono in piedi, occhi negli occhi, per tutto il tempo che a Omar serve per sfogarsi – come in principio, ora e sempre. Pare abbia aspettato lei per cedere a quell'immane sconforto, la fame di un neonato, senza più collera, difese, solo dolore purissimo.

Quando il pianto sbiadisce, Nada si siede, aspetta che lo faccia pure Omar e, furtiva, gli prende la mano, sfiora le sue unghie a mandorla, i suoi polpastrelli da E.T.

"Mi ha bruciato i capelli, ma alla fine la candela è servita, il desiderio si è realizzato. E manco l'avevamo pagata," dice poi.

Lui sorride. "Lo sapevo, lo sapevo che era viva."

"Be', bisogna avvertire i giornalisti stranieri," dice Nada.

"Mi sa che ormai il servizio del lago è andato in onda, sono passati diciott'anni."

"Quindi secondo te mi hanno fatto un video mentre ti aggredivo e l'hanno trasmesso in tv? Tutta Italia, anzi tutta Europa ha visto che sono una stronza?"

Adesso Omar ride proprio. "Avranno pensato che fosse un litigio etnico, dài."

È emaciato. Gli zigomi sporgono come rocce su una strada di montagna, nessuna rete metallica a sostenerli, la faccia di Omar potrebbe smottare. Tanto è scavato, il suo volto, che il naso pare più grande. O forse si è davvero ingrossato: il suo naso da adulto è eccessivo rispetto alla fronte, al mento.

"Devi mangiare," dice Nada.

"Anche tu con questa tiritera?"

"Perché, te lo dicono pure gli agenti?"

"No, me lo dice lo psicologo. E me lo diceva Matte, il padre di Sen."

"Be', te lo dico io: mangia, per favore."

L'inferriata alla finestra setaccia la luce come la grata del confessionale nella chiesa di Sant'Antonio, ma è minacciosa, non rassicurante. Dio non ha mai avuto intenzione di tornare dal suo esilio. Né quella notte né adesso loro sono entrati nella sua visuale. La qualità che più scarseggia in Dio è la tenerezza.

Omar ha vinto la gara di equilibrio sulle panche, e Nada riavvolgerebbe il nastro, pur di tornare a quell'istante, pur di non vederlo sconfitto.

"Se metto su qualche chilo, mi baci ancora?"

Nada non prova imbarazzo; è uno scherzo tra vecchi amici, qualcosa che si può rievocare perché è tanto lontano da non sembrare vero.

"Eh, servirebbe la Madonna."

"Posso chiedere al sacerdote che viene a farci visita se mi porta una statuina."

"No-no, io mi trovo bene solo con la Madonna della grotta. È una decisa, quella. Guarda che ci prova gusto, a schiacciare la testa del serpente."

Ridono ancora.

"Non so se me la sento di tornare al San Lorenzo, quando esco da qui, sono sincero."

"Pazienza, non ci baceremo. Ma devi ingrassare lo stesso. Per tua madre."

Omar abbassa lo sguardo, oscilla la testa. Nada teme che ricominci a singhiozzare. "Perché non sei felice neppure adesso che l'hai trovata?" cambia tono. "Dovresti essere pazzo di gioia."

Omar lo dice al tavolo: "Ho paura che sparisca di nuovo mentre io sono rinchiuso qui dentro".

"Allora bisogna tenerla d'occhio. C'è Sen."

"Sen non vuole incontrarla. Dice che è un'estranea, che la sua vita ormai è questa, che una madre ce l'ha già. Gli hanno fatto il lavaggio del cervello."

"Chi?"

"Gli italiani. Le suore prima, poi i suoi genitori. Lo hanno convinto che lei ci ha abbandonati, ma non è così."

Nada pensa che accade, che è sempre accaduto. È possibile rinunciare a chi ti ha partorito, rinunciare a chi ti è cresciuto nel sangue.

"Appena sarai fuori, va' a Sarajevo: senza Sen. Che ti importa?"

"Mi importa di lei, ne soffrirà."

"Anche tuo fratello ha il diritto di salvarsi. Come può."

La pelle olivastra di Omar luccica di sudore, sebbene non faccia caldo. Nada avrebbe voglia di asciugargli la fronte con un fazzoletto. Distoglie lo sguardo: troppo forte è il rammarico per la profezia che su di lui si è avverata.

"Vieni con me? Cerchiamo anche tua madre?"

Non sa nulla, lui, di Daša.

"Non mi serve più una madre, ho un figlio."

Ecco, ha trovato il modo di dirglielo. Non era sicura sarebbe successo.

Omar respira più sonoro, più rapido.

"Ti sei sposata?"

"No", sorride lei mostrandogli la mano. "Non saprei mica dove infilare l'anello."

Omar resta serio.

"Ti ho sempre immaginata con un bambino."

"A me?"

"Sì. Con un bambino che ti sta addosso e ti fa inciampare."

"Ma no, Nino è molto autonomo, sai."

"Mi piace il nome Nino. E il padre come si chiama?"

Lei lo fissa. Dice: "Non c'entra nulla, questo posto, con te. Devi giurarmi che quando esci non rientri mai più. Giuramelo".

"Non ho mantenuto nessuna delle promesse che ti ho fatto, non farmi giurare ancora."

L'agente bussa sul rettangolo di vetro della porta. Nada si gira: con le dita, l'uomo la avverte che mancano tre minuti al termine della visita.

"È tremendo sapere che mia madre è viva e io non posso raggiungerla," dice Omar.

"Scrivile una lettera."

"Non lo so più, il serbocroato."

"Come hai fatto a dimenticarlo? È assurdo."

"Ricordo pochissime parole, e non so scriverlo, non so scrivere bene manco in italiano, se è per questo."

"Ti aiuto io. Posso chiedere se ci dànno carta e penna, ma oggi il tempo è scaduto, magari la prossima volta..."

"Scrivila tu. Tu sai tutto, puoi scriverla per me."

"Sei sicuro? Potrei sbagliare."

"Mi fido. Sei sempre stata tu, la mia Speranza", sorride.

Pure lei. Poi si alza, scruta quel giovane uomo in tuta, la faccia rattrappita, cartapesta ammaccata, gli occhi senza pupille, impossibile indovinare la direzione del suo sguardo, le spalle spioventi di quel giovane uomo seduto a un tavolo con le gambe di ferro, dentro una stanza disadorna, sbarre alle finestre e porte sigillate, Nada scruta quell'uomo che è stato suo amico, e pensa che appartengono ormai a due categorie diverse, per sempre saranno separati da questa cesura. L'affetto germogliato quando erano piccoli basterà per ridere insieme, per ricordare episodi condivisi e capirsi senza preamboli, ma non per essere uniti di nuovo, parte dello stesso mondo. Ecco perché quell'affetto le duole forte, le dorrà sino alla fine.

"Mi sei mancata," dice Omar.

"Pure tu."

"Tu mi sei mancata sempre, anche quando vivevamo insieme. È da quando ti conosco che mi manchi."

54.

Le tavole sono dentro una cartellina di plastica trasparente. Danilo ha insistito, fammi tentare, magari troviamo un editore interessato, e alla fine Nada gliele ha date.

Le estrae, le poggia sulla scrivania. Sulla prima della risma Nino, in sella a Scarafaggio, lancia il lazo per catturare al volo una zanzara che dà noia alla maestra di musica, il ronzio non le fa azzeccare la nota. Danilo sbatte il pugno sul suo viso paffuto, la tavola si sgualcisce. La strappa in quattro pezzi. Ne prende un'altra, riduce in pezzi anche quella. Strappa le tavole con tale foga che presto gli fanno male i pollici. Così afferra le forbici per tagliuzzarle, sfregiarle. Con una manata le scaglia a terra, le calpesta, esce in balcone in cerca d'aria. È senza cappotto, fa freddo.

Come ha potuto, come, nascondergli una cosa simile?

Sfila dalla tasca il cellulare, telefona a Izet. Deve assolutamente parlare con qualcuno, e non può essere Elsa. Per fortuna è dai suoi, lui dovrebbe raggiungerla per cena, per fortuna è solo in casa. Dopo quattro squilli riaggancia. Si siede sulle mattonelle, la schiena al muro, guarda verso l'alto, uno stormo di uccelli si comprime e dilata ritmico nel cielo, il pulsare della macchia scura ricorda il battito del cuore in un'ecografia – Danilo si tiene la testa con le mani.

Ogni volta che il lavoro lo ha chiamato a Milano, è passato sotto il suo ufficio, hanno bevuto assieme una birra, o l'ha accompagnata a casa; un giorno in cui Dora aveva la febbre e Nada è uscita prima, sono andati a prendere a scuola Nino, che per la sorpresa gli è corso incontro ed è quasi inciampato. L'hanno portato al parchetto, Danilo ha comprato un Super Santos in un negozio di tabacchi lungo la via e gli ha insegnato a dribblare. Una sera hanno persino cenato tutti e tre da lei con minestra e stracchino, non l'hanno deciso, è capitato, poi hanno visto un film sul divano e Nino si è seduto in mezzo a loro: si è addormentato dopo un quarto d'ora, la testa sulle gambe di Danilo, e lui gli ha accarezzato le orecchie tondissime. Faccio pratica da padre, ha detto a Nada, e a ripensarci, in effetti, lei ha messo su una faccia strana, ma lui ha ipotizzato – la consueta arroganza – che fosse solo un po' di gelosia. In albergo ha chiamato Elsa e le ha raccontato della serata, non c'era malizia, non c'era nulla da nascondere. Così, almeno, credeva.

Per questo ieri ha invitato Nada a passare il Natale con loro e la famiglia di sua moglie. Ma lei ha detto no, preferiva andare da Ivo e la compagna. Allora potete venire per Capodanno, ha rilanciato Danilo: tanto con il pancione di Elsa non avrebbero partecipato a nessun veglione, sarebbero stati tranquilli in casa con qualche amico a giocare a tombola. Ci sono anche i figli di mio cognato, così Nino non si annoia. Perché insisti?, si è irritata Nada. Gli ha porto una busta piena di indumenti da neonato, erano appartenuti a Nino, un regalo. Vorrei che conoscessi mia moglie, si è giustificato lui, vorrei presentarle anche Nino. Non farle questo, ha detto Nada.

Danilo non ha capito. Ha aperto la busta e rovistato fra le tutine, i bavagli, i body, odoravano forte di detersivo. Grazie, ha detto, sono bellissimi.

Quando ha rialzato lo sguardo, si è accorto che Nada si copriva il viso con le mani.

Ma che succede?

Ascoltami, gli ha detto.

Danilo stringe il cellulare, lo stormo si è disperso, il sole è tramontato, il freddo gli ha intirizzito le dita dentro le scarpe, ha gonfiato le mani. Starnutisce. Decide di telefonare a suo padre – da quanto non lo sente. Non hanno l'abitudine di chiamarsi ogni giorno, ogni settimana, si sentono quando possono, quando uno dei due ha voglia di chiacchierare, a volte trascorre molto tempo tra una conversazione e l'altra.

Predrag risponde subito. Parlano di Jagoda: sta bene, un po' stanca, tra la scuola in cui insegna e il volontariato, è sempre fuori casa. "Questo è il tuo ultimo mese di pace," scherza Predrag, "poi basta, sarai papà e non avrai più tregua."

Danilo non ride. Che può saperne, suo padre. Non lo sapeva neppure lui, fino a ieri. Nada ha detto non voglio nulla da te, stai tranquillo, se avessi voluto qualcosa te lo avrei detto prima – neanche fosse una faccenda burocratica, economica, una faccenda legale. Lui ha fissato attonito le magliette di Nino, e gli è montato un tale struggimento per tutto quanto della sua esistenza aveva perduto e mai gli sarebbe stato restituito, che ha accostato le narici al cotone di un calzino e l'ha sniffato, certo che l'intensità di quell'odore lo avrebbe ucciso.

"Sapete già come chiamerete la piccola?"

"No, papà. Elsa fa sondaggi sui nomi da mesi, ma non ne viene a capo. Per me è indifferente."

"Non hai mai pensato di chiamarla Azra?"

È buio; il freddo, una specie di membrana che mantiene il suo corpo a una temperatura invariabile.

"Ma forse," si affretta ad aggiungere il padre, "preferisci un nome italiano."

Danilo non riconosce la propria voce mentre chiede: "Tu pensi che mamma ci volesse?".

"In che senso?"

"Se era felice di avere due figli."

"Certo," dice Predrag. "Che domande fai?"

"E allora perché si è uccisa?"

"Che cosa c'entra?" il tono lievemente astioso.

"C'entra eccome."

Predrag non replica, lui l'ha ammutolito.

"Scusami," dice Danilo, "sono solo un po' stressato."

Sono solo un padre che non sapeva di essere padre, un padre che sta diventando padre per la prima volta e che invece ha già un figlio, e non lo ha voluto. Come ho fatto a non pensarci, come ho fatto a non riconoscerlo? Nel mondo abita uno che è tuo figlio e non c'è alcun richiamo del sangue ad avvertirti?

Nino ha nove anni: come ha fatto a non capirlo subito? Che idiota. Non voleva ammetterlo. Non poteva. E poi non avrebbe mai creduto che Nada fosse capace di fargli una cosa simile.

Gli dà gioia che Nino ci sia, quel bambino gli piace, tanto, ma vorrebbe che non fosse suo figlio. Mai rinuncerebbe alla sua nascita, è felice di conoscerlo, di giocare con lui, eppure non lo vuole, non vuole un figlio di nome Nino, è un figlio sbagliato. C'è una figlia giusta in arrivo, e la presenza di Nino, adesso, rovina tutto. Suo figlio rovina tutto. Non può cancellarlo, non può dimenticarlo, Nino lo condanna a dover fare i conti con lui, a riprogrammare il futuro che ha immaginato. A Nino basta esistere, per distruggergli la vita.

Il secondo anno delle superiori lessero in classe una poesia di Camillo Sbarbaro, e Danilo non l'ha più scordata. I primi versi recitano: "Padre, se anche tu non fossi il mio / Padre, se anche fossi a me un estraneo, / per te stesso, egualmente t'amerei", e lui si chiese se avrebbe mai detto una cosa simile. All'insegnante di italiano pareva un sentimento lampante, dava per scontato che gli alunni lo condividessero, e Danilo si preoccupò perché invece ne dubitava. Dentro l'aula con i soffitti alti e gli spifferi alle finestre ricordò il calcio nel culo che il paramilitare aveva tirato a suo padre la notte in cui erano fuggiti da Grbavica. Avevano entrambi taciuto su quell'offesa subita, un'offesa alla quale un figlio non dovrebbe assistere. Danilo non sapeva se quel che provava per il padre fosse amore o pietà. Gli capitava sempre: che la pietà sporcasse l'amore. Era accaduto anche con Nada.

Che cosa avrebbe pensato suo figlio, di lui? Lui che non lo aveva desiderato. Dopo la morte della madre, credeva non avrebbe più potuto desiderare nulla.

"Azra è stata molto premurosa, chiedi a Jagoda quello che ha fatto per lei durante la guerra."

"Lo so, papà. Non volevo metterla in discussione."

"E allora che vuoi?"

Nada ha detto tu non rispondevi alle mie mail, alle mie chiamate, tu mi avevi abbandonata senza spiegazioni, e quando poi ho fatto il test e ho scoperto che ero incinta ho pensato che, se te l'avessi detto, l'avresti presa male. Come se volessi costringerti a stare con me, quando non mi volevi. Sarebbe stato troppo umiliante. Era già troppo umiliante essere lasciata senza una parola. Era già troppo umiliante non sentirmi in diritto di pretendere nulla, manco fosse normale farsi trattare così, come tu mi hai trattata. Era mio figlio, ha detto Danilo, dovevi per forza informarmi. Non avrei mai elemosinato il tuo amore, si è alterata lei. Non era una faccenda mia e tua, ma sua, ha urlato Danilo. Non l'avresti voluto, e io non volevo che nascesse rifiutato, gli ho risparmiato questa esperienza. Non puoi sapere che cosa avrei fatto, ha ribadito Danilo. Tu non lo vuoi manco adesso, o sbaglio?, ha chiesto lei. Danilo ha stretto il calzino finché il polso non ha cominciato a vibrare. E allora perché me lo hai detto, maledizione? L'odore di detersivo lo ha intossicato.

"Quella storia che la natura è una macchina perfetta è una cazzata." È quasi buio e gli fa male la schiena, è seduto a terra in balcone da troppo tempo. Elsa lo aspetta.

"Danilo, ma che hai stasera? Mi parli della natura, di tua madre..."

A volte, in studio, quando tutti sono già usciti, Danilo poggia la testa sulla scrivania: lo schermo del computer lo stanca, le palpebre prudono. Poggia la guancia su un braccio e d'un tratto qualcosa lo fa sentire Azra. Non gli fa ricordare Azra, lo fa *sentire* Azra, come se per un secondo Azra fosse lui. Magari dipende da un'espressione del suo viso che da lei ha ereditato, anche se non può vederla, ma in qualche modo il corpo la intuisce, si predispone ad assumerla e per questo la riconosce, o magari dipende da uno stato d'animo inesprimibile che qualche memoria inconscia collega a lei e soltanto a lei. Le ciglia fanno ombra al suo sguardo e quel che la visuale inquadra, il ripiano della scrivania, la tastiera del computer, l'unghia del pollice, lo sta vedendo la madre. Quando capita, lui si chiede se quella sensazione debba allarmarlo, percepisce la paura, ma a distanza, una paura priva dell'energia sufficiente a farlo alzare, scendere in strada, entrare in un bar, parlare con qualcuno. Si ripete sono Danilo, io non sono lei. Non sono mia madre, sono qui.

"Se la natura fosse una macchina perfetta, una cosa importante come un figlio non potrebbe accadere per caso, per errore. Basta niente, e nasce una vita."

Basta scoparsi qualcuno a una festa, nel bagno di un locale, pensa, solo perché l'alcol ti ha disinibito, basta un gesto trascurabile – la mattina dopo non ricorderai nemmeno un dettaglio – e la vita attecchisce. È scellerato, è crudele. Basta amare una ragazza bionda con le clavicole robuste, e sospendere l'amore perché tanto c'è tempo per amarla più in là, magari tra un mese, o tra un anno, e poi scordarsi di lei. Come aveva potuto scordarsi di lei?

"Hai paura di diventare padre? È questo?"

"Non si sceglie di diventare padre. Non si sceglie quasi niente, sulla terra."

"Oh, ma che succede?" Predrag si spazientisce. "Non sei più innamorato di tua moglie?"

Mesi dopo la morte di sua madre, Danilo si era reso conto che poteva andare avanti anche senza di lei e si era domandato se la capacità di vivere nell'assenza di chi si ama non tradisse una carenza d'amore. Forse lui non l'aveva amata, sua madre, non abbastanza. Oppure aveva smesso di amarla: se riusciva a mangiare, a dormire, a camminare, a ridere, a fare sesso nonostante la sua morte, allora quell'amore si era estinto, altrimenti gli avrebbe impedito di sopravviverle.

"No, la amo da impazzire. Ma sono costretto a farle del male."

La luce di un lampione vacilla, per un attimo si spegne, poco dopo riacquista vigore. Danilo si alza da terra facendo perno su un palmo, ha le cosce congelate, le narici umide e un forcipe alle tempie. Chiude la portafinestra e si siede alla scrivania senza accendere la lampada. Al buio, racconta a suo padre che nove anni prima è nato Nino.

La madre di Nino ha le iridi celesti: sull'aereo militare da Spalato a Milano, quelle iridi lo hanno aiutato a respirare. Le ha promesso di sposarla e invece no, l'ha fatta cadere ogni volta che l'ha avuta vicino, perché è sempre stata troppo, per lui, troppo sofferente o troppo difficile da decifrare, troppo innamorata e troppo eccitante, troppo autonoma troppo succube, troppo sola, fondamentalmente troppo viva, una paura costante che bisogna domare.

55.

La mamma ha detto va bene la coppetta, Nino, però piccola, se no stasera non mangi. Lei ci ha la fissa che non mangio, lo dice sempre pure a Dora, la merenda mai dopo le quattro e mezza, se no a cena mi lascia tutto nel piatto. Io ho preso due gusti, cioccolato e limone, lei dice che non stanno bene insieme, ma Danilo mi guarda e sorride, da quando ci siamo seduti al bar è la prima volta. Non era più venuto a trovarci: ho chiesto a mamma perché e lei ha detto perché no, così ho capito che si erano bisticciati. Una sera ho fatto finta di dormire mentre lei stava seduta per terra con la schiena appoggiata al divano a guardare nel nulla, poi si è alzata per andare in bagno. Io ho spostato le lenzuola e mi sono affacciato: ho visto i disegni di Nino tutti strappati. Parevano i pezzi di un puzzle caduti sulle mattonelle. Ne ho presi alcuni e ho provato a ricostruire Scarafaggio. Una volta, alla festa del papà, le maestre ci avevano fatto disegnare e ritagliare una cravatta dal cartoncino, e io l'avevo portata a mamma. Lei mi aveva detto vuoi un papà? No, grazie, ho già Scarafaggio.

Mi sono avvicinato piano alla porta del bagno e ho sentito che diceva se i miei disegni avessero avuto un valore, non li avresti rovinati. Ma chi glieli aveva rovinati, lui? No, non li hai rovinati per dispetto, ma perché non valgono niente. D'altronde io sono niente, lo dice pure il mio nome. Questa cosa mica l'ho capita, ma non ho avuto il coraggio di chiederglie-la, neanche giorni dopo, metti che si arrabbiava. Vattene a fanculo, ha gridato a un certo punto, e io sono tornato a letto di corsa, perché lei non urla mai e le parolacce non le dice. Mi sono coperto fino alle orecchie, poi però ho sentito che gettava tutto nella spazzatura e ho avuto voglia di alzarmi a salvare Scarafaggio dal buio sotto il lavello.

L'altro amico di mamma invece non sorride, se lo guardo lui gira la testa dall'altra parte, tipo uno che si vergogna, io non ho mai visto un grande vergognarsi di un bambino. È abbastanza alto, secco secco. Io da grande voglio diventare altissimo e muscoloso come Scarafaggio. Lui è Omar, mi ha detto la mamma, e Omar ha detto ciao e ha fatto una faccia come di spavento.

Sei pronto?, dice la mamma e gli tocca la mano sopra il tavolino. Omar la guarda e si vede che si fida di lei. Danilo apre il portatile, batte sulla tastiera, parte una musichetta simpatica, poi la musichetta si interrompe e lui dice ciao sorellina. Ciao Danilo. Subito dopo gira lo schermo verso Omar. Ciao, ripete la mamma, grazie di cuore per il tuo aiuto. La sorella di Danilo risponde e poi la mamma dice una frase che non capisco, e si sente la voce di un'altra signora, una voce tipo mal di gola, tipo tosse e sciroppo e pigiama sudato, e anche lei non si capisce che dice. Omar dice mamma e scoppia a piangere. Abbassa la testa e si strofina gli occhi e mia mamma gli fa una carezza sul collo, gli dice guarda lo schermo, è lei, Omar, l'hai ritrovata, guardala, è sempre stata viva, hai sempre avuto ragione, dille qualcosa. Omar si asciuga con il braccio fino al gomito, io un grande che piange non l'avevo mai visto. Non so se Scarafaggio piange, ma lui è un animale, non conta. Come stai?, dice Omar, e la mamma dice una frase che non capisco e a quel punto la signora risponde, e anche lei si sente che piange.

La mamma parla una lingua che non ha mai parlato con me, e mi sembra diversa pure la sua voce, adesso, non sembra quella di mia mamma, sembra quella di una sconosciuta. Mi viene un po' di paura sotto l'ombelico: mamma, la chiamo. Amore, che c'è? Lei mi guarda ed è la stessa, con gli occhi celesti e quella ipsilon sulla fronte che mi fa toccare quando stiamo sul divano, ci passo sopra le dita e non soffre il solletico, ma ride uguale. Niente, rispondo, e lei torna a guardare il portatile di Danilo e cambia voce di nuovo e diventa straniera, eppure è la mia mamma. Il gelato si è un po' sciolto, il limone si è mischiato al cioccolato, col cucchiaino disegno cerchi bianchi e marroni, poi sento una mano sulla spalla: È tutto ok, dice Danilo, e non mi pare una domanda.

Che fanno?, gli chiedo.

Omar non vedeva la sua mamma da moltissimi anni.

E perché?

Per colpa della guerra.

Non capisco tanto bene, ma non voglio farmi scoprire, così dico io non ho mai visto mio papà, è sempre colpa della guerra?

Danilo mi stringe la spalla. No, dice. E sposta la mano. Si alza in piedi. Forse l'ho fatto arrabbiare, ma perché. Anzi sì, dice. Sì.

Io continuo a non capire, assaggio il gelato, il sapore non mi piace, la mamma aveva ragione, la sento parlare con quella voce nuova, che mi fa tremare l'ombelico, ma è lei, ne sono sicuro, dormiamo sempre abbracciati. Omar dice perdonami, ti giuro che metterò la testa a posto, la mamma parla in un'altra lingua, e la signora risponde, e magari anche a lei sembra strana la voce di suo figlio, adesso, perché quando parla non lo capisce, infatti piange. Io mi poggio la mano sopra l'ombelico, e penso a Scarafaggio, lui non sa niente della guerra, come me. Il gelato mi sa che glielo lascio, finisce sempre le mie cose quando non mi vanno.

Si sentono schiocchi di baci dal computer e la signora che parla e poi ancora schiocchi, la mamma dice figlio mio, non ci credo che sono stata io a farti, ma guarda Omar, non me. Sei un uomo, dice la mamma, e una volta invece mi stavi dentro. Omar singhiozza, la signora continua a parlare. La mamma dice dov'è tuo fratello, e non mi guarda. La prossima volta, figlio, fa' venire anche lui.

Danilo poggia i pugni sui fianchi, fa un respiro col naso in su, non gli riesce. Che hai, dice la mamma, e lui sventola la mano, niente, niente, andate avanti. Allora mi alzo pure io e vado ad abbracciarla. Fa' il bravo, dice lei, dobbiamo aiutare Omar, adesso, non vedi? E io lo vedo, che Omar piange, le spalle che tremano più del mio ombelico, piange peggio di me quella volta che sono caduto dallo scivolo e ho battuto col sedere, peggio di me quando va via la luce all'improvviso e la mamma non c'è, peggio di me quando a scuola mi saliva quella voglia di piangere che non riuscivo a smettere e non sapevo come fare. Così vado verso di lui, tiro fuori dalla tasca la scatoletta dei formaggini, il mio amuleto, la apro e gliela mostro. Omar la prende, la tiene in mano.

Poi evapora, dico.

Per un attimo stanno tutti zitti, lui, la mamma, Danilo, che è in piedi davanti a noi, e ha le braccia lungo i fianchi, forse è riuscito a respirare.

Ciao Nino, quanto sei bello.

Mi giro verso lo schermo, è una ragazza a chiamarmi. Ci ha i capelli rossi e uno strano ciuffo grigio sulla fronte. Accanto a lei c'è una signora con tante rughe ai lati del naso, sembrano i baffi di un gatto.

Ciao, rispondo.

La signora è rimasta a fissarmi a bocca aperta, le sono caduti tanti denti, come a me, ne ho uno che dondola proprio adesso, basta spingerlo con la lingua. Chissà se il topolino va pure dai grandi a portargli le monete, chissà se è andato pure da lei. Lei ci ha la faccia tutta gonfia e bagnata, così glielo dico. Ciao signora, basta piangere.

56.

Passeggiano nel parco in silenzio, solo il bambino fa un sacco di domande. Sua madre risponde a ciascuna senza mai innervosirsi, spesso inventa, riempie il figlio di frottole, la chiama fantasia. Il bambino non le cammina appiccicato e non le taglia la strada, non vive nel tormento della sua mancanza, lei è lì, può toccarla appena monta il desiderio, la madre non dice smettila di starmi addosso, non lo dice mai.

A Omar è bastato un pomeriggio di permesso-premio, per capirlo. A volte Nada si gira verso Danilo, come a chiedere tu la sai, la risposta? Il bambino raccoglie sassi, foglie, legnetti, proiettili no, non ce ne sono – li ficca in tasca, li lascia cadere, li semina lungo il sentiero, è Pollicino, come tutti alla sua età, ma nessuno vuole abbandonarlo. Gli corre incontro, poi però non si avvicina davvero, lo studia a qualche metro di distanza, è curioso di lui, forse intimorito. Nada dice non sudare, dice hai mangiato il gelato, sei nel mezzo della digestione, e Danilo ride, non ti facevo così ansiosa. Omar vede Nino sbuffare e pensa che, se solo lui fosse stato meno debole, quello avrebbe potuto essere suo figlio.

Ora che la chiamata è finita ha l'impressione di non averle detto nulla. Gli sono rimaste così tante parole incagliate in bocca, che vorrebbe risentirla subito, sua madre. Prima, Nada le ha tradotto la frase di Nino, basta piangere, e dopo qualche secondo di smarrimento la madre ha riso, e sono scrosciate le cascate, un diluvio di fresco ha inondato la città.

Non appena gli sarà consentito dalla legge, Omar andrà

a Sarajevo. Chissà se Nada vorrà accompagnarlo, se porterà anche Nino, se gli lascerà mantenere la promessa che le aveva fatto sulla Miljacka, quando la luce del mattino le squagliava gli occhi. Come fa a riabbracciare sua madre senza di lei. L'odore di stufa a legna potrebbe spaccargli il cuore, serve la sua mano, per resistere, lui ha imparato così presto ad aggrapparvisi.

Gli alberi fanno ombra, tira un po' di vento, Nada incrocia le braccia davanti al petto, poi si ricorda di suo figlio, lo raggiunge, si inginocchia davanti a lui, gli tira su la zip della giacca. "È primavera," protesta Nino, e scappa via di nuovo.

Il parco è così vasto, il cielo sterminato, Omar ha le vertigini. L'orizzonte si appanna, i rami si sfocano, per un attimo deve appoggiarsi a un fusto, annusare la corteccia, accettare la miopia, l'agorafobia, o la gioia. Per un attimo il ricordo della sua cella lo tranquillizza – poi è Nino a chiamarlo.

"Guarda, Omar, mi so arrampicare."

Curvo, le gambe flesse, il bambino sale al contrario sullo scivolo fino in cima, poi perde l'equilibrio e slitta giù, si ferma gattoni, un po' deluso.

"Pure io mi so arrampicare," dice Omar e, afferrandosi a un ramo, con uno slancio arriva a sedervisi sopra.

Dallo scivolo, Nino lo osserva ammirato.

"Vieni su anche tu."

Nino cerca Nada. "Posso?"

Lei non risponde, guarda Omar, poi di nuovo il figlio.

"Dài, accontentalo," suggerisce Danilo.

Il bambino è di fronte all'albero, la madre lo prende in braccio, suo padre è l'uomo che si è accovacciato per riceverlo sulle spalle e sollevarlo, anche se Nino non lo sa. Danilo porta un orologio che Omar gli ha sempre visto al polso, fin da quando era un ragazzo, ma non può sapere che apparteneva a suo padre, un serbo bosniaco che ha difeso Sarajevo, e che gli ha imposto di essere adulto molto prima del tempo. Omar non può sapere che Danilo aveva in mente di regalarlo a Nino, quell'orologio, poi però ha pensato che non voleva lasciargli un cappio in eredità. Neanche alla bambina che deve nascere può darlo. Elsa ha pianto così tanto che lui temeva le venissero le contrazioni in anticipo, fatica a perdonarlo di un torto che non ha fatto a lei. Della nascitura, Jagoda ha detto avrà un fratello, non è una fortuna da poco. Tutto questo, però, Omar non lo sa.

"Stendi le braccia, Nino," ordina Nada, e Danilo afferra suo figlio e lo innalza come un trofeo. Omar si protende, reggendosi al ramo con i muscoli delle cosce, e lo raccoglie. "Piano," supplica Nada, ma in un guizzo lui l'ha già accomodato accanto a sé, gli cinge la schiena, lo tiene stretto.

"Wow!" esulta Nino.

"Ti piace?" Omar sorride.

"Non è che tira troppa aria, lassù?" chiede Nada.

"Che ti inventi."

"Fa un po' fresco."

"Piantala, mi sembri suor Tormento."

"Chi è suor Tormento?" domanda Nino.

Omar non risponde, si gode la vista. Le nuvole sono zucchero filato preso a morsi, galleggiano nel lago assieme alle fronde, alle staccionate, alle biciclette in corsa. Il sole è pronto a dileguarsi, non sente la mancanza di nessuno. Il cielo risplende come Nada in chiesa una domenica di diciannove anni fa, Nada incendiata in ogni suo ricordo, la Nada dei sogni notturni: non era paura, era speranza – è lei, la speranza, e nemmeno lo sa. Lei che adesso, di fianco a un albero, con lo sguardo in alto sorveglia il proprio figlio. A proteggerlo è lui.

Nel parco, i bambini dondolano sulle altalene, sfrecciano sui pattini, salgono sul trenino che lo attraversa senza fretta, bevono Coca-Cola dalla cannuccia, calciano una palla, sventolano girandole mentre i colombi rifiatano, avanzano come funamboli in bilico sui muretti, storpiano canzoni imparate a scuola, si azzuffano e subito dopo fanno pace, rimandano il più possibile il momento in cui andranno a letto e non riusciranno a dormire per paura di risvegliarsi da soli, sparite le madri, un mondo senza madri, gridano contro questa costante minaccia, così forte che pare euforia, piangono per quello strappo che è già accaduto, e si allarga ogni giorno di più, ma fingono sia per i graffi alle ginocchia, i bambini nel parco sanno tutto, e l'orologio al polso si arresta d'un tratto, finalmente le lancette si incantano – Pollicino è nascosto sotto il tavolo, le orecchie tappate; prima o poi dovrà fidarsi, dovrà crederci: diteglielo, vi prego, che nessuno lo abbandonerà.

"Ti senti meglio?" chiede Nino.

Omar fa cenno di sì. Estrae la scatoletta vuota dalla tasca della felpa, gliela restituisce.

"Tienila," dice il bambino, "te la regalo."

Ringraziamenti

Questo romanzo è dedicato a Adis, Amela, Amer, Mirela e Ognjen.

Ringrazio Michele Augurio, Daniele Bombardi, Nicole Corritore, Tommaso Creola, Lorenzo Ferrari, Monica Fogliani, Sabina Gardović, Uzeir Kahvić, Safet Krajević, Vedran Jusufbegović, Sonia Laudati, Gabriella Maruzza, Nicola Milasi, Max Nasi, Dario Novalić, Livia Pomodoro, Jagoda Savić, Tarik Smailbegović, Marina Tralli, Vera Zorić.

Nota al testo

La citazione di Slavenka Drakulić in esergo è nella prefazione a Dževad Karahasan, *Il centro del mondo*, traduzione di Nicole Janigro, Il Saggiatore, Milano 1995.

I versi citati alle pp. 76-77 sono tratti dalle poesie di Senadin Musabegović *Il respiro della polvere sui guanti chirurgici* e *La patria cresce*, in *La polvere sui guanti del chirurgo*, traduzione di Danilo Capasso, Infinito edizioni, Modena 2007.

La chiusa di p. 178 contiene un omaggio a Heiner Müller, *Hamletmaschine*, in *Teatro II*, traduzione di Saverio Vertone, Ubulibri, Milano 1991.

Il brano alle pp. 210-211 contiene un omaggio a Ivo Andrić, *Il ponte sulla Drina*, traduzione di Bruno Meriggi, Mondadori, Milano 2011, e *Lettera dal 1920*, in *Racconti di Sarajevo*, a cura di Dunja Badnjević Orazi, Newton Compton, Roma 1993.

I versi citati a p. 218 sono tratti dalla poesia di Izet Sarajlić *Cerco la strada per il mio nome*, in *Chi ha fatto il turno di notte?*, a cura di Silvio Ferrari, Einaudi, Torino 2019.

Il verso citato a p. 303 è tratto dalla poesia di Julio Cortázar *Incarico*, in *Le ragioni della collera*, traduzione di Gianni Toti, Edizioni Farenheit 451, Roma 2017.

Indice